戴國煇全集　

史學與台灣研究卷‧二

◎殖民地文學

◎台灣總體相
　　住民‧歷史‧心性

目次
contents

殖民地文學

台灣總體相
住民·歷史·心性

戴國煇全集 ②

史學與台灣研究卷·二

殖民地文學

「中國人」的中原意識與邊疆觀
──從自我體驗來自我剖析或解釋

　　我先交代一下今天這個題目的由來。第一是前年，1982年的
暑假我用日文寫了一篇論文，收在《漢民族與中國社會》〔《漢
民族と中国社会》，參見《全集8・對中國人而言之中原與邊
境》〕裡。這書是一系列從當前的世界探討各民族與國家間問題
的叢書之第一冊，是我的老朋友橋本萬太郎教授編的，他是日本
東京外國語大學語言學教授。這裡頭我寫的一長篇論文就是今天
的題目，其中我提了幾個問題，最主要是對漢民族的意識，中國
人的國家意識，及中華意識做一個未成熟的整理和交代。這是我
一直在日本探討的主要題目之一。其結果變成我這篇論文。其
次，在愛荷華我沒意料到會碰上陳映真。結果在《台灣與世界》
第八、九期（分別在1984年2、3月出版）發表了上、下兩篇的
〈台灣人意識與台灣民族〉〔參見《全集》19〕。希望在座的鄉
親與同學們趁我在紐約的這段期間，能給鄉弟多多批評和指教。
我們可以好好地討論一番。

從邊緣到中心的史觀

　　為什麼要從「自我的體驗」談起呢？照理說這種寫法是吃力不討好的。以一個傳統的中國知識分子立場來講的話，是最笨的一種作法。為什麼要赤裸裸地把自己的想法和過去的體驗交代清楚呢？把這些記錄下來，將來或許要吃虧。可能我是個大傻瓜所以才這樣做。我始終這樣想：「原則上搞社會科學的就是應該擺開情緒的部分，把所研究的對象對象化、客觀化，保持一定的距離，然後才加以探討。但把所有的感性部分丟掉，並沒有把它昇華，提高層次來結合科學研究的話，亦太過於枯燥。不一定能道出其所以然來。」因此我在東京這28年，經過種種的挫折，各色各樣的衝擊，發現到就是應該從自己生活的現實，或是生活歷史的現實，或是我既有的社會生活的現實做出發點來思考、來整理自己的問題。意思就是說千萬不能藉為「社會科學」而「社會科學」來自欺欺人。對自己也應該有所交代。

　　從鴉片戰爭以來，我們中國知識分子經過很多很多的挫折，吃了許多許多的苦頭。但是不管在大陸、在台灣，或者是現在在美國，一些搞政治，參與政治的朋友們一直都不大公開地談這些問題，至少在我的狹窄的經驗來言是如此。這個問題就是人人罵的美國在成熟期資本主義下開花的「個人主義」（individualism）。我卻認為「個人主義」有正反兩面。我們應該追求其正面意義。我希望對自己比較忠厚一些，善待自己一些。這樣對做學問、研究、待人、處事都可要好一點。不然的話，就像很多知識分子被人家牽著鼻子走，始終走不出自己的道

路來。不仿美國，就學日本，老是依賴別人，老是高攀（或許該說低攀）。對一些權勢低頭，出賣自己，甚至出賣朋友。簡直是胡鬧，也相當不應該。總之，我這個題目是要對自己有所交代而談的。另外，從我個人生活來說，也是給我在日本生的孩子們留個紀錄，讓他們能超越我，從他們的父親所經歷過、所苦惱過的行程和思路得到一點小小的教訓。

　　對這個問題要交待的第三點則得從我半路出家談起。剛剛主席又誇獎我學問相當廣泛，這並不是事實。只能說我興趣很廣，肚子裡都是「油」（眾笑），並不是學問。我這個半路出家也有它的必然性。過去我學農，學農業經濟，寫這方面的論文，然後寫農村社會學有關的題目，博士論文寫的是農業史。〔參見《全集》10〕我做農村社會學這方面題目的時候，相當積極地利用文學題材（小說）加以整理、考證並精鍊後做研究的「基材」。後來我寫糖業史也得利用我們老祖宗留下來比較多的文字材料，因為，諸位都知道，甘蔗糖業這方面根本不可能在考古方面留下研究材料來。所以我就找出當年都市生活的一些文學、語文等紀錄來，用社會科學、社會經濟史的方法整理出我的第一本書。在這個過程中，慢慢地我對所謂正統就形成一種看法。就是說，中國知識分子背負了相當重的歷史包袱，總是從歷史，也就是從過去的觀點來看問題，其實老百姓對正史都沒有太多的興趣。比如二十四史中的三國史，我相信除了念歷史的人之外，很少有人去看它。但是《三國演義》看的人卻很多，不管它的歷史事實性如何。後來我就想到搞正統歷史的人很多，我何不從邊緣來圍攻呢？套一句大陸的術語就是「從農村包圍都市」，「革命」求勝

的方式既然可以用，當然做學問也可以一試吧。那麼「邊緣」對我究竟是什麼呢？搞台灣史啊、搞華僑史啊、搞農業史啊，甚至在農業史裡我搞的是蔗糖史（並不是社會經濟史裡的主流，而是一個邊緣的東西），就是一些嘗試罷了。如此就慢慢形成了鄉弟的一種「史觀」。

　　我在搞台灣史的時候亦是從另外一個「邊緣」的高山諸族著手，我覺得高山族的歷史境遇太慘，沒有人替他們講話，因而我就代他們整理一些資料出來。當然，我沒有資格替他們寫歷史，但是起碼給自己一個交代。歷史上，我們客家人給高山諸族添了許多麻煩，或是傷害了他們，或是搶了他們的土地和財富。就這樣，終於編出了《台灣霧社蜂起事件——研究與資料》。這樣講，諸位就可能發現到我總是在「邊緣」徘徊，不曉得什麼時候才能夠達到核心，中心地帶去。

　　我現在以為我的歷史觀體系在慢慢地成形。這是我第一次很冒昧地公開講出來。我的筆記本裡是畫了許多圓圈、箭號等，在一步步地搞。希望在我有生之年能夠完成較有系統的一套東西來。另外一句題外話就是：我覺得很多人過去搞歷史的沒有用上心理學、社會心理學、精神分析等方面，我希望能夠把這些方法導入歷史研究方法裡來。或能稱為歷史心理學的一種範疇新境界。

知識分子該對自己的思考與行為負責

　　在進入正題之前，最後一個想請教諸位的就是「自我同定」

（identity）的譯詞問題。我不曉得台灣島內或大陸上寫文章的人用不用這個譯詞。常用的譯詞「認同」還算不錯，但是比較適於動詞的場合，也就是英文的identify。但是把identity翻譯成「認同」，很有些時候會引起誤解，不甚適當。所以我才想用「自我同定」。這個「自我同定」的「自我」當然和「個人主義」有關係，對此非常值得我們留意與強調。就是說對自己的identity crisis（認同危機）如何解決，以及如何豎立自己的自我同定。也就是說，當為知識分子，該對自己的思考與行為負上責任來。時時刻刻都應該好好對待自己，老老實實面對自己，進一步要能對得起朋友、鄉土與民族。還得要經得起歷史的考驗才好。就是我未成熟的一個看法，也就是為什麼我要赤裸裸地把我的看法說出來的主要因素，這在日本學界也是很少見的。

　　當我這篇文章發表以後，日本朋友來信說，引起了種種爭論和佳評。我今天的一個如意算盤就是希望諸位能夠給我一些意見，我回去以後可以藉諸位的智慧來應付日本朋友方面的「挑戰」。

「黃帝子孫論」的質疑

　　現在言歸正傳。第一個要談的就是「黃帝子孫論」。我特別是要談到小學這一段期間，黃帝子孫論在我家的情形。家祖父、家父當年常常一而再、日而月地要強調我們是黃帝的子孫！這當然是針對著當年日本統治者──一個外來的壓力，一個權威，且是侵略民族相對抗而強調的。我是1931年出生，那一年，發生了

九一八事件。等到「七七」的時候，我在念小學。那時日本在台灣推行皇民化運動，要逼著我們改姓名，獎勵年輕人參與日本軍的侵略行為。在這種情形之下，家父很怕我這個么兒將來會被同化成日本人。那時我的哥哥們，有的在東京、有的被動員徵傭到南洋，只剩下么兒在身邊。天天給日本老師灌輸「日本國體論」——萬世一系的天皇，偉大的大和民族和大和魂。家父當然希望能夠把這個么兒拉回中國人這邊來。中國有一句話「言教不如身教」。我們家過舊曆年第一天，所謂開正，要拜天公、祭祖、貼春聯等。拜天公的時間還得看當年的干支來決定。我相信家祖父和家父等老一輩是透過這些祭祖、拜天公，一而再地強調我們係黃帝的子孫等來教育我們這一輩，教我們不能且不要變成日本人。

　　但是我向來不是「乖乖聽」，常常要發些疑問。那時我在東京的哥哥希望我上中學時到日本去上學，因為在台灣受日本人歧視得很厲害，到日本起碼還有那反動且保守的明治憲法的保障。千萬不能忘記，當年的殖民地台灣，連那老日本憲法都沒有被施行，當然無所謂憲法的保障。他常常寄書來，有次寄來一本松村武雄編的《中國・台灣・朝鮮神話與傳說》〔《中國・台湾・朝鮮神話と伝說》〕（我寫這篇文章時又看了一次，坦白說，編得不錯）。書上說黃帝是神話，是不存在的。我就向家父發問：「不存在的黃帝怎麼會是我們的祖宗呢？」爸爸說：「你怎麼這麼嚕嗦，聽爸爸的就對了，為什麼要發問呢？」我反駁說：「爸爸您不是常教我們，別讀死書，要多發問的嗎？這個是書上講的。」他說：「可能是日本人有偏見，書上抄來抄去，要侮辱我

們漢民族，侮辱我們黃帝的子孫，所以說黃帝不存在。」後來我向我哥哥求救，他就把司馬遷的《史記》寄來了。那時我才小學五、六年級，當然很難看懂囉！但是總也看得出來其端倪。〈五帝本紀〉第一講黃帝，司馬遷也只是當它是傳說，並沒說是實在的人物。只管說黃帝可能有些不妥，所以再找他的先一輩的炎帝也就是所謂神農氏來再加一層「武裝」變成所謂「炎黃子孫」或「炎黃裔胄」的成語來，流傳到現在。最近十年來，我一直在想如何用近代人文科學來對這些神話、傳說之類做下分析。是否可沿用社會心理學或精神分析來解釋？日本也有天照大神、神武天皇等。全世界各國都有類似的神話與傳說。我們為什麼不能找出通用的方法，新的人文、社會科學來解釋它。不管怎樣，對或不對，我爸爸、我祖父他們始終是以為黃帝是我們的遠祖，漢族的遠祖。深信我們是他的子孫，這個社會觀念我們絕不能忽略它，更應該加以科學的探討才夠時代意義的。

「黃帝子孫論」的政治應用

1955年秋天，我到了東京。本來對於《三民主義》，除了應付留學考試和預訓班受訓以外，都不大願意看與念的。到了日本以後，反而想好好研究一下孫文、辛亥革命等。這樣就接觸到章炳麟、王船山《黃書》，也看過《黃帝魂》、《革命文牘類編》等等。王船山可以說是主張漢族中心國家並以華夷思想力主排外保種（漢）的開創人。黃帝的「存在」，我看了那些書以後，我斷定它只是一種象徵性的存在，精神所繫的一種存在。我猜我祖

父和爸爸可能沒有看過這些書，1972年回台省親時，我還到老家去查了一下，的確沒有這類書的存藏。那麼他們為什麼會與王船山等人一樣地主張我們一定是黃帝的子孫呢？會不會是口碑傳下來的呢？他們當年的知識水平來言，當然分不出何為神話，何為傳說。他們更有可能沒有把神話和傳說分開來的欲求。當然，他們也不會想到更不需要去分。只有我們這些囉嗦的知識分子才要搞這個區分了、定義了、分析了等事情。（笑）史記中的黃帝已不是神，而變為半神半人的「存在」。司馬遷把神話中的黃帝描繪成帶有濃厚的「人」的味道來，但他只認為黃帝是傳說中的人物，並沒有確認他是事實的存在。我的解釋是：當年我們（算是說自認為的原初漢人或漢族吧）在中原以黃土平原和黃河來當作我們偉大的母親，向無能為力來馴服的大河黃河來討生活，還得向可畏的自然環境挑戰。斯時的漢人們為謀取鬥爭的勝利，還得假託「神通力」等，至於有關炎黃等的故事，卻反映當年與大自然搏鬥的一種社會心理反映。原初漢族人當年需要「超能力」來支持自己的社會行為，由這種社會心理反應逐漸造出一種黃帝子孫的說法。到了辛亥革命前夕，《黃書》、《黃帝魂》、《革命文牘類編》等就再給倒清興漢革命攤出思想性的準備。它們說的黃族就是漢族，過去的神話、傳說中的人物慢慢卻變成促進排滿、保種（漢）革命與團結、統一的象徵。後來孫文一統的辛亥革命成功以後，當然，排「滿」就給沖淡了，逐漸提升為五族共和，五族卻不排除滿族了。這種轉變以一個「中國人」來思考，我們應該如何解釋，也是一個很大且很有趣的課題。不共戴天的仇族一經過革命卻變為共和的族伴。這一種邏輯的轉換，如何來

做合情合理的解釋？又值得我們去探討的。

　　更有意思的是，這幾年大陸對台灣的統戰口號，一貫地呼籲「我們是黃帝子孫」云云，台灣國府要三民主義統一中國，也在大談其「炎黃子孫」。他們還一方面說：最好你們「台獨」不要搞什麼台灣民族啦，我們同是炎黃子孫云云。我仍然不做「乖乖聽」，就去查兩邊出版的《辭海》。台灣中華書局發行的《辭海》（1959年4月台四版）的「黃帝」項等於抄襲《史記》，根本沒有近代人文科學一類的任何解釋。至於「炎黃」項卻加有「今我國人常自稱為炎黃裔胄」。大陸，上海辭書出版社出版的《辭海》（1979年版）的「黃帝」項則先明說「傳說中中原各族的共同祖先」，後再引《史記》等記事來闡述。另「炎黃」項亦先明示有「傳說中的中國上古帝王炎帝與黃帝」。

　　台灣國府講「炎黃子孫」不奇怪，因為他們不要馬列，不講唯物史觀嘛。但是大陸中共就該不同的囉。大陸作統戰時又為什麼也來個「炎黃子孫」呢？這不是怪怪的嗎？怪歸怪，但它打這個口號是有一定功能才會繼續在打的。這就是值得我們探討的！被當做統戰對象人們的心態究竟為何？難道不值得我們去關心、留意嗎？我們當然可以批他：中國共產黨啊！不要變成老修囉！你們的唯物史觀要好好保持囉！你們自己編的辭典明說是傳說，怎麼可以用來作統戰的口號人物呢？批儘管可以批，但實際上這種政治口號有它存在的合情、合理性，有它發生效果的社會心理基礎。或許被統戰的人們，無意識的具有接受這種口號的心理基礎，（不被統的當然是例外），不然大陸當局老提這個幹嘛？這次（1983年）我來美國一年，就發現很多過去搞台獨的鄉親們到

北京去了。大概他們動搖了，他們是否對「台灣民族論」失去了信心，回過頭來，承認他們為炎黃子孫的一分子？我並沒有譏笑、中傷人家的意思，而只是以為這種心態值得我們去分析就是了。反而又可以說，自廖文毅以來叫了三十幾年我們不是中國人，我們是台灣人，我們已自成為「台灣民族」，對中國人，中華民族不但有別，還另具有「民族仇恨」，講了大半天，好像是「空喊」。

在此我順便給諸位介紹一些小插曲（episode）。1950年末期到1960年代初頭，大概因為鄉弟是客家系，加上在同學會愛說話又能用日文寫一點小文章的本省人緣故，有些鄉親來遊說我，要小弟去看他們的廖（文毅）大總統。但我看完了廖著《台灣民本主義》後，我認為是襤褸一套，那一套行不通，不值得我浪費時間去訪問他。過些時候有一位同學來邀我去看邱永漢，那一位同學說，邱是在堂堂皇皇的日文大型雜誌《中央公論》、《文藝春秋》等寫文章，不至於是襤褸一套吧！我說邱的日文很美可佩，但他的邏輯我不能贊同。另外我問那位同學，邱會不會是「小政客」來唬人的，搞台獨怎麼取「永漢」這個筆名呢？他恍然大悟：「嘿！戴學長，我不曾想過這個問題。」（邱的本名為炳南）。

這一次來美國，去年暑假前在灣區有位「新相識」，來了個電話，邀我參加世台會，另外問我想不想與陳唐山見一見面。當時我對美國僑界一無所知，當然不知道陳氏為何許人。經過新相識說明以後，我向她發問，唐山是不是本名？本名還可原諒，若是筆名的話，會不會再來個「邱永漢」呢？她忙著在電話那一邊

說，唐山大概是本名……。唐山先生將來何去何從，我個人無法預料亦無多大興趣。但邱永漢財神師爺（日本商人對他的稱呼），他已自認：「炎黃子孫」回台賺他的錢，前幾年搖身再一變，又成為日本公民去了。愛罵人的在日華僑們裡，甚至於有人打起問號：「邱會不會再從日本公民，升級變為日本皇民？」、「可歎可歎！」這個是後話。

「台灣光復致敬團」的遙祭黃帝陵

另外一件值得我們在此一提的，則大概光復快為一周年的時候吧，由林獻堂先生、姜振驤（為客家系人士，於抵抗「割台」戰爭中勇敢犧牲的姜紹祖烈士的獨子）先生、葉榮鐘先生等士紳們組了「台灣光復致敬團」回了大陸做了「光復致敬」的儀式。

「台灣光復致敬團」，由丘念台（代表團顧問）先生和林獻堂（本被推為團長，但受長官公署當局之反對作罷，該團終於不設團長職）先生率領晉謁了蔣介石國府主席、宋子文行政院長、王雲五內政部長、白崇禧國防部長等並送上「國族干城」的錦旗與蔣外，另託蔣轉贈5,000萬元給陣亡將士家屬為慰勞金等的現實「政治秀」外，他們還飛到西安，再由專車轉赴陝西耀縣，遙祭了黃（帝）陵。這一種政治上的「現實」和「宗教」合一之回歸祖國「儀式」，值得不值得我們今人，用上心理學、社會心理學、精神分析方法來分析與解釋一番呢？鄉弟認為是大可值得去做的。

目前手頭上（因在旅途上）資料不夠，將來有機會把今天的

一些話印成書時，我會補上代表團名單和祭黃陵文的〔參見本文附錄〕。但在此我可以先提一下，代表團裡雖有福佬系、客家系的人數安排但獨缺高山諸族代表，至於「祭黃陵文」則由葉榮鐘先生起草，經過獻堂和念台兩先生審閱定稿的。

我希望最近的將來能找到機會，另草一文來介紹「台灣光復致敬團」的來龍去脈，今天就不再多言了。

尋根，族譜與中原意識

諸位知道，前不久《根》這部著作和電視劇在東亞亦風行一時，在日本、台灣也掀起尋根熱。東南亞的華人、華僑界亦是一樣。反正生活水平提高到了某一種程度，一般人都會想起家譜、族譜之類的。我們戴家也新搞了一個。還有遠祖的相片呢！很有意思！很有意思！戴家的族譜豈能有個黃帝「玉照」。（眾笑）真有意思呀！那時我們家的總管大哥還在世，我就寫信問他，族譜裡那張「玉照」怎麼弄來的，怎麼用「今人」古裝照相來唬自己。根本不知模特兒為何許人，還要我們戴家後裔來祭拜，不是胡鬧嗎？他老人家含糊其詞，卻讓編譜的「業餘文人」賺了一筆。這亦可說幫台灣創出「就業機會」，相助並促進了「台灣經濟的景象」（哈！）。

我們家的店號是「晉和」，晉當然是指山西省的太原。這也有段故事。我爸爸那時教育我們是黃帝的子孫，當然要談到中原。但我始終不是「乖乖聽」，就問他：「中原在什麼地方？」我爸爸說是在河南附近。可是我一查，我們的店號是晉和，是

山西的太原囉，河南到哪裡去了呢？會不會以前的河南包括太原，或是後來分離了呢？我爸爸素來討厭日本話，這時卻用日本話罵我真是「唔路塞」（指嚕嗦，討厭的人）（眾笑）我就說：「你不是說要我們好好發問，學習才能進步嗎？怎麼又罵我『唔路塞』呢？」我們的祖宗靈牌和祖墳的墓碑上都寫的是「譙國。」我就問我爸爸在哪裡，是不是在中原呢？他說不知道。好，我就去查。給我查出來了，原來是河南省商丘縣，當然得託福大陸的地形以及地名並無起過大變化。我就說：「我們的祖宗靈牌和墓碑上的兩個字與我們的店號距離相當遠。那時船也不甚大亦不可能很好，當然沒有飛機囉，怎麼會差得那麼遠？」我爸爸大概沒法回答我，就說：「我們偉大的正統祖先，在周朝時被封於譙州，就是中原逐鹿那段時間，我們戴家被封了，由『州』變成『國』，就是『譙國』。這一下，你就得服氣了吧？」我說：「還是不大服氣。我們家那麼偉大的話，為什麼跑到台灣來冒險？首先要過『烏水溝』也就是現名為台灣海峽的險，那時候好危險！到了台灣還要跟高山諸族打仗，常有可能被斬頭的，這是很危險的。」他一方面翻我們家的老族譜，（不是剛才說的有照片的族譜，另外有一本老族譜）並指著族譜說我們的祖先多光彩，好多的秀才、舉人。我說：「沒有吧？哪有那麼多秀才、舉人呢？如果我們戴家都是秀才、舉人的話，我們應該像林本源一樣囉？奇怪！我們家的秀才、舉人都不靈光？」（眾笑）我爸爸又罵我「唔路塞」。差一點要挨揍。

因「雜種」挨了耳光

　　最絕的是，有一天我的外祖母到我家來，那時她七十幾歲，她很漂亮，鼻樑高高地，客家山歌唱得好得很。我突然問我爸爸：「外祖母會不會是平埔番？」我馬上挨了一個耳光。我爸爸說：「你這個混帳！我們家怎麼會有『雜種』？」我說：「哥哥寄給我的書——達爾文（C. R. Darwin）的進化論和孟德爾（G. J. Mendel）的有關遺傳法則之書——說雜種是好的。為什麼你要罵我、打我？」我爸爸說：「你混帳！什麼『雜種』好！我們戴家怎麼會有雜種？」我說：「雜種不壞嘛！從進化論、遺傳學來講，愈雜愈有希望啊！」（眾笑）當年，我想法不外是承認家父的中原正統說，再加上與平埔族混血不是可以培育更上一層樓的「雜種」嗎！但長輩卻不能接受。中國話的「雜種」是罵人的話，其實就是有一點混血又不至於傷大雅才對（哈！）。但我爸爸絕不讓我有如此的說法。當時他會有那種激烈反應是很有意思、耐人尋味的！他雖然念過漢書，我相信不曾看過太多的書，但他身體中充滿了「黃帝子孫」觀與「中原正統意識」，心理上始終認為是大陸中原那邊南下且過海來的正統客家人。

　　關於混血，我相信客家人和邊疆民族混血，該是常見的，你看李光耀，如果把他請到東京，日本人一定說他是朝鮮人。李的面貌很像「平均」的朝鮮人面貌啊！朱德據說又是客家人，大塊頭，可能比較接近北方人的所謂漢族。葉劍英在相片和電視上看與丘念台故老先生一樣，較為斯文些。我自己嘛！我相信有一點高山諸族的血統吧。（眾笑）現在胖了許多，以前黑漆漆亦是很

slim，大家叫我black。（眾笑）踢足球時，大家認為我是很兇猛的。有關我們家，自囿於「黃帝子孫論」和「中原正統」意識的故事，就此暫時結束。

客家人與閩南人

現在我講第二個題目，就是「中原、客家人」。我想，我如何地慢慢認同自己為客家，當然是先碰上有非客家後，才會逐漸地做下自我認識，認識到我自己是客家人。我生在中壢，我們家的小醫院在中壢街上，店也在街上，平常碰到的人都講客家話。有一天回去鄉下的家，忽然碰到有人講我聽不懂的話，後來家母告訴我他們是福佬，是閩南人。我們通常叫做「福佬仔」。我們彼此間的生活很少有過衝突，住在我們鄉下家的隔壁是我們家的佃農。他們是閩南底客家人，原本是閩南人，後來遷來客家村莊住，又種我們的地吧，他們平常在家裡講福佬話，但在外面則講客家話，慢慢地年輕的一代、二代就客家化了，所以我們說他們是福佬底或閩南底客家人。然等到我上中學以後，就再發現我們的周圍日本人變多數了，鄉下只看到小學校長與警察大人及他們的眷族是日本人，但在中學的同學，四分之三是日本仔，剩下四分之一才是當年稱作本島人的台灣人，偶爾可尋出一、二位山地人（全校裡）。這就是當年的新竹州立新竹中學校的情況。

當年的日本人學生很霸道，常常欺侮我們，我們本島人之間逐漸發現我們同受日本人的欺凌。但是我們互相之間介有語言不通、生活習慣不同，好像氣質亦不大一樣。客家人一般較多出身

於農村，商人比較少，像我們家既是醫生，又是地主，再兼營布店和碾米廠是很少有的。而當年我同班的其他客家人不是小學老師的兒子，就是中小地主，即當年被分類為「貸地業」家的兒子，或是醫生的兒子，生意人的子弟甚少。但福佬人同學，他們的出身較「雜」，因他們住新竹市、桃園街（當年新竹市是一大州城，客家城鎮的中壢還沒有現在般的繁華，福佬人的城鎮好比桃園、竹南都要比中壢、苗栗街要繁榮，起碼在我幼少年時期是如此）。他們間還有「大」商人的子弟，習慣於商場及商人討價還價一般的生活，顯然地他們的表現較為「敏捷」、較為「狡猾」、較為「油條」。我們覺得閩南系同學很靈活，很會對付日本人。我們甚至認為閩南人狡猾，不老實、不忠厚。而我們客家人直繃繃的，說打架就打架；閩南人則說我們「阿呆」（笨蛋）。另一方面，我們也覺得閩南人不易團結，客家人則比較團結。為什麼呢？其實很簡單。客家人大多數是鄉下出來的，對於都市的商業社會沒有什麼認識與體驗。閩南人則見的場面多與廣，較為「世故」或成熟，很會適應。由於這個區別，客家人和閩南人同樣受日本人欺凌，但我們之間卻難以構起「被迫害者」間的共識與連帶團結。原因不外是以下幾點：第一，母語有別；第二，氣質有異；第三，彼此間的信賴感亦不易建立；第四，日本人的挑撥離間政策促進我們本島人之間的分歧。

值得我們注意的是，當年的山地青年同學在我們新竹中學者，始終受到日本人的「特別」庇護，他們講日本話比我們靈活，他們不會說福佬話、客家話，他們的母語我們不懂，當然不可能站在一起，我們之間建立關係尚要等到光復後。

戴國煇（左二）訪香港大學教授羅香林（右二），左一為矢吹晉，右一為今堀誠二，攝於1969年11月（林彩美提供）

客家是什麼？

由於這個閩南人與客家人的不同，後來我就問家父：「客家是什麼？」他說：「客家就是講客家話的人，是從中原來的。」還說我們客家是正統的漢族。再問他正統是什麼，他就答不出來了，反正他確信是中原正統出身，與閩南人不一樣。甚至我們父母都有一種偏見，認為閩南人髒，不愛洗澡。（眾笑）其實，我祖母、我媽媽梳頭髮的髮型、穿的客家衣服、唱的山歌都是客家的特殊風格，當年的福佬鄉親很可能在背後罵我們客家人「土包子」呢！（笑）

　　到了光復後，我的視野慢慢擴大了。幫我擴大視野的第一個人就是我家大哥。他從南洋復員回來，告訴我們南洋華僑裡，有很多和我們講同樣客家話的。甚至是有同我們家母、祖母梳同樣髮型頭的、穿「大婆衫」的婦女們。他還進一步在台北給我們家添購了一本羅香林原著《客家研究導論》的日譯本。

　　我們那以前，只知道中壢靠海邊的客家人講「海陸」，我們家母就講「海陸」客家話，但我們家常用的卻是「四縣」。另外有位嬸母來自於台中的東勢角，她們家講的是另外一種饒平客家話，已自台大退休現為淡江大學教授張漢裕先生就是講饒平客家話的。這些命名統統來自於對岸大陸故鄉的地名。

　　詳讀了羅著以後，我發現客家在大陸上的分布都在「邊陲之地」，不毛的「邊疆」之地，也就是說多散居於marginal land。後來我再發現台灣的客家分布亦是一樣，在「山腳」地帶，在福佬系所占據的平野部分與山地諸族退據的高山地帶之間。南洋亦有類似的歷史情形。

　　這般分布的來龍去脈，我們今天不加以討論，我只在此地提一提，我們客家人士的潛意識裡面有雙重、三重錯綜複雜的「邊疆意識」在，卻是事實。

邊疆意識

　　在大陸已居於邊疆，遷台後再來個邊疆。再加上在台灣的客家人數只占有漢族系台灣人的13％的少數，被歧視是理所當然的。日據時期被日本人歧視，在漢族中還得受福佬系人們的疏

離、歧視。這些情況足夠形成客家鄉親們錯綜複雜的「邊疆意識」。

　　與會的鄉親們，千萬別誤會我在「訴客家人的苦」，在唱客家人的哭調。鄉弟不過是在試圖發現問題所在而已。我一直認為自囿於低層次的「被迫害意識」者是難於獲得「勝利者之碩果」的。我們為了解決問題，需要發現問題的所在，然更需要加以分析，以便解開我們問題的癥結，可以藉而克服我們的問題。更想把自己的看法昇華且提高我們彼此間的精神境界。何況，福佬系鄉親們既然亦有人在主張，福佬通於「河洛」，以此做據尋他們自己的根於中原的。我們就可知「中原正統」意識和「邊疆異端」觀是具有其普遍性的，問題不只局限於客家鄉親們。其實古老一點的國家，不管它是東方或西方，多多少少都有中原和邊疆或正統和異端之對抗或「間距」的狀況。就連新興資本主義國家的加拿大都有類似的問題。中國或許是因為太古老，國土廣大，問題較為巨大與深刻些。

　　值得我們注意的卻是美國。一般來言，邊疆觀或意識往往是曲折錯綜亦複雜的，通常帶有濃厚的「卑屈」和反面的潛意識在。但美國卻少有此種性格。

　　一般白人系美國人的邊疆觀不單沒有負面的價值，反而把它提升並與frontier spirit（開拓精神）連結在一起，它還具有正面的、開創新境界的理想、拓荒冒險的崇高精神涵義。我們還可以在其文學裡面，找出強有力地反映開拓者精神的作品類。我現在請教諸位，能否在我們的福佬系台籍作家的陳映真或者在客家系台籍作家的鍾肇政等人的作品裡找出類似frontier spirit的「進取性

格」和「傲骨」來。

　　近幾年來，張俊宏提出「草地人」，楊達提出「草根性」，雖然難免帶有些美國文化中的grassroots（基層）的味道，但也值得我們去留意它。

　　話得說回來，中國知識分子的傳統看法中的邊疆觀通常卻是與「土包子」、「鄉下佬」、「落後性」、「流放」、和「放逐」一類負面價值連結在一起的。

　　對不起，請諸位再一次回到我們戴家的事例來。我們家祖父、家父輩，他們繼承了遷台的父祖們的血液、風俗習慣以及不甚很高的文化水平。他們以開拓者且最低層農民的「身分」飄洋過海來到台灣──確實是清朝期中國的邊疆之地。他們忙於討生活，他們得向自然界搏鬥，得時時刻刻提防先住台灣人的「出草」而力圖擴展他們以及他們雇主的開拓前線。他們還得與福佬人（有時是泉州人，有時卻是漳州人）械鬥搶地盤，確保水源。因此我們父祖輩很不易獲得安寧的生活。當我們家好不容易成長為小地主的時候，卻來了個兇暴的異族侵略者──日本人。

　　他們雖然不曾做過心理剖析或精神分析，但他們的的確確是需要找出能使他們精神安定下來的「依靠」。套最新的詞彙就是「群體的自我同定」（或作族群認同，group identity）。他們還需要在觀念上找出他們團結的核心，「正統」性的「象徵」。這個不就是黃帝、中原正統等的觀念嗎？這一類觀念的相對觀念卻是「邊疆異端」觀。諸位大可批判我，說我戴某人既然在講社會科學，怎麼好把父祖輩的感情都引出來灌進研究對象裡去，不但如此還用上你父祖輩不曾想到過的新詞彙來解釋問題。我只好回

敬說，這些不過是鄉弟的一個小小的新嘗試而已。請多多指教就是了。

我們在日本的客家老鄉們，多年前組織了客家同鄉會，另外又組織了姊妹團體崇正協同組合（等於國內的合作社）。1980年10月上旬，我們還主辦了一次世界客屬懇親會。

在這次大會上，我觀察了來自各地的客家鄉親。他們的國籍各色各樣，有些鄉親連客家話都已經不會說了。一俟日本的各大報登載了我們開大會的顯著消息後，居然有些未見過面的鄉親來電話，說是幾代前是客家人，但現在已入日本籍，客家話、中國話一概不會說，能否加入大會、參加大會。

他們的熱情真感人。我發現他們所懷有的中原正統意識相當強烈且相當地普遍。

會後我也聽到背後有人罵我，批評我。說是戴某，思想並不保守，為啥子還開歷史的倒車，搞什麼「泛客家主義」一類的話。

「自我同定」不是等於「泛客家主義」

藉這一次的良機，我想表明一下。我並不是泛客家主義者更不是唯客家主義者。我最終想表明我是台灣出生的客家人，不管對任何國人或地方人，當然包括在排外閉鎖的日本人社會也有所主張。鄉弟沒有瞞過人更沒有瞞過自己。我主張客家人並不意圖與非客家人鬧情緒甚至於搞分歧以及促進分裂。原本的意思在，如何豎立我個人的「自我同定」和客家群體的自我同定。我認為

連自己的「出身」都不敢主張它「固有的尊嚴」時還談些什麼？知識分子的一切社會行為的「基點」在於此。就假設我媽媽是位包小腳的窮家出身，我仍然不會掩蓋與逃避我出生的「祕密」的。我當然不會猶豫，去主張與我媽媽臍帶聯繫上的「自我同定」。因為這個是「命運」的，沒有任何選擇的餘地亦沒有什麼可逃避的。成人時，我們為了自己的生活與生存當然可以嘗試「非命運」的「自我同定」選擇。我們可以不讓子女再包小腳，我們可以為爭上游，向日常生活搏鬥，甚至於我們還可以選擇我們願意歸屬的國籍或公民權。此外，只要對方答應，我們又可以選擇新娘子或新郎。但千萬不能忘記，任何個人無法更不可能有機會和權利去事先選擇自己的親生父母親的。

我不懂，為何有些人向來不敢表明自己的「出身」為何許人，一旦因有「小便宜」（好似飛機票啊，幾十塊美金啊）可賺，他會突而來的道出，我父親原本是……，然一到對他表明自己出身有不利時，又再來一變……，嘿那些沒有什麼可計較了、可涉及的啦……，少數者的語言，文化將會被磨滅……會被同化埋沒的……可以不談……。奉持有奶是娘哲學的，為了一時的生活方便亦可「認賊作父」的人們，有何臉皮來主張「革命」，來整理「本位」文化。

「明天」的台灣以及全世界，客家人應該與高山諸族，與福佬人，與大陸各省人、日本人以及與美國人等共同致力謀取和平共存、光明的日子才是我的理想。我真不懂，為什麼還有人會懼怕我們主張客家人意識，要漫罵我們開客家世界大會之盛舉。他們盡其所能在掩蓋他們自己投機心理的不安，倒反而要來漫罵我

們的正當作為是客家佬的「自卑心理在作祟」，真是無恥！

歷史的「真實」與歷史的「事實」

下面，我們談一下，有關歷史的「真實」和歷史的「事實」的相關問題。我們先前已分析過，客家人在流浪求生存的路程裡頭，他們急切需求精神上的「寄託」，中原終於變成他們的價值中心，同時亦成為一種歷史的「真實」。中原在何方，有無其「事實」已不成他們探討的所在。

老百姓們，一般而言在日常生活裡頭，他們並沒有太多的欲望和精力花費在分別闡明歷史的「真實」與「事實」的。他們亦不善於分層次來做它的分析。

各位都知道，以客家系農民為核心展開的太平天國運動過程裡頭，洪秀全自認為是基督的弟弟，他哪有可能是基督的弟弟。史實上洪秀全為基督的弟弟，雖然不會是歷史上的「事實」，但後來逐漸運動過程中醞釀成歷史的「真實」隨而捲入並動員了不少信徒，參與運動。不可否認，洪秀全的「信念」終於轉換變成他自己的歷史的「真實」且擴大牽住了當年文化水平不甚高的低層農民群眾。但我們又不可不承認，歷史的「真實」與歷史的「事實」間的「差異度」過巨，最後還是要穿幫的。太平天國終於又見沒落和崩潰是個最好的事例。那一種歷史的「真實」畢竟是非科學的且又是虛構的，破綻只是時間問題的必然歸趨。

類似的例子，可以找希特勒（Adolf Hitler）與東條英機來闡釋。希特勒的「日耳曼民族為世界最優秀的民族」一說，東條的

「大和民族優秀論」以及「大和魂論」，「萬世一系的天皇國體神聖說」等，當年雖能給一般德國人、日本人尤其是懼共反共的中產階級以上人士灌上迷湯，醞釀一時的「愛國」假熱潮但最後還得穿幫，挨上原子彈等的悲劇。

前「近代」時期的農民運動尚可利用「迷信」來推行。但20世紀以後的改革反體制運動則再也沒有可能利用「迷信」，非科學的邏輯來獲得勝利碩果的餘地了。這一點我們絕對不能忽視。不然我們的悲劇將會很不客氣地降臨到我們頭上來。

最近我發現，圍繞著我們台籍僑界甚至於島內「黨外」界正在醞釀有「接受『台灣民族論』為檢驗真理的唯一標準」的一種怪異氣氛，並唱「台灣民族優秀論」的高調。我得敬告諸位，這一種氣氛和順耳的高調或許能得勢於一時，但搞不好、處理不妥很可能會變成「台灣式法西斯主義」的「鬼胎」。如此的話，它將引起的災禍將是無窮。

沖昏了頭的人們、鄉親們，當前一聽我如上的話，他們當然會大罵我，罵我「唔路塞」。還好他們尚未掌權，若掌了權的話，他們非把我關進監獄裡不可。

我們鄉親的大多數人是屬於聰明人，為了明哲保身，對於這些問題都不願碰，只有我這個「唔路塞人」又是「傻瓜」的人才會提這些問題。總之，希特勒認為他們的日耳曼民族是最優秀的。日本軍國主義者也夜郎自大地大誇他們的國，大談他們的大和民族優秀論與大和魂無敵論。史實已告訴我們，他們有過甚多的老百姓喝了「迷湯」後被捲入漩渦裡頭。他們誤信了它，惹起不甚小的災禍，害人傷己還殺了不少人，賠了甚多的命。

我們客家父老包括我們家父，認為我們是中原南下來的正統漢族，又是最純正的。因為他們不曾掌過權，亦沒有利用它來搞過政治，說一說，信一信且無傷大雅亦不至於惹過禍來，尚可說有其可愛之處。

大陸上的客家人如何想法我不甚清楚。但東南亞的客家人，很多都抱有很類似我們家祖父、家父一樣的思路與情懷，真教人驚奇。這一點也是促使我來嘗試探討上述一些問題的原始動機。不管那些思路，心態正確與否，還是值得我們去整理與分析的。

我介紹了半天客家鄉親的心態，恐怕諸位非客家人的朋友們不易懂，現在我可以向諸位介紹一部英文書是韓素英寫的，《悲傷之樹》（*The Crippled Tree*），是她的自傳體小說。

韓素英介紹她的家史，述及他們家是從廣東省的客家莊遷移到四川去的。他們父叔輩都已經不會講客家話，但還抱持有客家意識和其尊嚴。她介紹了他們家的葬禮的形式，「洗骨」，「檢骨」，裝於金斗甕。在「走反」時還得揹著金斗甕逃難，這些可以說與我們家的作法完全一樣，真教人驚奇（一聽眾插話高聲說：閩南人也有同樣的作法和講法，叫作「金斗甕仔揹加脊骿」）。韓並沒有高唱客家沙文主義，她只是在闡述她的家史與她生長之過程而已。

華僑與華人

現在，我講第三個題目的「華僑」。鄉弟一貫地在日本學界主張，我們應該把華僑和華人在政治與法律上的範疇界定清楚，

千萬別再馬虎混淆不清，叫別人生疑招起殺身之禍。

好比我們夫婦，住在日本已超過四分之一世紀，但仍然保持中國國籍，拿的是台灣國府護照。因日本的國籍法是以「血統本位主義」為依據，所以我們的三個孩子雖出生於日本，未曾回過台灣或大陸。他們拿的亦是台灣國府護照，因而我們全家可以稱為華僑。

我們有些親戚，不管在日本或在美國已入當地國籍者，我把他們界定為日籍華人或美籍華人。鄉弟不只希望他們能自己好好在政治、法律的範疇上搞好定位外，我還勸告他們千萬不要參與台灣以及大陸有關的直接政治。因為他們已經不是中國或台灣國府的公民之故。但他們可以仿效「出嫁的女兒」或「被招婿的男兒」關懷本家的家務事方式，保持一定的距離來關懷故鄉的政治。這個當然既可以又應該被容納才是合情合理的。但千萬不能亦不要超越自己的「定位」來直接參與海峽兩岸有關的政治。

實際上，說出來容易但實踐起來卻不甚容易。除了本身需要有充分的覺悟與堅守居住國的法律外，還得有關方面的諒解及多方面的協助才能達到理想的境界。

過去，不管是台灣國府、大陸中共的當局都犯有「墨守成規」，「根深柢固」的老毛病。總認為中國人的後裔一概為中國國民或中國人。不管他是否已改了籍，入了現居住國的國籍。

往往有關當局，有意或許無意地把中國人的涵義搞成含糊混淆不清。

美、日資本主義先進國家，第一，因為華僑、華人人口不大；第二，其政治、經濟社會的基礎穩固，並不很懼怕華僑、華

人力量。但華僑、華人人口眾多，且剛從殖民地主義體制脫離不久，議會民主政治剛剛起步，國民經濟尚未成形，社會上百孔千瘡且百端待舉的東南亞諸多新興國家的情形卻完全不一樣。雖然東南亞的華僑，大多數已逐漸加入當地國籍變成當地籍的人，但他們在目前還經常被逼面臨各種危機與厄運。

　　引發危機和厄運的主要來由可分為兩大方面：第一，為當地土著民眾、輿論界、知識界以及政府官員所抱有的普遍反華情緒和反華政策。今天因為時間不充裕，鄉弟不便多分析與介紹。在此我只限於第二來由，也就是華僑、華人本身以及他們先人之故國有關當局所惹起的側面來加以分析與介紹。

　　甚至外國有識之士，總認為華僑、華人不願隨俗，更不易被同化。日本學界甚至認為華裔人士一般比起日裔人士，對「故國」之歸屬感特別濃重且強烈。我個人倒是認為，中國人出外真能隨遇而安，在末節瑣事上亦的確能入鄉問俗。但在基本的生活規律上或在「文化」的核心部門，一般來說，華僑、華人都有固執其中華人性〔《全集》統一用詞為中華人特質，下同〕（Chineseness），並有把它連綿地續傳下去的欲望傾向在。尤其在第三世界圈子生活的華僑、華人界為甚。

　　眾人皆知，我們中國人普遍地懷有中華意識、中華思想。在背後曾經主要支持它的卻是華夷思想。華夷思想在作祟時，華僑、華人容易在主觀上自惹疏離感。幫助這一種疏離感的「不間斷性」（continuity），還有他們謀生活，求生存的客觀環境與客觀條件。

　　當地人民和社會，政治不接納他們甚至於歧視或疏離他們

時，他們更願意，更容易或被逼得不得不更堅持並延綿他們的中華人性，甚至是華夷思想。但第二次世界大戰後，世界正在動盪，華僑、華人的居住國與他們父祖的故國都起了莫大的變化。人們對國籍、公民權的看法，有關對它的選擇（包括放棄原國籍或公民權以及取得新居住國的國籍或公民權）和態度都在變化中。圍繞人們的生活價值體系，價值觀念亦逐漸走向多元化。華夷思想，在主觀、客觀上都變為不便亦不易維持的保守思想。

土著語文的興起，華人教育的後退，英文教育的取代叫僑界的有心人士深感恐惶，擔心應付不易。

「落葉歸根」與「落地生根」

華僑、華人有關居住國政府逐漸開放其入籍門戶，台灣、大陸的政情並沒有讓僑界人士放手走上「落葉歸根」之路，反而有促進其走上「落地生根」道路之趨勢。

本來，「落葉歸根」的生活哲學應該是附屬於華僑的。華僑本為出外打工，只圖借宿僑居，並無準備長留國外或定居的。有朝一日，他們總是準備衣錦還鄉的。但「落地生根」的生活哲學卻是屬於華人的。他們已入當地籍，為了謀生活與求生存，他們亦準備做下長留甚至於定居的打算。一般而言，華人的回鄉省親、掃墓祭祖不過是一時性的。

最近20年來，僑界正面對著轉型、震撼、挑戰的時代而在徬徨。他們又正面臨著自「落葉歸根」（華僑）轉換為「落地生根」（華人），求生存的既曲折又艱難的道路。他們往往會掉進

認同危機的困境而忙圖掙扎，卻不易整理出其思路或合情合理的自我解釋。在此，我很願意把多年來我在日本探討下所成的未成熟看法披露出來。

首先，我認為華夷思想與中華人性雖有重疊的地方，但其內涵，我們應該把它們界定清楚。華夷思想表面上具有排外並藐視異族的涵義，我認為該把它藏進歷史博物館的檔案箱底裡去。但中華人性卻不一樣。

中華人性應該歸類於ethnicity的範疇來認識的。ethnicity可以當作種族或民族的集團特質來解釋。由共認有供奉的祖先之多種家族，氏族或部族構成了ethnic group（種族和民族）。ethnic group常常彼此間保持有共同的語言、宗教、風俗習慣等文化諸特徵，這一些文化諸特徵，我們便叫它為ethnicity。有關「中國人」或「中華民族」的ethnicity，我把它擴大又叫作「中華人性」（Chineseness）。有些朋友很可能叫它作「中國人性」來使用。

我們，下面繼續把identity與Chineseness連起來探討，圍繞著我們華人自我同定的困境問題。起先，我得主張，自我同定可有多元的。大分類起來，第一類為政治、法律的自我同定；第二類為文化、社會有關的自我同定。

我認為政治、法律是人工的，華僑改籍而入了居住國的國籍，這個只不過是加上了法律上的手續而已，國籍者，也只是個人與國家的合同關係，最多也不過是個人和國家之間在政治、法律上的一種結合關係而已。就楊振寧、李政道、丁肇中三博士的例子來闡釋，他們已取得了美國國籍，他們已成為美籍華人。他

們在政治上當然得向美國國旗表示忠誠，當他們行使他們的美國公民有關權利和義務時，所必須依據的法律當然是美國的法律。但我們不曾見到他們有改己姓名，有放棄中華人性而所行動。意思就是說，他們雖然在政治、法律上選擇了對美國的自我同定，但他們仍然可在社會、文化上保持對他「故國」有關的自我同定。這兩者之間並不發生對立以及衝突才是人的常情。

　　我認為華人們，能保持並繼續發揚光大他們的中華人性，也就是豎立社會、文化的自我同定於其出身的ethnic group並不妨礙他們在美國求落地生根之行為。楊、李、丁諾貝爾獎三博士的類似例子，同樣亦可在美籍日裔人士群中，好似夏威夷的有吉州長，前共和黨上議院早川〔雪〕代議士等人的生涯上找出見證。

　　這些在美國可行的事例，在日本以及東南亞卻是不易行得通。當地的政府、社會逼著華僑改了中國姓名以後始准入籍。另又盡其所能，在法律上，社會規範上加上多種的限制和規則，逼使華人慢慢磨損我們的ethnicity。甚至於想盡辦法，來抵制華人繼續發揚光大他們所持有的中華人性，並順利培育出「有根的下一代」的正當社會行為。

愛鄉者的悲劇

　　實際上戰前的日本，借題發揮慘殺了朝鮮人。東南亞亦一樣，排華事件層出不窮。歐美白人世界，歧視猶太人的事例不勝枚舉。

　　尤其最近幾年，印尼、馬來西亞、中南半島特別是越南，反

華事件常假借華人對當地社會、文化、宗教不願認同，更對當地政府、國家不曾有過由衷的忠誠。當地政客一而再地利用種族主義來做他們的反華勾當。

故國心有餘力不足，加上已改籍不方便發言或許是遠水救不了近火，真是無能為力。華人社團更是一盤散沙，並沒有能夠尋出合情合理的對付方法，更沒有弄出一套理論來向居住國有關部門試做溝通和公共宣傳。

據我多年來的觀察，華僑、華人所懷有的鄉情是濃厚的。「美不美，故鄉酒；親不親，故鄉人」便是反映上述心情的句子。

華僑、華人的愛鄉，回饋鄉上的念頭，卻往往被誤解為「愛國」的行為。「愛國」的慣用術語中的國字，一般來言，所指的涵義上多為局限於鄉土而言才是事實。除了特殊的少數例子以外，它根本與認同於某個政權或政黨是有一段距離的。尤其是以華人身分來高喊「愛國」的話，當然容易引起居住國有關當局和人員的注意與反感。累積起來搞不好將引發殺身之禍的。

悲劇往往出在誤解與種族歧視主義的反華情緒與政策上。不但當地有關當局和人員如此，故國人士甚至於華人本身往往亦沒有搞清楚，政治、法律的自我同定，與社會、文化的自我同定是有別的。我且相信不但有別，更需要分別善待兩者才能真正認識問題的根源，尋出解決問題的要訣。

有關文化上的自我同定，常常要涉及到個人的信仰以及「靈魂」，精神層次等問題。至於有關社會上的自我同定，亦常常帶有血緣、祖傳、身體語言（body language）等，換句話來說，是屬於「命運」上的，無法選擇甚至於無法改變的一種自我同定。

　　所以說，政治、法律上的有關自我同定，雖然有選擇和更改的餘地，但它的更改並不能又不該牽動同一個人的有關文化、社會的自我同定才合情理的。在人的本性與日常生活的常情裡來看，有關文化、社會的自我同定是不易亦不能臨機應變地更改才是真實。雖然它有可能逐漸被沖淡，但這個該另當別論。

　　在前幾年，我終於提出了paradoxical dynamic identity的概念。暫且可翻為「既矛盾亦動態的自我同定」。我認為一般華人以及在外的其他僑裔人士，好似日、韓、猶太裔人士，不管他們有無意識，他們總會懷有上述的多重且錯綜的自我同定。同一個體內，抱持有一見好似矛盾，實際卻並不絕對矛盾相對抗的雙重或多重的自我同定，並沒有什麼不公正，不正常的。入籍以後，一個人老是花心計掩蓋自己的「根」或民族特質時，他將只能掉進one of them沉沒於大海裡頭去。他又只能變為扮演不痛不癢且不甚光彩的小人物角色罷了。如此的話，不但對那個人本身，或對接受他變為新公民的國家社會都不會有太多的益處。不敢或不能接受自己出身的事實，又不敢或不能對己出身的尊嚴有所主張，甚至於不敢或不能面對現實，依據自己已有的ethnicity來發揚光大自己的才能者，要在堂皇可見天日的「事實」裡獲得成功與勝利的碩果是絕無僅有，這個才是世界上的史實。

背井離鄉者求生存之道 —— 結語

　　時間已剩下不多了，我們來個暫時的結尾話。中國人的分支以及其後裔的華僑、華人，一般來言，他們亦懷有與我們先前談

及的中原意識和邊疆觀極為相似的心態。尤其是受過中文教育，出外第一代或年齡屬於老壯年那一代人為甚。

他們或許是他們本人出國外謀生活、求生存的鬥爭場合裡難免遭遇到疏離、歧視以及包括生命危險的多種困境。他們常會感有寄人籬下討生活的孤獨感，心中往往很是徬徨。失落感、不安全感不斷地襲擊他們。我們在海外飄泊多年，保衛著自己的後代而討生活時，常常又會感覺到我們本身是否將變成無「根」的浮萍一般存在。類似缺乏一份「有所屬」、「有所靠」、「有所託」的生活困境體驗，自然而然地讓人們感受到人生的懸空與迷惘。

現在在北美僑界呈現的同鄉會、教會有關活動之活潑的一部分社會心理基礎又可藉此來解釋。人們為上述失落感所驅使，人人都有需求去追尋一些當前且暫時的「保護傘」或某一種心理上的補償。

以大陸為原先出發赴外地者，往往將上述心態反映在華夷思想、中華意識以及強烈的歸屬感（歸屬於鄉土為其中心內實）上面。

台籍的華僑、華人，因受過日本帝國主義的殖民統治加上光復後在台灣的挫折與遭遇，他們的心態，雖然老年一代人與老「華僑」（包括華人）們具有相當重疊的部分。但因為台籍僑界大多分布於北美、日本（南美者據說有甚大差別，因鄉弟未曾親睹，不便多言）等的所謂資本主義先進國家，華夷思想已相當淡薄，甚至於可以說少見其痕跡。

當前，我們在北美可以看到的「台灣意識」、「台灣人意

識」，「台灣民族」的培養推廣「運動」以及「台灣話」的普及教育運動，除了有他們的政治意圖外，我們又可藉先前的心態剖析來認識其深層裡的社會心理基礎。他們的領導層很可能正在嘗試著「脫胎換骨」之作業。「故鄉・台灣」的處境驅使他們去追尋新的「取代」象徵和他們台美族獨特的一些且暫時的「寄託」或補償。

　　台籍的中產階級以上人士，往往因其生活歷史背景的關係，有甚多鄉親自囿於「現代主義」（歐美白人與日本人透過資本主義的發展所帶來的價值體系與觀念），轉而看賤台灣國府、大陸中共以及「大陸人」之不正常心態。另外因其出身階級及其宗教信仰又再進一步驅使他們患上拒共，即拒中共的心理，這些作祟以後再形成他們抗拒「大陸人」的心態甚至於提升擴大為反華的情緒。

　　這一點，我們值得留意。我這個客家系台灣人，甚至於還覺有無限的悲哀與道不盡的內疚。

　　我總認為有關政治、法律上的自我同定的選擇是一時的。我們千萬別搞錯，有關社會、文化的自我同定是具有「命運」性且具有半悠久性的特質。

　　我們雖然可以變換我們的信仰象徵或價值的中心類似黃帝與中原，但我們自己的ethnicity是該為擇善保持並且該加功夫發揚其光大，才不致徬徨和失落的。我們正面臨著如何在外國教育出「有根的下一代」的重要課題，我們有何多餘的精力去「剪斷」自己的根，去自找徬徨之苦呢？我願與親愛的鄉親們、同學們，不管來自於何方，我都願意透過切磋琢磨、相勉互勵的方式來一

道追尋我們共同且最合情合理的，更合乎發揚人性的求生存之光明途徑。謝謝諸位！（眾鼓掌）

本文原刊於《民主台灣》第36期，1984年9月1日。於紐約哥倫比亞大學之演講文，1984年3月10日

【附錄1】
「台灣光復致敬團」名單

黃朝清　臺中　臺中市參議會議長

林為恭　新竹　臺灣省參議會參議員

林叔桓　臺南　臺南市救濟院院長

葉榮鐘　臺中　臺中市人民自由保障會委員

代表林獻堂　臺中　新當選國民參政員

姜振驤　新竹　新竹縣參議會議員

李建興　臺北　臺北縣瑞芳鎮長

張吉甫　高雄　屏東市參議會議長

鐘　番　新竹　大同商事公司董事長

陳逸松　臺北　臺北律師公會副會長

【附錄2】
祭黃陵文

　　台灣光復致敬團，耀縣遙祭黃帝陵文曰：

　　中華民國三十五年，九月十二日，台灣光復致敬團代表林獻堂、李建興、林叔桓、鐘番、黃朝清、姜振驤、張吉甫、葉榮鐘、陳逸松、林為恭，職員丘念台、陳析、陳宰衡、李德松、林憲等，於台灣六百五十萬同胞，脫離日寇統治，重歸祖國版圖一週年之期，特從萬里海外，飛歸我中華民族發祥故土泰隴之郊，志切趨陵，憾為雨阻，相距兩百里，未厥前行，謹以心香祭品遙祭於我民族奠基遠祖軒轅黃帝陵曰：

　　緬我民族，肇源西疆，涿鹿一戰，苗蠻逃荒。南針歷數，書契蠶桑，武功文化，族姓斯張。賢傑繼起，周秦漢唐，內安外攘，國土用光。追尊遠德，國祖軒皇，逮於明末，鄭氏開台。閩粵漢裔，東渡海隈，驅荷抗清，披闢草萊。聲威遠被，祖業不衰，互三百載，物阜民方。甲午不幸，乃淪倭寇，彈盡援絕，民主奮鬥。五十年來，慘苦痛疚，壓迫剝削，欺蒙騙誘。嚮往故國，日夜祈救，八年戰爭，民族更生。舊恥盡雪，舊土重享，自由解放，全台歡聲。宗功祖德，日月光明，時將週歲，特回告祭。稍致微敬，遠溯先世，天雨阻道，期復難怒。二百里程，乃不能前，郊原布祭，瞻望纏綿。橋山蒼蒼，河渭湯湯，千秋遠祖，尚其來饗。

如何克服殖民地傷痕
——我所認識的吳濁流先生

　　我的題目是「如何克服殖民地的傷痕」，看起來很抽象，但副題是「我所認識的吳濁流」。如此這般可能親切些。我為什麼要講這個題目呢？所謂殖民地傷痕是來自於殖民地體制，而殖民地體制不單單是台灣的問題，從世界史來看，乃是在歐洲近代史中，他們向世界各地掠取他們的殖民地，而造成了殖民地體制。所以，可以說是全世界與世界史的問題。

　　以日本和台灣的關係來講，日本資本主義是後起的資本主義，但他們從「明治維新」以後，首先併吞台灣成為其殖民地，然後併吞朝鮮半島，侵略我國東北三省，再向中國大陸各地發動侵略戰爭，最後還把魔掌伸到東南亞去。

　　這些殖民地體制，在二次大戰後，已經被迫慢慢地消失，可以說是殖民地人民向帝國主義挑戰奮鬥的結果。形式上可以這麼說，殖民地體制大概已漸漸在消失之中，其實還有許多問題，比如殖民地遺制的問題等。另外，特別是新殖民地體制的問題，但這一部分暫且省去不說。

　　今天的主題以台灣為中心，台灣受日本殖民地統治後，被迫產生一些殖民地傷痕，我們應如何來掌握，並且認識這問題。首

吳濁流（左）訪日期間與戴國煇合影，攝於
湯河原旅館前，1971年4月（林彩美提供）

先我們應該了解從全世界近代史的規模和關聯來看問題，然後再
回到台灣受日本統治所留下的殖民地傷痕上，從這個觀點看問題
是我當前的方法。另外，探討時要了解殖民地的傷痕不僅是受殖
民地統治的中國人，包括：先住民、客家、閩南同胞們受的傷
痕，另外，統治民族與階級中的日本帝國主義者在壓迫我們時，
他們的老百姓也一樣受到損害，這種觀點在台灣思想界、學界似
乎還沒有成為常識，這是我特別要指出的視野。

　　日本朋友尾崎秀樹的著作《近代文學的傷痕》其內容便是以
日本人加害者的立場來整理日本人民的有關殖民地傷痕。他以文
學觀點整理日本近代文學的傷痕，為當年在台灣的日本人文學及

我們台籍前輩的文學加以定位，這種觀點非常值得注意。以往我們總以為被迫害的人才會有傷痕，加害者不會有傷痕，這是不太對的。

因此，殖民地體制終究是對人民大眾不利的，過去殖民地主義的母國和民族，如大英帝國，在殖民地主義沒落後，現在他們所患的「英國病」非常重。其他如法、德、日，除了改革他們的舊體制和揚棄他們的殖民地主義思想外，他們是不會有更光明的明天的，殖民地制度是不能繼續發展的。

有些人以為殖民地主義的經濟掠奪可以致富，其實這也不是國家富強的唯一途徑。經濟的主體是人，人能真正覺醒，改革生產制度和生產工具，求得富強並不是非依賴殖民地主義的經濟掠奪不可。以日本為例，吃了兩顆原子彈後，在「非戰和平憲法」下，遑論對外軍事侵略，但又由於日本老百姓的勤奮，並利用韓戰和越戰，日本又從戰敗後的廢墟中站起來了，成為當今的「經濟大國」。

殖民統治形成自卑感

為什麼說殖民地體制不好？乃是因為它迫害人性，是一種殘忍的制度，教人受殖民地統治後失去人性、失去自尊心，而漸漸形成自卑感。所以我們這裡的阿公、阿婆，常常有「他像日本人所以漂亮」、「日本的東西都是好的」、「日本人都是對的」、「能講一點日本話就比別人高一等」等的言行和心態，這些都是失去人性自尊之後，所產生的錯誤觀念和人格的扭曲。

　　為什麼會有這種觀念？那都是在不知不覺中，受到日本殖民價值體系的殘害。本來是應該表示異議、抗議以及反抗才是，但不知不覺中卻被迫接受了這些統治者的價值觀念，甚至自己也覺得自己的不是和不行。

　　這裡我想提出美國黑人自覺運動中的艾力克斯・哈雷和他所寫的《根》，及拳王阿里（Muhammad Ali）的言行。哈雷要寫自己黑人自主的歷史，而有別於白人，主張由歷史中，黑人要自己認識自己。阿里所提出的是「黑是好的」、「黑色是美的」。過去白人所認為黑色是不吉利的，黑色是糟糕的，黑人是笨蛋，黑人不知不覺中也自己以為自己不行，自己的顏色是不美的。所以有些小說中，某些黑人小姐拚命往臉上擦粉，試圖接近白顏色。

　　另外我們南方的菲律賓，他們也開始講「菲律賓人是好的」、「菲律賓人是美的」，這代表殖民地人要站起來時的自我主張。

　　但是我發現我們台籍老一輩的人，覺得自己能講點日文，好像比別人高明些；當然也有些大陸籍的人認為能講點英文，比較不同。其實我們想想，日本、美國的乞丐也都是講日本話、美國話，那豈不是日本、美國的乞丐都要比我們高明？這些被扭曲的觀點都是他們給的，我們不知道抗議和對抗，還被套進去；這是殖民地體制對人性最大的迫害，使被殖民的人們對自己失去信心，對自己的民族、自己的文化、自己的語言失去信仰。

　　台灣的甘蔗、阿里山的神木，被日本人運走了，還可以再生長。但是失去了自我價值的肯定，這種精神上的傷痕是很難恢復的。許多台籍朋友掉進日本的價值架構中，認為日本什麼都是好

的，這種精神的創傷至今不能或難於平復。

常常有人對我說：「戴先生，你的日文好啊！」其實日文有什麼好，我在日本要靠日文吃飯、做學問，它是我的手段，日文對我只是工具並不是價值的本體。但是往往提這些問題的鄉親，認為日本話原本是價值本體，英文更是價值本體，這是完全錯誤的，希望年輕朋友尤其應了解這其中的道理。

殖民地遺產的手段化

有人或許認為，殖民地一定會留下遺產，遺產也存有正負兩面的。正面的例如有鐵路、醫院、工廠。但不要忘記：那也是被殖民老百姓的血汗累積而來的。表面上看起來，好像是他們蓋的醫院、鐵路，而其實是統治者剝削殖民地人民的血汗錢變成資金所建設起來的。所以被殖民的勞動大眾才是真正蓋醫院鐵路的主人，我們往往不能看穿這些架構的真正內涵。所以會有像「日本人給我們留下醫院、糖廠，還不錯嘛！」的說法。如果追究到底，這種觀念還是不對的。因為這不是殖民地體制的價值本體，首先它不是為了我們所建設的，再者它是殖民地主義撤退時所帶不走的，何況它還是我們自己的血汗所建造的。

所以遺產能夠真正變成「正」的，要靠我們被殖民的老百姓，把日本沒法拿回去的財產好比醫院、鐵路等在思想的層面上也把它奪回來。但拿回的這些財產只能手段化，而不該把它視為價值本體。一旦價值化不就等於自囿於奴隸的思考泥淖了嗎？這就好比日本話，當年是日本逼著我們把自己的語言、文化荒廢

掉，一定要講的。講中國語就要罰錢、挨罵。這種條件下的日本話，是殖民地統治者用來逼我們納入他們的價值架構的工具。而今天我們的年輕一代學日文該是兩回事。今天我們學日文是為了做學問、為了就業、做生意、獲取資訊，只是手段，而不是價值的本體，這個邏輯是一定得搞清楚的。我剛到日本時，聽到日本人讚美我的日文，也有點得意；後來我發現這樣不對，日本話好，是表示我受了他們的統治，我不能正面地接受那套價值體系，我要利用它，我要將日本話這個殖民地遺產整理，做為我的手段，活用它寫文章批判日本過去對台灣和中國的侵略，這才是樹立我獨立人格的途徑。

殖民地遺產是任何曾被殖民過的國家都會有的，印尼、菲律賓、韓國都有。同時有正面與負面，要其發揮正面，就要經過調整，經過手段化。

失敗的例子像印尼，他們的糖業是荷蘭利用印尼老百姓的血汗錢建設起來的，但二次大戰後，印尼建國並不很順利，自尊心的重建和維護也沒有達到較為完善的地步，因此雖然有糖業，但不能把它手段化；甚至於印尼的知識分子，有一部分還是對荷蘭的殖民地統治予以肯定和選擇了價值上的認同。

再如，馬來西亞的獨立不是靠自己的奮鬥，而是英國讓他們獨立的，是一種施捨，所以馬來西亞內部的自我主體，一直到現在都還沒有真正地確立出來。

台灣除了和韓國外，也不妨和這些國家，甚至和中南美被殖民過的國家做些比較，構築起一些對問題的看法。

《亞細亞的孤兒》的困局

接著，我們不妨回憶一下老作家吳濁流先生和他的作品。他逝世快十年了，他有三部大的作品，《亞細亞的孤兒》、《黎明前的台灣》、《泥濘》也都在日本出版。他的作品對我們探討殖民地傷痕時，給我們在思想層面上提供了一些很好的材料。

《亞細亞的孤兒》中，講到台灣朋友到大陸去，大陸政府常把我們當為日本的間諜，而回來台灣，日本政府卻又不把我們當成自己人，好像是孤兒一般。另外他也談到光復初期，台灣知識分子的一些心態。他最後的作品還有在台灣被查禁的，那便是《無花果》。我相信和期待著政府當局在最近的將來會更開明，會把他的作品讓年輕人看。

這三部作品中，是靠他自己的生活經歷作為基礎來完成的自傳體小說，可以說帶有社會性質，當中談到日據時代、中日戰爭中，台籍同胞的心態，到政府接收台灣、二二八事件，一直到1972年左右的台灣知識分子之「自我同定（認同）」的困境和徬徨。

這些作品照時間順序擺下來，可以從中做很好的分析。在還沒分析前，想先把我和吳老的關係交代一下。

我在建中念書時，住在中山北路大同公司裡，那時，吳老在大同工業學校當訓導主任一類的職務，已有作品問世，但是用日文寫的，他的日文作品本身當然就是殖民地傷痕的一部分，那個年代的人是無可奈何的。

在日本，頭一次和坂口䙝子、尾崎秀樹等日本朋友歡迎吳

吳濁流在日本出版的《亞細亞的孤兒》、《黎明前的台灣》、《泥濘》三書
（文訊資料室）

老，一起吃了飯。開頭他很慎重，不多開口，等到我用客家話和
他講話，他馬上表露他的親切感，好像發現我不是特務似的。可
見語言，尤其是用母語交談是很有意思的。特別是少數人的母語
為是。

　　那時年輕人對他的作品沒有多大興趣，他辦的《台灣文
藝》，許多人還覺得很土，這是土包子辦的雜誌。其實他是很紮
實亦有耐心的。吳老生活的態度，深受老莊思想的影響，他的書
名「無花果」，意思是他很願意當無名英雄。

　　他所有的作品除了漢詩，原文都是日文，大部分的原稿現在
還在我東京的家裡。他的日文相當不錯，但坦白說，與能夠稱為

商品的日本文學作品是具有一段距離的。這是老實話，我想吳老
聽了也不會以我為忤。

　　那時吳老很寂寞，他要寫作，又怕，雖然他的小說是帶有社
會性的，但不是反政府，他不能自由自在地使用中文，辦的雜誌
又銷不出去；雖然他早在日本出過兩次《亞細亞的孤兒》，兩個
出版社都是無名小出版社，不但賣不出去，書評也刊不上大報。
出版社都關了門。

　　我那時開始研究台灣史，從吳老那裡獲益良多，大概他也認
為我的人和日文還不錯，與日本文學界也有一定的關係。他開始
信任我。我們就想辦法幫吳老出作品。

　　那時大概是1960年代中期至1970年代初，日本經濟最好的時
期，日本出版社很賺錢，於是吳老抓住了這個好機會。

歷史見證的《無花果》

　　另外，當年日本為了慢慢擺脫對美國的依存關係，而向東南
亞拓展，想「回歸」亞洲，但亞洲各國對它卻有警惕。那時我在
亞洲經濟研究所服務，發現日本要利用過去統治台灣那套模式，
做為它戰後經濟拓展，但日本左傾人士卻指責其為經濟侵略。

　　我發覺這種情況不行，站在台籍人士的立場，我認為，正當
的經濟、外交關係我們歡迎，但其中如帶著侵略的企圖就不好。
很有意思的是，在日本的韓國人，對日本的抗議非常強烈，似乎
以抗議日本人為他們自主的文學似的，這是指純文學。

　　所以日本人會說，韓國人最壞了，什麼都是反對我們日本

人，台灣人不錯，都像邱永漢先生，他竟說：「日本人不要忘了台灣，我們過去是你們的同胞。」一般的日本人當然較為喜歡邱永漢先生，但韓國人便對邱永漢先生很生氣。有韓國朋友就向我說：「難道你們台灣人沒吃過日本的苦頭嗎？你們從不提出抗議，只有我們韓國人向日本人抗議。」

　　當年我們台籍人士如不講話，日本人就會以為他們統治了台灣50年，台灣人不批判日本人，可見是一個成功的模式，可以利用這個模式，再來吃亞洲，這也就是另一種殖民地傷痕。不僅是被殖民的，殖民那邊的人也存有。

　　日本出版社看吳濁流先生的文章，雖是帶有點台灣口味的日文，但這也是理所當然。但要變成商品還要加工，所以我和吳老商量可不可以找日本文學界的朋友，稍加上修改並潤色一番，吳老終於答應。

　　吳老還是繼續寫他的作品，但我發現他年齡太大了，跳不出自己的框框，老是在《亞細亞的孤兒》一類的框架裡頭，因此我告訴吳老，你的出路只有一個，便是做見證人，把二二八前後的史實與經過寫出來。他說，不行，現在政府聽到二二八就緊張。我說，你寫《亞細亞的孤兒》時，如果被日本人看到也是要砍頭的，但是你終於在光復後可以把它刊出來了。我不相信我們當局會永遠不將二二八讓大家研究討論，我相信當局會更開明。我告訴吳老，這是歷史，可以從新聞記者的經驗，留下歷史的見證。

　　我們大概討論了一星期，吳老念的是師範，當過小學老師，也到大陸去過，眼光較為開闊，但討論問題時，扭曲的心態還是時時出現，始終跳不出「外省人對抗本省人」的框框。

克服自己的傷痕

　　我先和他提起二二八是那一年發生的，我們都知道那是1947年2月，那年中國大陸發生了些什麼？那時距台灣光復有多久？不過是一年半。在討論過程中，發現吳老是感性敏銳的，但處理歷史的問題必須從歷史的、社會科學的眼光來處理，作品才能發揚光大。

　　所以我告訴他，殖民地重歸祖國，必須重編價值體系，他對我所提的這個問題，先是一陣愕然，而後慢慢接受。於是，我再說，日本剛打完戰時，勞工運動、學生運動怎樣？全世界又怎樣？不妨思考比較一下。一提二二八便說「被外省人欺侮」，那就沒法比較了。如韓國南北分裂，同胞互相殘殺，且有韓戰。我是要提醒吳老，台灣的問題一定要攤開來，從世界史、比較史的觀點來做不同角度的比較分析，才能有較全面的理解。

　　日本殖民體系在台結束後，我們雖然也不能滿意於光復後的接收當局的作法，但這個歷史事實也要轉變，並且日據時代殖民地價值體系也必須重編，吳老根本沒有發覺這問題。開始時他說：「你為什麼支持外省人？你為什麼那麼同情外省人？」

　　我告訴他：「如果你仍然掉在《亞細亞的孤兒》的境界，你應該反對你在日本出版你自己的書，但為什麼你還要我幫忙在日本出版呢？我們是反對日本帝國主義體制、殖民地體制。制度與人，該有不同層次的問題。因此日本殖民地體制和日本的老百姓該是兩回事，應該分開來對待，所以你只能用日文寫作，而不能以此得意，只能用敵人的話來表達自己文學的感情和靈魂是逼不

得已的，所以要積極的將它手段化，寫出有靈魂、有感情的抗議
文學作品。」吳老很快的理解了我的想法和分析視野，於是我們
一起很投合的討論了這一段時期台灣的歷史和思想問題。還承他
替我取了一個號，寫一些詩送給我，這不是說我比吳老有什麼高
明，而是因為我所學的社會科學與吳老的視野不同。

　　經過我們的討論，吳老在思想上有了某些程度的飛躍，而有
《無花果》之作。《無花果》後來在日本連載，我想它是一種見
證紀錄，稱它為文學作品，我還需要有點保留，但我認為吳老是
已盡到他的責任了，為我們留下一些紀錄文學，但它並不屬於非
常高水平的文學作品。

　　我發現在台灣或美國台籍同鄉，現在把楊逵先生、賴和先生
都當成天才、世界一流的文學家。世界一流文學家並沒有這麼
多，其實不必這樣，我很尊敬他們，我們必須要有自我價值體系
的尊嚴，但也不能和不必如此般的自我膨脹、互相標榜，這又有
什麼意義呢？

　　這次我回來，發現一個現象——賺錢要緊。政治要show、經
濟要sell，有關靈魂、生活哲學、表現人性的純文學中竟也不正
常，也有文學show和口號文學在橫行，這是不正常又很危險的。

　　真正的文學作品雖然很少人看，但影響力大，我們需要那些
作品；瓊瑤、三毛女士的作品雖然有其市場，但我們更需要的卻
是可以振作人心、撼動靈魂的作品。

　　《無花果》是二二八事件前後的歷史見證作品，不應視為反
政府的作品。我以社會科學的立場來看，吳濁流先生是同年代知
識分子作家中，克服了他的殖民地傷痕，在晚年他的確不但在

「工具」的觀點上，甚至於在思想層面上，把日本話變成他的手段，他是少數成功的前輩。

客家人性和文學獎

另外在吳老的作品中，我要談到的是「客家人性」（Hak-kaness），因為他的家庭文化背景是客家人，所以帶有客家人特有的習性，就像閩南人、先住民一樣有其固有的特性一樣。但我們主張的「客家人性」或「閩南人性」常常被政治掛帥，把它變成一種分離主義的範本。人可以自由選擇國籍或居住地，例如，可以擁有美國的綠卡，可以加入美國籍；新加坡在1960年代甚至只要投下五萬美金便可拿到永住權。但是，我們任何人不能事先選擇我們的父母，和自己的出身。任何作家都有家庭背景，我那時向吳濁流先生提議，要多把客家語言、思考方式等，有關你自己的特性放進去，才能主張自己，因為文學就是主張個性的，和畫畫一樣，從具體個人的刻畫去顯現普遍的人性，而引起共鳴。

從這個觀點來看，吳老作品有很多客家人性和風土性，這部分應該是好的，應該被肯定的。閩南、四川各地的朋友也是一樣，可以表現自己的本土特色，唱我們自己的歌，寫具有他們自己風土人情的文學。但現在「政治掛帥」得太厲害，談到這個問題就敏感緊張，不能互相敬重，令人遺憾。

吳老也有他的局限性，我們不需要造神，把他變成天才。吳老和賴和、楊逵兩位先生不一樣，沒坐過牢，所以大家也許對他不特別尊敬。但在美國，《亞細亞的孤兒》容易引起鄉親們的共

鳴，所以把吳老捧得很高，而且要對政府抗議時，想利用二二八，所以吳老的《無花果》特別受到愛好。其實吳老完成《無花果》時，完全是以記者經驗，用春秋之筆留下見證，盡量客觀。但當局仍然那麼敏感，愈是敏感，海外有些鄉親愈要利用這一部作品。真是人為的惡循環。

記得是1971年的春天，吳老又來了東京。他很得意地說，他們有了「吳濁流文學獎」，還在內湖的「金龍禪寺」境內建了一座「吳濁流文學獎紀念碑」，他拿出相片讓我看。

那時我在想，他的書在日本出版，表示我們台籍知識分子還是有人向日本人提出抗議的。他的漢詩也慢慢出現對日本帝國主義的批判，吳老雖是70老人，但仍然在進步，甚為可敬。但為何突然來了個「大頭病」症呢？我向著吳老說：「您怎麼了，那麼忙幹嘛？已開始怕別人忘記你了。」

他老人家望著我，臉色有一點發白，雖然我們開始飲茅台。

我繼續說：「為何不叫『台灣文學獎』或稱『美麗島文學獎』呢，還蓋起石碑來，沒有意料到您老人家也患上『台灣知識分子』的『大頭病』來，真教我失望。」

我有一點興奮，追擊著說：「這一種行徑就是台灣知識分子最糟糕，最醜陋的一面，吳老，我不但是在說你，我在批判著，包括我在內的所有台籍知識分子。」

吳老流著眼淚，他哭著說：「噯！只要你在台灣，在我身邊，我就可少犯錯誤！真是！」

我內人端著菜盤子，還踢了我一腳，暗示著我別再提了。

但我還是再添了一句：「鍾肇政呢？他沒有表示反對。」吳

老說：「沒有呀！他們都在敲邊鼓。」

後來，我發覺在他自撰年譜中並未提及立碑之事，這當是吳老可敬之處。

那時吳老年紀也老了，難免也有「戒之在得」的問題。但這種風氣實在值得反省。起碼東方好的傳統要發揚，日本人紮實奉獻的精神值得學習。我常聽到台灣籍鄉親喊要建立什麼資料中心，但到美國去或回來一看，沒有一個中心是存在的，真正蒐集些台灣文學資料的除了鍾理和紀念館外，我不知道還有其他的地方，但是我還沒有到過美濃，不知紀念館的成效如何？我們的政治經濟常淪為口號，沒想到文學也流行著口號。

要與殖民價值體系對決

和吳老的關係我一直少有提及也沒寫過，公開演講也是第一次，楊逵先生謝世前後，我兩次回台灣，接觸這裡的朋友，發覺需要透過吳老，談談台灣社會的病理，我們社會真正在生病，連純文學都生了病，怎麼辦？

吳老哭了後，我們談到要面對台籍知識分子的醜陋面、劣根性。我相信每一社會、民族如不能勇敢說出自己的醜陋面、劣根性，明天的光明將是並不很大。吳老知道我真正的意思後，還和我討論了他以後的作品。

我和他談到，為什麼朝鮮人向日本價值體系是「對決」，不是接受，對決後才能確立自己的主體，然後才能有真正的文學活動，除了思想層次較高的人外，很多日本人不能了解，總是覺得

朝鮮人專門挑剔日本，找麻煩。但客觀的來說，如果戰後日本文壇沒有朝鮮人作家常常寫出抗議文學的話，日本的純文學也不可能有今天這樣好的境界。

　　最近日本人才發覺到這點的重要性，於是積極的給朝鮮人作家文學獎、詩人獎。所以在一個社會是需要有批判，但不是漫罵。脫離了日本殖民地統治後，我們必須對其殖民地價值體系先對決，才能站起來，而不能像一些台籍作家竟然接受了日本的價值體系，接受就是當了乞丐和奴隸。文學是人類靈魂的工作，沒有自己的價值體系，沒有自己的靈魂，又哪來的文學活動？所以我送給吳老幾本朝鮮作家所寫而具有代表性的作品，尤其是談到他們的抗議，他們如何給朝鮮總督府定位。朝鮮人站在哪個立場和觀點來抗議？為什麼能抗議，我們要在思想層次上來比較。朝鮮人的文學之中，也有一些「皇民化」的作品，但也可以當作我們的「反面教材」來學習。

　　後來吳老沒有完成最後的作品就走了，而我這個「憨客」還要繼續奮鬥，站在社會科學立場做比較，做日本統治下的台灣與朝鮮的比較研究，有一部作品大概暑假間可以在台灣發表。

　　把台灣和朝鮮一比，很有意思。他們沒有少數民族，不像台灣有阿美族、泰雅族、平地先住民、山地先住民等。他們當然也有省籍或地域對立，我在愛荷華與陳映真先生也討論過這個問題，但這是在走向現代化時必然會發生的共同問題，只有在高度資本主義社會中，這種地方主義才會漸漸褪色。我們社會還有分歧的原因存在，朝鮮人也有地方主義，但沒有像我們那樣嚴重。

共犯結構的提出

　　另外我發現朝鮮人寫出許多抗議日本人的抗議文學，當然我們也有一些，如李南衡先生編的《日據下台灣新文學》，大家熟知的大概有賴和、楊逵、吳濁流等先生的一些作品。但相對於朝鮮人來說，我們這裡的作品少得多，尤其戰後受許多挫折後大家都不敢寫，老一輩人只有吳老為我們留下一些作品。我覺得，我們也必須要能與日本的價值體系對決，才能克服殖民地的傷痕，才能有自己為主體的價值體系，才能有新的境界的文學作品產生。

　　為什麼台灣會這樣？我想到「共犯結構的問題」。我們從大陸來的漢族，先是侵略先住民山地部族，把他們的土地占領，成為我們的水田、茶園，因此站在漢族自私的立場說，是漢族開拓台灣，很快的像白人殺印地安人一樣，把他們殺了些，並逼他們上山，自己卻變成有地且有錢的人。地不用買的，就可以割先住民的地變為自己的。

　　台灣中產階級，是在日據時代以前，地主已制度化了的社會條件下逐漸形成。日本做土地調查，把地主編列為殖民地體制下的外沿。就像我們家一樣，一方面抗日，一方面受日本保護，所以我們幾個兄弟能在日本留學。台灣去的留日學生受到日本人的評價並不是書念得好，而是有錢，不用打工且很守規矩。

　　從台灣和朝鮮的比較來看，台灣在與山地邊界地帶的農村，所有權不很分明，邊界地帶遂成為爭奪的地帶。由於地主制度在日據前就鞏固了，故以台灣農村而言，在日據時代，只有這些邊

界地帶有日本地主。所以,台灣農民運動也始終只在這一帶發展,此現象是有其社會經濟因素的。

朝鮮不一樣。朝鮮農村有過日本地主,日本人又放高利貸,朝鮮農村的農民開始階層的分裂。他們流出到日本做最髒最低級的工作,因為是到日本打工的,所得很低,容易被逼犯罪,日本人對朝鮮人印象很惡劣,但他們日本人沒想到這種朝鮮人的惡劣是日本人造成的,最近才有日本人慢慢體會到這種因果關係。

朝鮮在日本殖民地時期,參與日本「共犯結構」的是李王朝,日本人就是利用李王朝,把它編進「華族」(貴族之行列)來統治朝鮮,但台灣沒有過貴族。

超越「養女脾氣」向前看

台灣是和大陸隔開而受日本統治的,朝鮮則是整個國家被吞併。朝鮮半島的共產黨厲害,因為有其社會經濟基礎;而台共則一直沒有多大力量,大家生活平平,小康家庭多,培養不出共產黨,這也因其社會經濟基礎。台灣社會經濟基礎從晚清到日據時代,到光復後政府的農地改革,整個主流是漢族系中產階級很濃的社會,所以我們中產階級參與「共犯結構」雖然只是從犯,但是重疊而深厚。朝鮮人則不是,他們在社會經濟上沒有出路,只有抗日抗下去。還有,在台灣抗日「沒輒」時,還可以跑到大陸去抗,不抗了,還可以到汪精衛那裡去當官,或到「滿洲國」當官。朝鮮人就沒有地方跑,而少有選擇之餘地。

我們台籍人士當年的從犯屬性的「共犯結構」,這是歷史的

存在，也不能簡單的稱他們是漢奸，對他們的後人，更不可用希特勒的血統論去清算他們。但是，我們必須把這歷史整理出來，站在有良知的社會科學家和文學家的立場，應把我們的「共犯結構」、我們應負的責任指點出來，然後我們才好重新做人。這樣，我們才能達到從思想層面來考慮文化問題，才能思考將來往那裡去，否則始終丟不了「養女脾氣」和「孤兒意識」，老是丟不開被迫害意識，老是哀歎自己可憐。這是不健康的，也是不會有太多的發展。

我們現在很多人常常在逃避，不承認有過「共犯結構」，特別是中產階級以上的台籍知識分子，常在「共犯結構」的邊緣，有的是很積極，有的裝糊塗。所以我特別提出「共犯結構」的社會經濟基礎，要從思想層面看問題，而不要從情緒看問題。這樣我們才能為自己定位，以自己的生活觀點、社會哲學、自己的尺碼來面對未來的挑戰。

雖然吳老是一位克服殖民地傷痕比較成功的前輩，但我們也不必借去世的老人家，把他抬得高高的，說他講了什麼，沒講什麼，這是沒出息的。最後我認為，我們台籍知識分子更重要的課題，在於如何以反省自己克服殖民地的傷痕，來建立自主的價值體系，面對未來的挑戰，並希望我們能一起來為大家共同的未來奮鬥，謝謝各位！

本文原刊於《中國論壇》第239期，1985年9月，頁48～54。係於《中國時報‧人間副刊》主辦的演講錄音整理成稿，台北市耕莘文教院，1985年4月3日

談陳火泉、吳濁流和邱永漢的文學

今天我想和各位討論的主題是陳火泉、吳濁流和邱永漢的文學。

在正式進入主題之前，我想先澄清一些因為王曉波兄的介紹而可能引起的誤解。我常常不會隱瞞自己是客家人，因此有人戲謔地稱我是客家沙文主義者。其實，仔細看過我的作品的人，應當不會有這種誤解才對。雖然這項指稱可能多半含有開玩笑的成分，但是為了避免不必要的誤會，我還是要釐清，再者，這和我們今天所要談的主題也有許多關聯。

談客家人：確立自己出身的尊嚴

我多次談及客家人，最大的原因是不願迴避自己出身的尊嚴，甚至覺得應該更強固地確立這種尊嚴，但是我沒有否認過我是台灣人，也沒有否認過我是中國人，是中華民族的一員，這是層次上的問題。我覺得我處理得不錯，但是有一些鄉親的確是無視於我的邏輯，以致誤解橫生，教我非常痛苦。

在日本我也不斷主張人要正視、確立自己出身的尊嚴。十幾

（上圖）楊翠致戴國煇信函
（下圖）戴國煇1985年於國聯飯店的演講紀錄，由楊翠整理

年來，我一直在摸索著，要如何將心理學的研究方法引介到歷史學研究中。在摸索的過程中，我發覺到，確立自己的出身尊嚴是一件極重要而簡單的事情，但是人往往缺乏此種自覺。有許多事情，人可以依據自己的喜好做選擇，例如在第二次世界大戰之後，世界人權宣言承認人有放棄或選擇國籍的自由，因此在今天，台灣有牙刷主義，有綠卡問題、小留學生問題，這些問題顯示，只要你願意當美國人，美國的法律也接受你，那就沒有問題。如果你想成為新加坡的公民，幾年前只要有50萬美金就可以。每個國家有不同的規定，總之，國籍是可以選擇的。

　　但是，我們沒有任意選擇父母的權利，每個個體都是父母愛的結晶，是無法擺棄的事實。因此我認為，做人最基本的出發點就是承認「我的出身是什麼？」，即使父母的形象再如何卑微，也不能迴避或者否認這個事實。我這樣說，絲毫無關於儒家的孝行教條，而完全是從心理學的主張上著眼，也就是說，人要能夠自我認定。在這個前提下，「是什麼出身？」並不重要，重要的是你能不能接受，並且認同這個事實，這完全是發乎自己一心，不假外界公認的。這種自我認定並不只是站在自己狹隘的定點，而必須與歷史的動態相結合。例如我說我是客家人，是在台灣生長的客家人，因此也是台灣居民、是台灣人；而台灣人是從大陸移民過來的漢人，經歷了一場慘烈的歷史變動，被日本殖民統治了50年，光復之後，自然要再回歸中國，因而溯本追源，我自然也是中國人。這便是從整個歷史的動態中去為自己定位，並且從而確立自己的出身尊嚴。

　　此外，我從來沒有主張過客家人具有特別的秀異的特質。五

胡亂華以後，客家人一直迫居邊地，形勢上成為少數集團，在對
中原的關係上，始終無法排除心理上的障礙。而且愈是受壓迫、
愈是居於劣勢，就愈要自居正統、自認優秀，這也許是一種想要
長壯聲勢的補償心理吧！我曾經在哥倫比亞大學做過有關台灣史
研究的演講，也沒有提出客家人特別優秀這個概念。即使是猶太
人，在種族上也並不擁有秀異的天賦資秉，他們今天之所以有一
些令人刮目相看的優越表現，也是從挫折、壓迫、恐懼中逐漸淬
礪而來的。他們相當重視教育，不惜以鉅大投資來啟迪民族幼
苗。猶太人非常用功好學，雖然他們發展的路徑較為狹窄，但他
們在世界史上的學術貢獻的確是不容忽視的。這些成就是得之於
他們激揚奮發的努力，而不是得之於天賦的優越性。同樣的，我
不僅不主張客家人特別優秀，甚至還經常在許多場合中提到客家
人的醜惡面和劣根性，並且呼籲大家要拿出勇氣來面對這些惡
質。就如同我提到台灣人的醜惡面和劣根性一般，大家都應該拿
出勇氣來克服和超越，才能有光明的明天。再往上推到更高層次
概念的中國人，也是一樣的。

陳火泉與《道》：表態文學

以上所談的，一來為了避免誤解，二來因為下面我們所要討
論的主題，多少也與「確立人的出身尊嚴」有關，因而不惜冗
言。下面就來談談陳火泉、吳濁流和邱永漢三位先生的文學。

陳火泉先生的中篇小說〈道〉，1943年發表於《文藝台
灣》，旋被列入當年日本「芥川賞」中五篇候選作品之一，是當

時皇民化文學中的極品，受到日方高度評價。

　　吳濁流先生的《亞細亞的孤兒》，大約是1943年前後開始動筆，但是一直沒有適當機會可以發表，壓箱許久，光復後才問世。吳先生除了漢詩以外，不曾用中文寫作，關於這點，東京的台獨者王育德先生在他的書中曾有誤解的指稱，他說吳先生是台灣作家中很幸運的一代，可以用中文寫作，事實上這是不切於真實的。

　　關於邱永漢先生的作品，我今天想提出《濁水溪》和《香港》兩部做為討論的素材。《香港》一文在1954年曾經獲日本直木賞。

　　這三位作家的四部作品，我想依時間的序列來討論分析。在討論之前我要先說明、並且抱歉的是，他們的作品我都是多年前看過的，做為一位研究工作人員、甚或要將他的研究心得具體發表出來的人而言，這確乎是不夠嚴謹。因此我只能將這些素材攤出來，在討論的過程中提出問題，而無法做明確詳盡的分析。但我相信，我不致會誤解這些作品的原旨，或者歪曲、乃至迴避問題的核心。

　　這三位前輩作家，一言以蔽之，都是日本殖民統治下所產生的台籍知識分子，但是他們的作品，可能因為各自的生活背景、歷史感和現實感都不相同，也就各有千秋。

　　陳火泉先生的父親業醫，他本人是攻習應用化學的，依他的年齡來看，他的作品在表現今天約62至80歲一代中部分台灣人的心態方面，可以稱為典型之作。日本占領台灣，不僅禁止台籍同胞學習北京官話，連閩南、客家方言的使用自由也被剝奪，更有

甚者，我們的傳統神祇也橫遭鄙棄。當然傳統宗教在很多方面是不脫迷信色彩的，但是不能靠外來的政治權力來剝損，因為信仰是個人的靈魂問題，如果以政治力量來干預，是相當危險的。而日本人一旦登台，為了加強對台灣住民的徹底控制，將本島人奉祀的媽祖廟、祖宗牌等廢棄。以他們的神祇取代我們的宗教，對台灣同胞在精神上有重大的打擊。

我回台時，被招待住進圓山飯店。圓山飯店原是台灣神宮，更早之前則是台灣神社，創建於光緒27年（1901），奉祀當初領台時的日方近衛師團團長北白川等人。神宮與台灣總督府兩個建築物是相對應的，這是一棟具有相當濃厚的政治象徵、政治意義的建築物，是日本統治者要在精神上征服台胞的工具。陳火泉先生寫〈道〉的時候，皇民化運動正空前熾烈地展開，日本想把台灣住民、閩南、客家同胞都轉化成日本天皇的子民，而且是二等、三等的子民，這是一個相當惡毒的殖民手腕，有許多不夠堅執的台胞便從而隨波逐流了。〈道〉便是一部在那種政策中積極地想轉變成日本皇民的表態文學，是出賣民族靈魂的文學。

這幾年來，竟然有一種論調產生，認為當年台籍知識分子是被迫接受那種出賣民族靈魂的條件的，會寫出如〈道〉一般的文學作品，是理所當然的，不足為奇。我一向反對以道德觀點來分析這些問題，因為這種方式很容易使人掉入情結的泥淖中而失真。例如鴉片戰爭，從道德立場來說，我們免不了怨歎，英國人真是喪盡天良啊，拿毒品來迫害我們；然而如果站在經濟史的立場來看，又有另外一種解釋方式。又如美國南北戰爭，一般總是極度地推崇林肯（Abraham Lincoln），歌頌他為解放黑奴的大英

雄。其實事情並非如此簡單，南北戰爭的經濟動因要遠大於黑奴
的尊嚴問題。主要原因是東部美國的工業成長之後，嚴重缺乏勞
動力；而美國大半的勞動力存在於南部，那些被農奴制度綁在土
地上動彈不得的黑奴，只有使他們變成自由勞動者，工業美國才
得以延展，因此只有從經濟史的層面來分析，才能正視南北戰爭
的歷史意義。其實林肯以後，黑人仍然受到排擠和歧視，盲目歌
頌林肯，對黑奴來說是不公平的。

　　當然，歷史解釋中有時也不能排除道德的批判，但它卻不是
唯一的批判尺碼。中國人講歷史，經常受制於正統，常使歷史解
釋失真。因此我不願譴責陳火泉先生是漢奸、蓄意出賣民族。我
只能說，陳火泉先生的〈道〉反映了當時某些台籍同胞的心態；
在殖民統治的政治架構裡，受壓迫的台胞中受日本教育、生活水
平屬於中上程度這些人的苟安心態。再從中國人的立場來為陳火
泉先生的作品定位，分析他的正面或負面價值，我想這種討論方
式是比較適當的。

吳濁流與《亞細亞的孤兒》：徬徨的身影

　　其次談到吳濁流先生的《亞細亞的孤兒》。吳先生是抗日的
客家人。一開始我就強調客家人並不是特別優秀的，但是客家人
確實感受到一種雙重的疏離感。根據1928年的調查報告，當時在
台灣的漢族中，13.5％是客家人，其餘都是福建漳、泉兩州移民
而來的福佬人。客家人居於少數，容易受到壓迫疏離，又多集居
於福佬人和先住民的中間地帶。因此吳濁流先生所感受到的雙重

疏離感，一方面因為是客家人，一方面又受到日本人的壓制，他的漢詩和其他作品都相當具有抗議精神，傲骨凜然，擲地有聲。

　　吳先生曾經前往中國大陸，但沒有去到重慶，也不曾想過要到延安。主要是因為當時吳先生在台灣生活得很不痛快，又有可能被徵到大陸去當通譯，那時日方正在攻打廣東華南，便將福佬人遣派到福建去當通譯，而將客家人送到廣東梅縣一帶的客家村莊去，以資利用。吳濁流先生不願成為日本人的工具，便跑到大陸去。當時他有一位鍾姓同學，在南京汪精衛政權底下做事，但他對汪氏政權心存疑懼。另外，在上海的同文書院，有一位彭姓的客家人，是吳先生的小同鄉，也是他早期台北師範的同學。同文書院可以說是日本人侵略中國的間諜養成所，而這位彭先生是重慶方面遣調過來臥底的一名特務，是一位大學副教授，在同文書院教中文，也寫一點有關中國經濟的文章，窩在汪氏政權和日本軍隊中當一名間諜，但是吳先生並不曉得。這個人後來被日本軍毒死，吳先生方才恍然大悟。

　　從上述的種種遭遇中，吳先生體識到，身為一個台灣居民是多麼可憐，到處碰壁，因而有《亞細亞的孤兒》的寫作構想。一個台灣住民到大陸去，日本人也提防你、汪精衛政權又不牢靠，到重慶去也害怕，就是這般游移無助，無所適從。但是在文章最末，吳先生安排了主人公到後方去，暗示他到重慶去尋找認同，尋求回歸，雖然他一直在徘徊，但是從來不曾遺忘自己來自中國，是個中國人！吳先生並且在文末透露出要重新恢復中國人的尊嚴，尋求屬於我們的光明道路。從吳先生的作品中，我們不僅看出他對日本當局的抗議精神，也看出他對台灣，乃至中國的將

來仍是寄予厚望的。

邱永漢與《濁水溪》、《香港》：反映一廂情願心態

　　最後講到邱永漢先生的作品。《濁水溪》一文的主題是二二八事件，以民間的傳說為底構寫成。民間傳說濁水溪的水本來非常混濁，如果有一天突然澄清起來，就是台灣將有重大變故的預兆。另外一部作品《香港》，是邱先生亡命香港以後，以香港做舞台，記載一些搞台獨的生活的作品，日本人便頒了個獎給他。其實以我的觀點來看，《濁水溪》的文學品質要高於《香港》。日本雖然相對是一個比較重法制的國家，但是它的文學獎賞也經常會受到政治力量的左右。邱先生的文學作品，文字方面我認為是相當不錯的，但是他的思考方式我並不贊同，他的作品也反映了許多歷史的現象，也許他並沒有這種自覺。日據時代，許多台籍人士在殖民體制的價值體系中掙扎、徘徊，也有許多人像陳火泉先生一樣，積極地想認同天皇，成為皇民。光復以後，他們又期待回歸祖國，熱烈歡迎國民政府登台，但是很多台籍的高級知識分子，包括東京大學經濟學部畢業的邱永漢先生在內，在殖民地架構下的舊秩序崩潰之後，並沒有認真地思考過，這個代之而起的新秩序「中國」，它的政治型態是什麼？政權的領導性意識形態是什麼？政治水平如何？他們完全沒有經過這些理性的思考，便急切地想去擁抱、趨附這個新政權。他們的心態，或許可以用養女心態來比喻，一個自幼被送離本家去當養女的人，終於可以重返娘家了，滿心天真地想望，我的生身父母不曉得會給我

多麼溫暖的擁抱啊！這和我在前面所說確立自己的出身尊嚴又有不同，是比較情緒性的反映。

　　另一方面，日本統治台灣50年，台籍人士在台灣總督府擔任過最高職位的是林呈祿的兒子，他雖然是東京大學法學院畢業、高考及格，充其量也只能當個金融科長。因此，他們又想，自己雖是東京大學，或者帝大畢業，但是要在日本政府中謀個一官半職卻極不容易，現在日本人撤走了，這些職位總該有我的份了吧！他們沒有想過，自己會不會說北京官話、會不會批公文，更沒有想過，這新來的政府，是真正具有民主特質的近代政權，還是沾帶有許多封建色彩的舊式政權呢？這些不諳於現實、一廂情願的想法，使他們在自我認定的過程中遭受許多困擾，而邱永漢先生的文學正是這些心態的反映。

　　綜觀以上三位前輩的文學作品，陳火泉先生的文學是在殖民統治末期，皇民化運動熾烈地展開，想以外界政治權力來強迫台籍同胞轉變成皇民之時，擺出「接受」姿態的表態文學。吳濁流先生則是在戰爭末期，預期日本將會戰敗，但是又因為身為台籍知識分子，而無法避免一種強烈的孤兒意識，始終置身在困擾之中。不同的是，吳先生因為寫作漢詩，透過漢詩世界和文化的祖國曾不斷有精神上的聯繫，因而在《亞細亞的孤兒》一文的尾聲中，他暗示胡志明回歸祖國去了。至於邱永漢先生，在受到上述的挫折之後，便甘心做日本人了，緊接著上述那兩部作品，他又寫了一些政論性的文章，大意是呼籲日本人，不要忘記你們過去的同胞台灣人啊！1956年，日本的經濟已經開始復甦，而當年因為對台民的剝削和侵略中國而來的原罪感，也逐漸沖淡了，他們

開始一連串富強壯大的計畫。另一方面，金門問題正方興未艾，甘迺迪（J. F. Kennedy）上台，要從金門把在中華民國的軍隊撤回。在國際情勢如此緊張的狀況中，邱先生發表了這樣的文章，我讀了非常痛心。為什麼同是台灣人、同是中國人，我們的感覺竟會如此不同呢？為什麼邱先生竟會稱日本人為同胞呢？我不想以道德觀點來批判邱先生，但是禁不住要去留意分析他的心態。

　　以上談及的三位作家，他們的心態和思考方式的確各不相同。陳火泉先生可以說是典型的現實主義者，無可奈何的、不做抗拒的去追認現狀，因此他的文學作品令我們讀後要去深切地反省，文學的理想何在？其實吳濁流先生也並非強硬地抗拒日本，我們可以看出他的徬徨和無助，他不願當日本人，想當真正的台灣人，又想回歸祖國，但是四顧茫茫，無所依歸。只是他在文末暗示著在遙遠的地方有一個光明的希望存在，這便表示他不是現實主義者，不曾無奈地追認現狀，他有理想，曾和日本人對決，要克服孤兒意識，要超越這些苦難。而邱永漢先生則一直是現實主義者，他搞台獨、向日本人靠攏，甚至我們的嘉南大圳，他都不時強調日人居功厥偉。其實嘉南大圳在日人領台以前，早已規模大備了，因為福佬人從福建移民而來，而福建的地形、山岳重疊，自然對水利系統的建設相當重視，技術是相當前進的，移民來台的漢人中有80％以上來自福建，水利建設當然也很優秀。而邱永漢先生無視於這些歷史事實，無視於日人加諸台胞身上的差別待遇、無視於日本統治者以優勢的姿態凌辱台胞的悲慘事實，竟然反身去依附他們，這確然教人痛心疾首！

　　從對三位前輩作家的文學作品的分析之中，我深切體認到，

文學的使命和文學的力量是相當浩偉的，我們要用正正當當的文學，來表現我們正正當當的人格尊嚴，成為自己的主人。從這個前提來看今天的台籍文學家，似乎還有待努力。接受既成的現狀、不敢著力去扳轉頹勢而隨波逐流是不對的，我們要擺棄所有殘餘的奴隸性格，要成為一個真正的人、真正的主體、揚棄日本殖民統治下的價值觀念的支配，如此才能真正翻身，才有壯麗的明天。

本文原刊處不明。後收錄於《戴國煇文集5》，台北：遠流‧南天，2002年4月1日，頁109～118。於國聯飯店的演講文，約講於1985年

從日本看台灣社會未來十年的發展
──並試論與評估台、日對未來的因應力之異同

　　為了參加這一次的盛會而要寫下報告的題目，對我而言，是相當困難的。最簡單且最可靠的選擇，可能是站在報告者自己所處的視角、社會文化背景以及運用自己駕輕就熟的材料，來闡述自己的觀點。根據此一原則，我選擇這個題目，相信主辦單位以及與會諸位學長將會勉強接納。

　　屈指算來，我在日本留學、研究以及從事教育工作已滿30年。從此一經驗出發，我選擇了用日本與台灣相比較的立場來闡述台灣未來社會之開展，與對台灣未來的因應力（responsiveness）作某些評估。

　　有關台灣和日本在過去二十多年（1960～1982）來的高度經濟成長以及社會發展的過程和成就，已有不少先進學者談過，我對這些問題雖亦很關心，但不準備在此重複。

　　我總覺得我們更應該通過對昨天歷史的回顧，更進一步確認今天我們自己所站的位置，從而把握住明天將有的發展。

　　基於此種認識，我今天要談的正是看未來台灣社會可能產生的情況，或者是難以捉摸的某些進展，以及台灣有無具備或者能否培育出某些因應力來對付未來的挑戰。

日本朋友最近也一直在探討類似問題,即日本具備或缺乏那些對付未來挑戰的因應力,我想借他們的視野來對照,從而看出台灣的問題來。以上是我就為何以「從日本看台灣社會未來十年的發展」為主題所要做的第一個說明。

第二點我必須說明的是,我在本次會議,不準備過多地牽涉上台灣特有的政治,以及有關外交的問題,因另有權威諸學長的參與,當然不必我來重複。我也認為,在世界聯繫愈來愈緊密,地球顯得愈來愈小的今天,我們應該從更廣闊的視野來看有關台灣諸問題。筆者亦知道有些「未來學」的好似羅馬小組以及托夫勒(Alvin Toffler)先生等組織和人士的一些見解,但我同樣地避免重複,但我仍準備以「文明與普遍」為定位的座標來探討我的主題。

當然,在有限的字數及時間中,要包羅萬象是既不可能又不必要的。因此我主要以日本為參照對象,來對比和闡釋有關台灣問題,偶爾還得借鑑於美國,因為在過去及未來,這二個國家對台灣的影響是舉足輕重的。

就美國來言,儘管它仍是目前足以與蘇聯相對峙的頭號強國,但是經過幾次失敗的戰爭,尤其是從越戰撤出以後,「美國神話」破產了,它的威信特別有關經濟層面的衰退是有目共睹的。當然,自從雷根登台後,通過其一系列的政策及努力,多少恢復了一點信心或者說是某些成就,但是大多數學者和觀察家對雷根,特別是他的接班人能否保持這些成果,是相當懷疑的。

再就日本來言,1960至1980年代,它是世界上發展最快的國家。它度過了兩次石油危機,當今,號稱「中產階級」極其普遍

且雄厚的日本社會，大部分人都在享受著史無前例的經濟繁榮之碩果。然而，在繁榮的背後，依然孕伏著巨大的矛盾和危機感，或者說是普遍的對前景之不安全感。日本各階層人士都在搶先地討論著，如何保持以及能否保持持續性的繁榮？若保持不住將會產生何種「亂子」。

如此看來，日本和美國儘管有種種不同的矛盾和問題，但從世界文明發展和普遍視野來看，它們所面臨問題的相同點正在逐漸增加之中。

那麼，我們台灣又如何呢？如果我們有勇氣面對問題，直視未來難以捉摸的挑戰，我們應該承認，對前景不能抱有盲目或自欺欺人的樂觀。當今台灣的經濟，在亞洲來言，是名列前茅的。但是能否保持經濟繁榮的持續性，繁榮背後又存在些什麼問題及危機？這些有關層面的問題是否也說明了台灣同美、日面臨的問題或者說問題的共同點亦正在增加中，下面我開始談第一個子題。

一、日、台社會進展與文化問題

請參看後面表1。

從表可以窺知，過去二十多年中，亞洲國家和地區經濟發展最為迅速的是亞洲大龍日本，剩下四條小龍依次排下，則為新加坡、香港、台灣、韓國。

其中新、港都是沒有農業基礎的國家和地區。我們都知道李光耀首相正在忙於搞「新儒教主義」，今年〔1985〕9月間他還

到山東曲阜去拜孔廟。香港，人人說它是文化沙漠，它雖可找大陸或台灣來填補它的「空虛」，但還是補不足的。沒有農業基礎的國家或地區社會會給人們帶來些什麼缺陷呢？

農業文化不可輕視

農業的英文是agriculture, agri的語源為ager。ager本是soil（土地）或land之意。culture當然既是耕作又是文化之意。

從以往人類史來看，農業也就是「土地文化」是不能或缺的最根本的基礎。換句話說，一個國家或地區社會的正常和平衡的發展，一定得有適當的農業和有助於農業發展的社會哲學來支撐它。李光耀有缺乏「文化之根」的煩惱；南韓則不但力謀搞好農業，另又配合著加緊提倡和宏揚它的傳統文化。這兩個例子值得我們留意參考。

當然，在當今的世界經濟體系裡，好似新、港那種沒有農業的商業性都市國家或地區雖得以存在並獲得經濟發展。儘管如此。由於缺乏農業文化這一根柢性的「脊椎骨」（back bone），它們只是一種「空虛」而且是「虛飾其表」的消費糜糜社會。

當世界經濟之發展一旦處於某種較長期的停滯狀態，或者世界形勢發生某種巨大的動盪時，這些國家或地區便會惶惶而不知何所從。更為嚴重的是，由於缺乏根基性的農業文化，像上述國家或地區反而會在高度經濟成長中，愈來愈難以進行一種必不可少的「自我認定」，從而將會面臨完全異化為名符其實的「經濟動物」之危險。

表1　GDP（國內總生產毛額）之每人平均額與發展階段區分

⑴相對所得水準之變化（美國＝100）

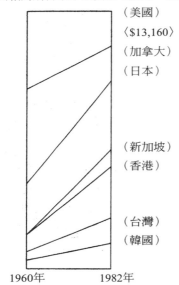

（美國）

〈$13,160〉

（加拿大）

（日本）

（新加坡）

（香港）

（台灣）

（韓國）

1960年　　　1982年

⑵GDP（實質）每人平均額（1960～1982年）的平均增長率

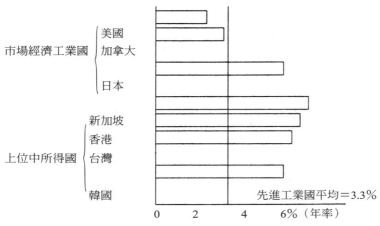

市場經濟工業國 { 美國 加拿大 日本

上位中所得國 { 新加坡 香港 台灣 韓國

先進工業國平均＝3.3%

0　　2　　4　　6%（年率）

資料來源：世界銀行《世界開發報告1984年版》。

　　值得欣慰的是，與新、港所不同之點為，日本和台灣是包括農業在內的、比較完整的社會經濟文化體制下獲得高度經濟成長的國家地區。

　　眾人皆知，多少年來，日本的農林水產省（主管農林水產業之中央政府部門）一貫地，一方面在抵抗，另一方面在調整主要來自於美國的開放農產品輸入管制的波浪式壓力。他們的理由除了保護國內農民的經濟利益和懼怕過於降低糧食自給率將惹起無法挽回的「荒廢」外，他們的領導層仍然有一貫的「農本主義」哲學在支撐著政策之立案和實踐。至於民間，還有「地方」活力的復甦運動和振興森林文化（包括提倡森林浴等）的多種活動正在孕育著他們的因應力。

　　但我們台灣如何呢？口號政策滿天飛，過多的「向錢看」正在蛀蝕我們的農村、農業以及農民之心。農業的「荒廢」是不易恢復的，一旦荒廢，後患則無窮。放手讓農業衰退，假借開發＝進步的幌子，膜拜的只是「煙囪」（工業化）與「銅錢臭」，何來的因應力？此教有心人憂心忡忡。

　　如何培育出能從容且真正能處理好高度工業化，和農業發展的良好平衡關係的因應力，是我們當前緊急且嚴峻的課題之一。

　　我們都知道開發與工業化不一定帶給我們百分之百的進步和幸福，愈是高度工業化，愈要注意調整農業政策謀取更上一層樓之平衡，如此這般，所謂現代化才不致流於畸形和跛足的展開。

倡議產業文化的培育

談到了「農業文化」和「森林文化」，我們繼續得注意到 econo+culture，我們暫時可譯為「產業文化」。

我們只要稍微留意一下，同一種原料造出的商品，往往因其產品的國籍而會有品質上的相異，原因有時可求於品質管理不周或偷工減料等，我們暫時假說已把管理不周和疏忽或偷工減料之原因克服下來而檢討問題。只要詳細觀察，我們仍然可發現品質上的差距問題。

商品的高水準設計或顏色之配合等是需要「產業文化」的社會累積才能呈現出來的。並不能借助於一時的「惡補」或表面上的抄襲作法就能應時解決的。

換句話說，高度經濟發展的社會，必然需要一種與其相適應的「產業文化」來調整配合的。只是模仿外貌或形式是造不出高品質產品的。

我們中國傳統的「匠」（craftsman）的高度技術和敬業精神，曾經聞名於世界，日本甚多傳統技術和工藝是拜過中國人為師傅的。日本「匠」的技術和精神不但仍存在，日本朋友還把它與現代結合，活用、發揚光大於當代技術和工藝層面，叫人為之心服。

回過頭來看，我們真正的「匠」，不但長久來已不易再找得出來，他們本來所具有的敬業和樂業精神若要在台灣社會尋找，據我在台企業界的好友說「比在大海撈針還要困難」，真盼望國內諸先進能給我指教這類問題的看法。

　　培育「產業文化」不但對提升生活品質有益，就未來的經貿競爭來說，其勝敗亦將取決於「產業文化」水平的高低。尤其在廉價勞動力的有利條件逐漸在消失中的今日台灣，為了提高國際市場上的競爭力，我們已面臨如何提升商品技術和文化素質的緊急課題。

　　以日常生活有密切關係的商品如服裝或家具來觀察不難發現，我們的一流商品與日本一流商品間具有相當大的品質「落差」。他們的設計人員除對本位文化須做研究之外，他們還得對有關各國的文化、風情、歷史做比較研究，甚至對於當代的時代精神，當代人的心理、人生觀、文化、生活等的需求都得有透徹的調查研究，最後將它的成果凝聚於創造活動＝設計與製造過程上，如此這般的產品，它們的經濟附加價值當然比我們高許多。

　　開發中國家向先進國家模仿和學習是當然的歸趨，但是如何做好模仿和學習是有選擇餘地的。僅僅做表面、形式上的抄襲和模仿是不會有太好且紮實的前景的。

　　戰後日本，特別是近十年來的成就，我看主要來自於政治、經濟、社會之相對性安定為大前提下所普及的教育所培養出來的。

　　就統計數字而言，我們教育之普及是與日本相近的，所以說若想培育出「產業文化」的因應力是有教育條件的。但是我們社會的「一窩蜂」風潮與「牙刷主義」卻拖下我們向前進的腿。培育因應力的先決條件在於如何克服一窩蜂社會風潮和牙刷主義，但這兩個畸形的社會風潮亦與台灣社會的政治、經濟的現狀密切相關。

二、青年問題與因應力的培訓

　　未來的競爭和挑戰，我們可比擬作「奧運會」來看，哪個國家地區擁有富有因應力的年輕優秀選手，便可以多贏得金牌。

　　我們先前已提到教育普及率，在日、台間的類似情況。但就內容來言，兩者之間有甚多類似點，但同時又有不少相異之處，我們準備只就不同點來闡述。

　　我認為台灣的年輕人比起我們當學生的年代（1950年代前半）要活潑（躍）得多，但比起日本，我們受著過多的管制和不算少的各種束縛亦是鐵般的事實。我得先介紹一下愛因斯坦（Albert Einstein）博士的一篇題為「關於自由」的隨筆，它雖發表於1940年，但它深奧的涵義仍然芳香。

　　愛氏說道：

　　滿足有關身體（生理上）的各種需求，確實是維持（個體）生存所不可或缺的條件，但僅止於其（物質）本身是不充分的。為了獲得（更高層次的）滿足，人類還應該具有如下的可能性：即每個人可以根據自己的個性發展自己知性的、藝術的能力的可能條件為必需。

　　他又說：

　　科學上的一切努力是一個自然的總體，因其各部分是以誰都無法確切意料的手法來相互支持其他部分，所以可以如此來說。

但是科學的進步是以具備知性努力的領域中有足夠表現和指示的自由為前提。換句話說，科學的進步是以所有有關結果和判斷得以無限制傳達的可能性為前提的。我所理解的自由指的就是下述各種社會條件，即是就有關知識的一般性和特殊性發表各種意見和主張時，對發表者將不會帶來任何威脅或嚴重不利的一種社會條件，這種傳達之自由對於科學的知識之發展和擴張是必不可少的。考慮這點是非常重要的。首先，該自由必須由法律來加以保障。但是，僅僅靠法律的保障是不可能完整確保表達的自由。任何人都可以免於懲罰而能自由地提出見解，還得在人類社會中建立起一種寬容的精神以助之。雖然這種外在的理想，是絕不可能百分之百地達到，但是，要盡可能地推進科學的思維以及哲學的、創造性的思維，就必須大家堅持不懈地一起追求這一理想。

有關論及「外在（客觀上）的自由」該由法律保障者並不少，但談到樹立全體社會之寬容精神以相助和促進外在自由的宏揚，對初學者的我還是富於啟示的。

進一步地愛氏還談及有關「內在（主觀上）的自由」。他說：

為使一般科學精神的各種創造性活動得以發展，另一種的自由是必需的。該自由可歸類為「內在的自由」。依靠這一精神的自由，思想便可擺脫權威、社會偏見的制約，非哲學的墨守成規、因循守舊型和習慣而獲得獨立。因為先天獲得此種自由的

人不多，這種自由和獲得與擴張對個人來說就變成了一個極有價值的努力目標。但是，為了達到或獲得這一自由，社會至少不對其進行干涉，便能做到很大貢獻。比如，各種學校既可以通過行使權威的影響力，或者強加給青年一代過多的精神負荷，便可干涉其內在自由的發展。同時，學校也可以透過獎勵獨立不羈的思索方式來助長這種內在自由。只有在不斷有意識地追求外在與內在自由時，精神的發展和完成的可能性，還有人類欲求改善的有關內外在生活的可能性才會有其現實性。

愛因斯坦的闡述是相當精闢的。我們由此可以引伸出一個重要的結論：只有外在和內在的自由相配合時，年輕人才能培訓出無窮的創造力，才能孕育出應付未來挑戰的因應力。同時愛氏客觀地指出，要達到完美的自由是不可能的。但關鍵在於人類社會和每個人能否不斷地進行努力。他還指出了社會對自由會產生積極的促進作用，又可能產生反面的制約作用。

就愛氏所談及的外、內在自由究竟在台日兩地有無確保和發展的問題，我們亦可言及其一、二。最起碼，戰後日本的青年，已從有關天皇制的權威與禁忌解放出來，這一個框框的消失對日本人在戰後的創造性開展是具有相當大的功能的。另外，他們透過新民法的實施，促進了他們傳統且封建家族制度的解體，附帶地又一並促進了農村共同體的逐漸解體，這個解體給日本社會帶來了某種程度的民主化和活力。

當今的日本青年，得免於飢餓、戰爭之威脅，得免於被徵兵的緊張且享有學術、言論，另還享有旅行全世界近於百分之九十

多的自由而呈現他們史無前例的活力於世界每一個角落。

　　但他們不是沒有問題的。他們已有慢慢墮入「輕薄短小」之時潮陷阱的趨勢。不過他們的領導層早發覺問題之存在，已開始探討因應對策，這一點是比我們早邁前幾步的。

　　相對地，包圍著我們青年一代的禁忌、束縛的確過多，台灣所具有的特殊政治情況，必然地給青年們帶來有關部門之某種程度的制約，對這種制約應時常因應情勢的進展，而斟酌調整與盡量放寬尺度以助培育年輕一代的因應力才是上策。尤其是透過社會教育來獎勵年輕人對自己「內在的自由」的培育，做下無止境的自助努力，為當前我們社會應有的前瞻性認識。

三、政治層面的有關問題

　　首先，我想用比較精簡的筆墨勾畫出日本戰後政治的概況。日本的政治層面，該包括官僚政治和政黨政治二個層面。在闡述前必須說明的一點是，戰前及戰爭中對日本政治發生重大影響力的軍閥，在戰後已不復存在，雖然還殘留一些根渣，但對現實政治已沒有值得一提的影響力。

日本的官僚政治

　　眾所周知，明治維新乃是以薩摩（鹿兒島縣）、長洲（山口縣）兩藩的下層武士為主要動力發起改革體制的革命。從政治角度來看，這些下層武士利用天皇的「意志」來推翻德川幕府，新

政權的基礎自然必須通過向社會各階層的擴張而獲得穩定。在「至高無上的天皇」之下，其他社會集團必須享有相同的地位，唯此，下層武士做為一個政治的基本力量，方能夠留存，然後藉此來統治他們建立的新的統一國家。基於這一特點，他們要建立超然任何黨派、大閥族的官僚體制，以繼續其開創新統治。這一官僚體制是以無私的、政策立法的執行者來自我定位，它通過社會利益的支配和管理國家事務之權利的分配，將社會各集團之菁英網羅納進自己的官僚政治體制中，來實行統治集團的具體政策。因此，他們每年都必須採用新的官僚。起初，還存有一些地方主義色彩，但事實證明，地方主義太濃厚的政權是缺乏廣泛基礎，從而是不穩定的，這種傾向很快就被克服了。

隨著明治政府統治的穩固，官僚制度也逐漸完善。大概到了1893年，政府便規定，凡是滿20歲以上的日本男子公民，任何人都有資格報名參加官僚錄用考試。十分有趣的是，這完全是借用我們封建時代的科舉制度，而將其活用於近代政治新體制上的嘗試。這個官僚錄用考試當然是不分階級，沒有地方限制，這樣就把官僚體制的社會基礎擴張到日本各地去了。於是，一些不正常的地方割據體制被調整過來。

這樣，我們可以斷定到1920年代以後，日本已經確立了當今這一種既清廉又高效率且富於新陳代謝和活力的官僚政治體制。

我們同樣知道，日本戰前的官僚體制一直延續到戰後。其官僚培養產生的基本途徑是：第一，全國最優秀的中學生考入第一高等學校（東京）為首的全國十幾個高等學校。他們都住進學寮（即宿舍），廣交朋友，宏論國家、人生大事和學習外語讀解，

並享受非常自由的青春時代；第二，他們中若要當官者，一般都考東京帝大（現在的東大）法學院，以及法學院的經濟學科（現在已另成立經濟學院）；第三，從法律、政治和經濟三個學科界畢業後，再考國家公務員即戰前的高等考試。它分為行政和司法兩類：行政是進入官僚系統，司法則是當律師、裁判官或者檢察官。此外還有外交官考試。這類考試不講究考生的出身、階級和階層，只憑高分數錄取。他們進入官僚系統後，自然存在一種同學的「橫的關係」，即同學也就是朋友關係。但這種關係比其他國家官僚系統的裙帶關係、族閥關係乾淨得多。當然，這種同學的呼應關係隨著兒女的婚嫁亦可能形成新的關係。但值得注意的是，他們在官場裡之新關係大部分是基於女孩子而構成者。一般來言，兒子無法由父母來自由選擇，但女婿是比較有選擇餘地的。考試制度的公開和公平令上流階級、階層的男孩子很不易跨進東大尤其是法學院之門，因而官僚的錄取新生也就是可論婚嫁的候補男士之出身大多並不屬於上層家庭，必然地以父子相傳為核柱的裙帶關係或是閥族關係不易繼續增大。上層家庭出身的女孩子倒可送進私立著名女子大學，去接受賢妻良母型的教育。然只要外貌不太差，是可以找到高級官僚的候補生為對象。至於那些東大出身的高材生當然為了準備向上爬的方便，他們亦樂於同上層家庭出身的小姐結婚。

不過，在官僚體制下的晉升，「婚姻背後的關係」雖然有一些幫忙，但有時那些關係太過於顯目時反而會惹起「扯後腿」作用而吃上虧。

基本上日本官僚體制下的晉升是靠能力亦按年資而定的。已

制度化的官僚體系，它不斷在有秩序的調動之中，上述的因婚姻
所構成的關係不致把官僚體制最根本的支柱（制度和精神）吞噬
掉。第四，值得留意的，尚有他們的高級官僚的培訓是不以專家
來做基本方式的。他們採用generalist，也就是通才培訓來達到最
終目標。官僚政治體制裡面的專才則由不經過高考而只經過普考
的幕僚型的普通人才來充當。第五，日本高級官僚在年輕時還常
被派至外國留學和以參事官等身分派駐於大使公館而與外界多接
觸，多體驗。他們還得面臨在競爭式且階梯式晉升過程中，遭受
淘汰的可能。中央級課長以後為爭部長，局長乃至事務次官（官
僚之最高位者，只剩一人可以上任）的競爭是相當激烈的。不過
被淘汰下來的人們（以不犯罪為前提）都會受到相當的照顧轉進
民間或有關法人團體，就任新職業和職位。他們的生活不但可受
到保障，他們亦可透過新職位把在通才訓練過程中所獲得的資訊
和新知識貢獻出來，提供廣義的回饋社會的服務。這種新陳代謝
的方式不但可以保持活力之持續性亦可保持其廉潔性，可謂「善
且正」的循環。這個循環貫流於官僚界和一般企業界，退任下來
的通才亦可扮演官界與企業界的橋樑角色，構成「日本公司」的
一種整體向全世界進軍，終於取得他們當前的成就。

　　明治維新之後，日本官僚的原初來源是中、下層武士階級。
應該注意的是，那些武士階級同土地所有權是無關的，他們僅對
其主人表示忠誠。正因為與土地無關，使他們不易受到現實政治
上的污染或金錢上的污染。總括而言，日本的官僚階層自明治維
新以後，始終保持了較為年輕的特點，官僚階層為了競爭，做好
本分差事比較喜歡用功看書，研究問題，官僚體制保持一定秩序

和新陳代謝,與政治污染或金錢污染都能保持一定距離。有些轉入政黨的官僚在政黨中發揮了他策定政策之能力(包括理論和實務)外,還可對去蕪存菁的作用助上一臂之力。

同日本這種官僚優勢之政治體制相比較,我們台灣就存在著一些明顯的問題。這就是,我們台灣官僚界的nepotism,即裙帶關係以及族閥關係的陋習是否已被克服?地方主義也就是同鄉關係的偏差是否已消除?官階升等是否公平?走後門的陋習是否已改善?這些問題不解決,就會嚴重影響到官界因應力之培育。

日本的政黨政治

前面我用了歷史的縱面追溯之方法,闡述了日本的官僚政治層面,那麼,下面我要用縱橫交叉的座標來給日本的政黨政治定位。

與戰前不同,也與台灣不同,戰後日本政黨政治的兩個明顯特點是:第一,允許共產黨、社會黨等激進或左派政黨公開活動;第二,政黨政治已不復受戰前軍閥的影響和支配。此外,戰後,尤其是經濟高度成長的1960年代之後,日本政局基本是由自民黨執掌配合官僚優勢體制來推行的。自民黨長期維持政局穩定的祕訣何在呢?我認為有二個最基本的祕訣:一是自民黨有效並且積極地利用了在野黨的制衡作用;二是贏得了廣大中間階層的支持。

就第一點而言,自民黨總是積極地將在野黨提出來的異議和新的見解以及理論,積極化為己有,有時甚至於把它脫胎換骨,

編進他們選舉時「選好」的題目，比如福利問題、污染公害問題、反核戰、和平問題等，在野黨往往能夠搶先提出了許多新的問題，新的看法，新的要求，並得到一般老百姓支持。但是，由於在野黨的在野地位的制約，其只能提出問題而無法直接解決問題。因此，自民黨除了自己搶先提出承諾外，還借在野黨的選好變成自己的選好，使他們的政策不斷充實並求其比較完善的發展，從而得到大眾的支持，再而保證執政的穩定。由於自民黨實行了一種正面的積極政策，共產黨、社會黨總是在現實政治難於搶先，因而十分苦惱。這種政治現象是十分有趣，值得我們認真研究。另外，自民黨內部是分派的，當然也存在保守派中的派別之鬥爭有時也甚為激烈，但由於在野黨的制衡，這種分裂鬥爭被限制在一定的程度，從而不曾導致自民黨的真正瓦解和執政力量的削落。

可見在野黨的存在，在政黨政治中是一種積極因素，促進提高了執政黨的因應力。

就第二點而言，自民黨更積極地把他們在1960至1980年代所得到的高度經濟成長的成果平均分配，從而取得一般日本所謂的「新中間階層」或「新中間大眾的支持」（「新中間大眾」這個詞彙是由東京大學的村上泰亮教授提出來的）。新中間階層這部分可以說是不參加任何黨派的，組成分子甚為複雜。他們在投票時很注意各黨的動向。由於自民黨不僅把經濟成果平均分配，而且還將在野黨的選好變成自己的選好並加以政策化。因而能夠把雄厚的中產階級的政治欲望或經濟利益包容進自己的體制內去，並不斷地更新與輸進新血於他們的政黨體制。這樣，自民黨的統

治就有了相當堅實的基礎，政局自然能保持長久穩定。因而我認
為除了日本保守勢力重新走上軍國主義之舊路外，他們在政治層
面所具有的因應力是相當雄厚的。只要對照一下日本，我們便可
知台灣政治層面有哪些問題，我們在這層面的因應力有無具備以
及培訓的課題為何？我想不必由我這個外行人來點出。

四、經濟層面的因應力

政治穩定是以經濟穩定為基礎的。因此，不論日本或是台
灣，其對付未來挑戰的因應力如何，關鍵仍然要看未來10年、20
年的經濟趨勢。這自然包括如何保持目前的優勢，有效解決目前
存在的問題，或者防止未來可能產生問題的隱患。

國際環境的制約因素

正因為日本是一個外貿立國的國家，其經濟穩定發展能否繼
續保持還得看它是否能搞好外交關係，保持穩定且良好的國際環
境。第一是日美關係；第二是對中國大陸的關係；第三是調整同
蘇聯的關係；第四是同東南亞和中東的關係；第五是與其他第三
世界諸國間之關係。

維持國際間的平衡、良好關係是頗令日本政府煩惱的。幾年
前的篡改教科書，以及最近的靖國神社官方參拜事件，一經國際
上的激烈反映，他們就縮回去了。

這些令保守政治家頗受委屈的政治解決辦法，並不是自民黨

保守派心甘情願接受的。他們本是不想低頭，更不準備妥協的。
乃是他們財政界的領導層害怕有十億人口的大陸市場對他們關
閉，又不得不考慮與韓國的政經層面為主的鄰人關係惡化將嚴重
影響到日本今後的經濟發展，或持續保持目前和平小康的生活水
平。許多人往往用政治主義掛帥來看待這個問題，其實是相當偏
頗的。

　　日本的中東政策等又無非都是出於經濟考慮的。在此就不再
一一論述了。

能否緩和貿易摩擦的問題

　　最近幾年，日本同其他國家的貿易摩擦逐漸尖銳，特別是同
美國的貿易摩擦，緩和這一緊張因素已是日本當前舉國上下極須
解決的頭號問題。日本經濟有幾個本身無法解決的弱點，一是缺
乏資源，它害怕其他國家斷絕或減少資源供給；二是外貿立國，
它害怕其他國家對它關閉市場。因而，它對主要貿易夥伴美國採
取了許多讓步。但是，解決這個問題並非易事。因為日本要維持
繼續增長，那就意味著擴大外貿；擴大外貿自然也就意味著摩擦
的繼續存在甚至擴大。尋求一條新的途徑乃是日本政界和經濟界
目前苦心積慮的事情。

飽和經濟（saturated economy）

　　日本經過戰後三十多年的發展，已成為經濟大國。目前處於

一種飽和經濟的狀態。與其他經濟大國相比較，日本憑著其與歐美的不同文化、背景和觀念，有著自己的幾個特點：它與政治也有關，日本追求得相當徹底的平均主義。即日本對經濟所得的分配、資產的分配和權力的分配，都相當接近平等，其程度常常對資本主義抱有「負的教條」，認識的人士都會吃驚不已，因此，日本國內無論哪個階層，幾乎是可買到所有所需的東西，亦可到海外去旅遊。比如，普通學生打工二十幾天，便可去北美西海岸或夏威夷走一趟；日本在雇傭制度方面是靠集團主義，終身雇傭，以及年功序列。職工對企業竭盡忠誠，勞動秩序井然。整個企業能夠保持生產和組織的穩定。

　　總而言之，就日本國內而言，整個經濟、市場、人民生活均已達到飽和狀態。在每星期三次的倒垃圾日，甚至可發現全新的衣襪以及整包的大米，或者是各種還可使用的電氣用器的丟棄。

　　飽和經濟已經引起人們的嚴重關注。它帶來二個最明顯的消極作用是：第一，上述的種種浪費，從文明史角度來看，已導致這樣的趨勢：如果不對消費模式進行改變，將有可能使日本人墮落，然後造成日本資本主義文明的滅亡。因而可以斷言，從某種意義上說，決定今後日本的基本上已非物質因素，而是思想、精神因素。第二，飽和導致商品的滯銷，滯銷將阻礙新的投資，亦將會依序導致經濟的「零」增長，甚至走向反面的「負」增長。

　　解決飽和經濟問題的二大出路是：繼續維持美國和歐洲的市場，並竭力開發中國大陸、中東、南美洲以及非洲等的潛在市場，開發研究電子有關尖端科學、遺傳工程、海洋太空工程等新材料，以及新技術，用新的技術革命改變產業結構，創造一種全

新的消費模式。

　　但是，這二個辦法並非全能，開發市場會導致經濟摩擦加劇；新材料、新技術也不能無限制地開拓與增大最終需求，另因可在中間過程省下甚多勞力將有導致失業之虞。

　　同日本相比，台灣不同程度也存在著飽和經濟問題。其不同點只是：第一，飽和顯現在台灣的卻是在吃的享受上面，吃的浪費讓人吃驚。反過來，其精神文化又怎樣？連餐廳的碗筷拿出來後都要再用紙擦一下才能安心使用。文明墮落的危險信號是閃爍著的。第二，特別值得一提的是，台灣人民和日本人民都是勤勞的人民。但是，在飽和經濟下，他們對勞動觀念的巨大差距便呈現出來。日本人體現的是一種敬業精神、樂業精神，他們注重在工作中尋求自己存在的價值。比如，日本有「窗際族」因日本採用終身雇傭，因而對能力較低的人以及裁減的人只是將其擱在一邊，不讓其主管業務，給薪但不開除，讓他能安心地等候退休），他們對每天只看報喝茶、拿薪水會感到損傷自尊心。而我們呢？恐怕是巴不得有機會做「窗際族」的吧。我們的敬業和樂業精神是差人家一大截的。第三，台灣由於其特定的政治環境，不能面向和利用廣闊的大陸市場，在這一點上，亞洲的一條大龍（日本）、四條小龍之中的新加坡、香港、韓國都往大陸掘它的「銀子」，獨獨台灣處於明顯的受限制而不利的地位。香港自不待言；新加坡最近也加快親近大陸的步伐，不但李光耀訪問大陸，他的左右手吳慶瑞博士還擔當起大陸沿海開發經濟顧問來；韓國為了準備順利開好奧運會又為了他們的外貿擴張，也通過種種管道向大陸做下政經雙管齊下的攻勢。因此，台灣必須考慮，

怎樣開拓新市場，以保持經濟的繼續發展。第四，就開發新技術而言，台灣也不如日本，台灣市場小，本錢少，像日本這樣大量投資、樹立「技術立國」的長久規劃，幾乎是不可能的。

因此，培養對付經濟層面上的未來挑戰之因應力，乃是台灣目前最為重要且最為迫切的課題。

五、結語——綜合性的展望

上面我就政治、經濟層面，較為詳細地論述了日本和台灣現存的應付未來之因應力的狀況。由於通訊技術的發達，18、19世紀的閉關鎖國已一去不復返，每個國家和地區不將自己置於世界體系之中，便無法進行準確的自我定位。因而，我也初步談一下自己對日本和台灣未來的估計。

日本自從在世界上確立起經濟大國的地位以後，便開始進一步想確立起大國的國格，即在世界上爭取發言權。從而一改戰敗國的低劣形象。但我認為，不管日本在科學技術及其他領域裡超過了美國，近年來甚至於還提出新環太平洋設想或其他世界性戰略，但它還都無法在世界上擔負起領導地位的真正角色。

日本過去一直是以模仿代替創造，形成這樣一種模式：外來文化→加上本國傳統的揉和→變成自己的文化，即本土化。由於日本具有較高的吸收融匯力量，採用這樣的模式效率很高，而且也容易成功。已成形科技和文化的導入，失敗率顯然偏低。

但是，如果日本要搶前站上世界上的領導地位，則非從模仿改為創造不可。創造不但要冒巨大的風險，而且如果要擺脫模

仿、促進創新來領導世界，我認為日本的社會條件和日本人的意識形態還達不到這樣的水準和境界。

從文明發展史看，受島國環境制約的國家要領導世界是相當困難的，或許有人會說英國闖出三島、征服七個大洋、曾讓世界處處皆有大英帝國的旗幟，但是，大英帝國究竟為世界提供了些什麼具有普遍性的理想和理念？更何況它稱霸世界完全仰賴其廣大的殖民地，這在今天已絕不可能，它只好縮回三島且患上「英國病」而癱瘓。

日本是靠集團主義的team work和轉身的輕快，以及搶先翻譯來起家且奠定其經濟大國的位置的。

但「創造」是較難於出在集團主義社會和集團主義意識所支配的人群的。創造發明，一般來言都得靠充分發揚個性即是靠個人才華以及正面的「個人主義」（individualism）相當濃厚的社會來支撐的。不過如目前的美國社會大走其反面，不但它的個人主義有走向負面的趨勢而外，它還與egoism（自私主義，自己本位主義）結合在一起，開始給美國社會帶來了困擾。

總而言之，創造發明需要正面的個人主義的培育，需要富有個性的、突破性的人格，同時亦需要培養和鼓勵這種人格形成的社會意識和社會條件。

已有些日本學者站在文明史立場上，企圖指出具有普遍性格而能說服世界大多數人的理想和理念。

但這絕非易事。以往的歷史說明，往往是大陸國家出身者提出了人類共同的理念或理想。當然，這並不否定，日本做為一個經濟大國，應該在世界舞台上擔負起與它相應的角色。

　　與日本相比，我們台灣應該如何呢？我認為我們中國人所具有的個人主義氣息和素質要比日本人來得濃厚些，但目前我們台灣還花不起過多的資金來搞大規模的基礎科學和創造性的活動。我們亦暫時沒有充分的條件向全世界的人類提出具有普遍性的理想和理念。

　　但我們可改善我們對外模仿、學習的方式，力求紮實，並站穩我們的座標軸來盡量充實我們的因應力，才是真正具有現實意義的至高課題。至於有一天，能與大陸統一在一起時，站在我們悠久的歷史，絢爛的文化傳統以及10億2,000萬人的才華的基礎上提出合理的、切實可行的理想和理念似乎要來得現實與客觀些。

　　以上，許多是未成熟的看法，希望能得到善意的批評與指教。

　　按：1.本報告，自月刊《NIRA》（第6卷第9號，1984年）得到甚多啟示與觀點，特此聲明聊表謝意。2.愛因斯坦的的小文來源為：*Freedom, Its Meaning*, edited by Ruth Nanda Arshen; Harcowt Brace and Co., New York, 1940.

　　　　本文原刊於《中國論壇》第249期，1986年2月10日，頁38～46。係於
　　　　《聯合報》及中國論壇社合辦「國家未來十年發展的探討」研討會之
　　　　論文發表，於南園（聯合報系員工休假中心），1985年12月27至29日

歷史與社會新探
──藉琉球、阿爾薩斯、魁北克的比較 研究來看台灣問題

　　這場演講是我要爭取的，希望能給我充分的時間，有機會將近十年來不斷思考的理論性問題，做一個暫時的剪接。這篇報告我雖然在史學史方法論的課堂上，與日本研究所碩士班或博士班的學生有過斷斷續續的討論，但從未正式發表過。今天，我藉此機會把這個未成熟的思考向國內朋友們提出，希望各位先進給我多多指教。

　　我的題目是「歷史與社會新探」，副標題是「藉琉球、阿爾薩斯、魁北克的比較研究來看台灣問題」。阿爾薩斯是法國鄰近德國的地方；魁北克則是加拿大一個法裔居民的省分。

卡爾的啓發：台灣研究新途徑

　　首先，要說明我為何會做這個思考。大家皆知英國有位史家卡爾（E. H. Carr），這位先生曾說歷史是過去和現實的對話，藉著這種說法與認識，我多年來一直在不斷思考與追溯歷史中的台灣人，對於台灣人，以我的史觀來講，將之置放在歷史中，他是動態的而非靜態的。做為這個不成熟探索的結晶，我出版了一本

日文著作──《台灣與台灣人》，副題是「追求自我認同」，即
是自我認同的心路歷程。這本並不完善的論文集，在日本已經出
到第五版，在我的日文書中，可說是最暢銷的一本。這不是我要
自我膨脹，我想要講的是一個思考的過程，向先進表白後，希冀
得到指教。

　　我在其中苦心追求的是從思想、結構、邏輯的層次，嚴密地
來把握台灣問題的歷史脈搏。以我本人經歷看，我並不是正統的
史學科班出身，而是半路出家；我經過農學的農業經濟學、農村
社會學、農業史的領域，而邁進今天充實的史學範疇。這或許帶
給我先天不足的短絀與缺點，但也是因為這個背景，我得以少有
傳統的束縛，其中包括中國傳統史學、歐美史學之約束，這可以
說是因禍得福。因此，這是我最近十年來一直在思考新史學之問
題，我認為所謂新時代的史學立場或史學方法之最根本性，是一
個批判繼承傳統史學或史學方法所賦予新史學的兩個基本特徵。
這特徵之一是，既要從總體的、有機的、有生命的結構來把握非
常複雜的歷史面貌，也就是必須以多層有機的視野來關照多層有
機的歷史。第二點，同時必須把過去的歷史，從傳統史學引以自
傲的象牙塔──比如東大、台大之中解放出來，與當代連結；而
此連結並不是廉價的、政治的影射，這非常重要。在這種基礎
上，來預見事件、洞察未來的歷史走向，可以說是歷史學之經世
致用，這是我很冒昧的意見。

　　我所認為的歷史學是什麼呢？用最簡單的話來歸納它，並
非是僵硬的，而是活潑的；並非是靜態的停滯而是動態的融流
的；並非是平面的單調而是立體的生動。固然，我們今天仍對司

馬遷、亞里斯多德（Aristotle）等東西方傳統史學的保護歎為觀止，但同時在我內心深處，仍會有創造新的、精美的史學欲望。近代科學的發展為此提供了開拓的啟蒙，那就是某些鄰近的學問，被帶進歷史學中，包括經濟學、社會學、民族學；以及自然科學中的統計學，乃至數學、電腦等，使得史學研究變得空前豐富、擴大，這種是邊緣，而不是邊疆，歷史學使得我們又一次洞察到條條大路通羅馬，這是我認為的歷史之神聖殿堂。

　　從傳統的觀點來看，史學是一門實證科學，以考據做為它的主要手段，但是我在二十多年的研究中碰到了以下的許多重要問題。第一，考證文書、文件等史料的局限性。以日本帝國主義統治台灣時期的歷史研究做為一個例子來討論，固然將有關史料加以全面整理批判分析，或整體解釋是最為理想的，但是做為實證對象的有關史料，多半已被當時的統治者也就是日本當局加以湮滅。若完全拘泥於此，仍堅持要以這類史料來做為我們驗證的歷史，那麼可能無法透視日本殖民台灣之總體相，如此這部分的歷史是否為真正的歷史？

　　第二點，過去史學前輩認為研究歷史者應該站在公平、實證的立場，拋棄個人的感情、達到無私、滅我，才能進入史學的真正境界。但是當當代史劃入歷史的範疇之後，除了研究對象為當代史之外，研究者的本身也成了研究對象的一部分，就是說「主體」跟「客體」可能逐漸混淆，這又該如何掌握？在研讀部分新的科學經典之後，我對自己的傳統見解產生懷疑。什麼是客觀？什麼是無我的傳統呢？

　　在面臨時代變革之時，任何民族群體乃至個人都會有一個自

我覺醒的過程，若其不被扭曲，或能順利成長，則可以達到健康的自我及健康的民族意識、群體意識及個人意識，要獲得真正的自我，除了自己獲得真正地覺醒外，還要把自我開展至最高境界。換句話說，要承擔研究當代史的主體使命，就必須達到自我覺醒，並提高到自我解放的境界，低層次或低醒覺的自我陶醉一類，是為人所忌絕的。因此，我覺得史學應該是由如下兩部分組成的，一個是歷史的社會科學，也可以說是以社會經濟史為重心的部分；第二，歷史的人文科學，可以說是心理歷史學，這兩部分有機的整合，大概可以創造出新的史學，也就是活的、動態史學的境界，這是我未成熟的一個理想及努力目標。

社會心態與歷史之關聯

歷史的社會科學，史家們已廣泛地研究，這個問題暫且不談。現在我想談的是歷史的人文科學，特別是心理歷史學的問題，說得更白些，就是社會心態與歷史有何關聯呢？這就是我想在今天提出的一個中心課題。

所謂「人」具有二個層次。一個是自然存在的人，可以說一切的人都是自然之子，經過幼兒、少年、青年的成長過程，逐漸變成社會的兒子，社會之子就是歷史之子。我們都知道文化的創造絕不是生物學的層次；也就是真正創造文化的應該是社會層次的人，意即歷史的兒子才可以創造文化，這點我們應該有所確認。所以，研究歷史以及解釋歷史的主體應該在歷史和自己之間構成的座標軸中找到定位，這種定位因空間、時間條件不同而分

別站在民族的、人種的、階級的立場上，自我追求的當然是個別立場間的最大公約數，也就是反封建、反迷信、反帝國主義、反殖民地主義、反法西斯主義、反自我中心主義；自我中心主義包括個人、民族或是種族，如同過去日本人的一種民族主義或希特勒的法西斯主義；同時我也反人種優越論以及優生學的立場，這是我個人的立場。但必須強調，既然我們是生物學層次和社會學層次組合而成的人，也就難免在創造文化或研究歷史的過程中，附帶著自己的感情。

　　歷史研究不應僅僅是資料、文書的操練，或者是說僅靠有限資料、文書的操練是不能把歷史解釋清楚的。當然我們都知道過去研究世界史或者是制度史時，這是重要的技術，否則沒有辦法建構出生氣勃勃的歷史舞台，無法把時代的體溫以及時代的精神傳達出來以回饋社會。但要達到新的、動態的歷史學還必須超越傳統的境界，舉例而言，研究日本近現代史時就無法放棄日本的天皇制，所以我們研究明治維新以後的日本絕對不能忽略天皇制，當然研究天皇制可以通過它的歷史過程、制度、文書、史料來進行，但是我們必須借助精神分析學、社會分析學來探討日本人關於天皇制的歷史性，不然我們弄不清楚為何日本人會瘋狂至那個程度。比如會有一個神風特攻隊，在日本戰敗後為天皇切腹自殺，這你該如何解釋呢？你從文書能夠解釋嗎？或從制度解釋嗎？由此可見，當我們企圖研究總體歷史時，除了資料的整理或分析外，還必須研究那個時代大多數人民的心態，並將史料分析、復古，由此才可做出最理想的綜合解釋，才可有生動活潑的歷史，這是我的看法。

　　第三個項目——社會心態或新史學。我突破30年來的研究，特別有關甘蔗糖業史，或日本帝國主義對台灣的統治歷史，或霧社事件，才深深體會到實證史學的局限性。譬如甘蔗糖業史沒有辦法利用考古，因為甘蔗已沒有痕跡留下來，至於霧社事件，我們都知道霧社山胞沒有自己固有的文字，日本人在霧社事件後，聲稱霧社山胞若不服，請靠資料來講話；而人殺了，資料也沒有的情況下該怎麼辦呢？我花了許多年找資料，僅找到少部分，但其他的怎麼辦呢？這段歷史如何研究呢？這始終是一件非常令人苦惱的事，所以我只好分析現存的史料並加以綜合的掌握。依我個人的經驗而言，實證研究愈是深入史料，困惑就愈大；愈有良心，則愈恐懼自己的解釋。所以我在霧社事件序文講過，我只是把霧社同胞的資料做一個暫時的整理，希望他們的年輕一代能夠站在自己的民族立場來解釋他們的歷史。這並不是我客氣，而是由衷之言。

　　至於日本體制方面，僅僅毒瓦斯的使用與否，就成為很大的困擾。戰敗以後，他們要面對東京裁判，所以將相關資料毀滅，這部分怎麼辦也是個問題。我認為歷史像一座冰山，而冰山浮起的部分只是極小部分，看不見的才是大部分。

　　浮面的部分為表層的歷史，但是歷史倚仗的部分是深層歷史，至於深層部分，一是資料方面的深層問題，還有一個是個人的深層心理，即是剛才說的社會心理、精神分析的探討對象。這就得靠歷史研究者自我磨鍊、自我要求，而不能只是東抄西抄、剪貼資料便認為自己是偉大的歷史家，這是很危險的。

　　在這種深層的歷史中，要弄清楚的即是社會心態和歷史的關

係，尤其是否有可能透過一套方法學來加以呈現，是我十多年來一直在思考的問題。

歷史與文學之間

　　如何將歷史從表面到深層加以組織表述與解釋，是歷史家應該去努力追求的。用另外一句話來表示，可能必須具有高度層次的主題性想像力。在此時順便提到日本著名的歷史文學家司馬遼太郎，我和他有一些小交情，因為我們一起在立教大學的校慶中演講過；他未曾說過他是歷史家，也未受過正統科班的史學訓練，但是日本老百姓非常愛他的書，這讓我想到二十四史裡的《三國志》與明朝羅貫中所寫的《三國演義》。科班出身的，二十四史一定會看，但一般人絕對不會看的。如同日本學者寫的史學著作，一般人不看，但他們卻會閱讀司馬遼太郎的書。問題可能是一般老百姓誤解歷史文學與歷史小說為歷史，因而產生種種偏差。

　　本來歷史和文學是一家的，到了歐洲近代開始時分開來了，自此近代史和近代文學分道揚鑣，近代史學是實證史學，應盡量避開文學的想像力，並將之排除在史學殿堂之外。這種正統史學愈來愈遭到挑戰，不管是日本或西歐，近代史學已引起很多人的懷疑，人們開始質問實證的歷史是否就是真正的歷史，大部分的制度史、事件史，可能只是資料剪編，在資料殘破不全的情況下，冰冷的堆積與操練中見不到人的活力、觸不到時代的體溫、聞不到人性的味道，這種歷史究竟是怎麼一回事？

　　在這種局面下，我並不是想讓史學和文學重新再結婚，我是希望把分出去的部分利用史學的鄰近科學，即精神分析學、社會心理學、深層心理學等，把它重新豐富起來，使得新史學擁有人性，這是我的理想以及描述歷史的方法。換句話說，我們必須借助文學豐富的想像力，卻不可只靠文學的想像力來寫歷史。再談另外一個問題，若是只利用精神分析學、社會心理學、深層心理學的方法研究歷史，而不管社會經濟史可以嗎？這是不可以的。還是應以社會經濟史做基礎，再以精神分析學、社會心理學等科學來輔助。

例證分析：文化的重要性

　　現在把這些想法藉琉球、阿爾薩斯、魁北克的例子來解釋。我們對琉球可能有某一種印象，很多人僅知琉球為日本所併吞，事實上，琉球在15世紀初，琉球中山王就以琉球島為中心，將大隅、奄美、八重山等群島統一而建立琉球王國。當時，日本無法把琉球併吞而成為其封建王朝的版圖；中國人，即當時的明朝，對琉球也是抱著無所謂的態度，沒有近代國家的意識；清朝和琉球也只是一層冊封的關係，於是琉球變成是一種兩屬的關係，一方面是日本，一方面是清朝。17世紀以後，薩摩藩雖曾間接統治琉球，但始終沒能將之併過去，需等到日本藉由牡丹社事件出兵台灣後，才有進一步的發展。

　　事實上，當時的琉球人民並不願意納入日本，但明治政府想靠這件事把琉球和日本列島的關係弄清楚。第一次他們叫做「琉

球促婚」，把琉球改名為沖繩縣。但琉球自己有琉球王，它已有了國家體制；等到第二次世界大戰時，琉球成了美軍登陸日本列島的一部分，美軍在琉球打得非常殘忍。經過這段悲慘的歷史經驗後，日本天皇變成人了，不再是神，憲法也已民主，經濟也漸漸發展，更重要的是琉球怕被捲進第三次世界大戰，所以有一份非常複雜矛盾的心理；過去討厭日本天皇制，厭惡唱日本國歌，但現在為了對抗美軍的統治，擺脫基地的危險，而願唱日本國歌，這是非常矛盾的，包括左派分子亦然。1972年，日本再一次「促婚」而合併琉球，這一次日本花了相當大的心思去構想如何建設琉球，據我所知琉球現已有三所大學，甚至去年的日本全國運動會也在琉球召開，除此之外還曾召開海洋博覽會；由於日本自民黨政府對琉球花了很大的關懷，所以現在琉球的獨立運動者漸漸少了。有一部分知識分子或中學教師，特別是研究世界史的學者主張自立，具體而言，他們肯定「沖繩」的稱呼，主張不再叫「琉球」了。

　　至於過去琉球的文化是要維護的，舞蹈、音樂都要保存而發揚光大，在政治上，主張把自己的地位提高，讓日本本島的大和王朝地位下降一些。琉球在此種情況下獨立的聲浪漸漸少了，逐漸埋沒在日本一般老百姓之中。主張沖繩自立，能與大和平起平坐的一股力量，漸漸在知識分子的運動之中形成。

　　接著分析阿爾薩斯，這個地方在中學課本中已為大家所見過，最近我才發現以前胡適之在上海曾經寫過一篇小文章，在我們少年的時候，由於台灣剛光復沒多久，看到此篇文章時很感動。文章主要是說，阿爾薩斯省在普法之戰因法國戰敗而割給普

魯士，老師告訴同學該如何愛法國文化、母語。在日本，這篇文章被用在推行國語運動的課本。但我有一位同事的太太是從阿爾薩斯省出來的，她告訴我那篇文章與阿爾薩斯人的社會心態毫無關係，完全是巴黎的文學界依自己的心態撰寫的。她說阿爾薩斯80％是講類似德文的方言，當時法文的使用者僅是少數，而這篇文章反映的是當年法國近代國家形成的國家意識，要靠巴黎的主導觀念來建設阿爾薩斯，所以阿爾薩斯人絕對不提那篇文章。到現在為止，阿爾薩斯80％是日耳曼血源，語言與德文的方言相連結，此形成很有趣的景象，因為他們的國民意識是傾法國的，而法國自法國大革命以後一直對普魯士形成的近代德意志有股惡意，特別是對希特勒。所以那位教授的太太告訴我，阿爾薩斯人的心態，有時非常羨慕德國人的規律、勤勉、科學，但討厭其野蠻、粗魯，這方面比起法國文化就差多了！特別是希特勒重新到阿爾薩斯統治時，給他們莫大的傷害，因此，其國民意識傾法國，但對巴黎則主張阿爾薩斯的文化是固有的，同時竭力爭取孩童在學校要上德文課。這引起我很多的思考，即血源和語言在近代國家意識和國籍之間是沒有一致的。這讓我想起猶太人，其凝聚力並非是靠血源，在語言方面，希伯來文已經不用了，主要是用以色列文，事實上，講英文、俄文的人很多，所以其真正的凝聚力是靠文化和信仰。故猶太人亡國那麼久，仍具有相當大的凝聚力。

在此我可得到一個結論，即血源和語言不一定為真正的凝聚力，可能最重要的是文化，猶太人是一個很好的例子，華僑也是個例子。但有一個先決條件，即外面一定要承受到某種壓迫，如

同韓國人在日本。譬如有一天我和韓國的一位作家（在日本的韓裔作家）討論，我說你們拚命罵日本人輕視韓人，假如日本人一不輕視你們，你們的訴求還存不存在呢？所以我勸他趕快找一個理論，即是日本人改變了對韓人的態度以後，韓人還可以發揚自己的文化，主張自己的民族習性，這才是辦法。否則一昧地罵日本，一旦日本人改變了輕視的心態，這些訴求消失了，怎麼辦呢？所以，我想起了魁北克。

我們都知道，加拿大多倫多的勢力以英裔為主，加拿大人花了200年都沒有辦法把法裔的魁北克統合。1970年左右，法裔的魁北克獨立運動鬧得很厲害，然而法裔首相卻投票反對魁北克獨立，使得魁北克獨立運動失敗。在此情況，為何法裔住民仍可保持主體性以抵抗英裔住民呢？主要是靠文化。

所以這幾個例子給了我許多的思考，即中央與邊疆，或中央對地方文化及經濟的關懷應該怎樣？我想，至少應該了解邊疆一般住民的社會心態吧，這是非常重要的。假如不能把其社會心態弄清楚，對許多歷史問題是無法解釋的。今天的報告到此，謝謝各位！

本文原刊於《台灣史研究會會訊》第5期，1988年6月11日，頁4～8

台籍知識分子與第二次中日戰爭
——並舉詩人張我軍與王白淵為例

自我介紹

　　首先，我衷心感謝吳會長為我提供這樣好的機會，能來美參加此次紀念七七事變50周年的盛會，並與諸位新朋友共同探討有關學術問題。由於和許多與會先進同行是初次見面，所以還得允許我「自報家門」，做為這一小報告的開場白。

　　我1931年出生於台灣中壢，祖籍為廣東梅縣。1945年光復時，正好讀初中二年級，迄那時為止，所受的自然是日語教育。除在家中能與老人們講些母語也就是客家話外，連中文的信都不會寫、不能看。學校教育中習得的一點漢文，也是用日語誦讀的。光復後，從初中三年級起開始學習北京官話（台灣謂之「國語」，大陸謂之「普通話」）。在台北建國中學高中部畢業後，南下進入省立台中農學院＝當今的中興大學農學院讀農業經濟。大學四年畢業後，按制度服一年預備軍官兵役，隨後便於1955年秋天赴日留學，滯日已經31載，其中只有1983年4月至1984年4月到美國加州大學柏克萊分校當訪問學者一年。總括起來看，我習中文，在中文「世界」生活只有十年，故而國語底子很淺。

在日本學界從事研究和執教期間，出版著作七本，編著四本，均是日語。只在1985年才由台北遠流出版公司出版了我的第一本中文著作《台灣史研究——回顧與探索》。此外，經我本人同意被正式譯成英文的論文也只有二個短篇。一篇是我於1982年10月發表在岩波書店著名的綜合性雜誌——《世界》上的對日本篡改教科書批判的文章，由芝加哥大學的朋友譯成英文發表，題目是"Advice for Japan as An Asian Neighbor"〔參見《全集6・為「教科書問題」給東鄰日本的諍言》〕；另一篇是我去年回台參加研討會的論文，後整理改編發表在《世界》雜誌上，談有關儒家思想與近代化，被譯成英文的題目是"Confucianism and Japanese Modernization: A Case Study of Shibusawa Eiichi"〔參見《全集13・儒家思想與日本近代化：澀澤榮一的個案探討》〕。

我到東京大學留學，就讀於東京大學農業經濟學，從事中國農業史，特別是中國糖業史的研究，並於1966年以「中國甘蔗糖業之發展」為題的論文獲得東大農業經濟學博士。隨後進入亞洲經濟研究所，繼續研究台灣農業，並開始嘗試以台灣為基點探討近代中日關係。以後研究範圍繼續擴大，亦著手研究台灣史與台灣問題、華僑史與華僑問題，在這些專題研究方面均出了專著。1976年，我離開亞洲經濟研究所，到所謂東京六大學之一的立教大學，在歷史系任教授至今。

為何選這個題目

從上述簡單的自我介紹和專業介紹中，諸位先進或許已經察

覺到，不管是中國農業史研究還是中日近代關係史研究，我都是
以台灣為具體的突破口，我做這一選擇正是基於它是我自己的出
生與生活的歷史基盤，我能夠切膚地感受到它的血脈流動。我深
深感到，以往「正統」的歷史研究都是以王朝興衰、中央的權力
鬥爭為中心，從大「帶」小，從中央「帶」地方，這雖然有利於
總體的觀照，但細細分析，卻欠缺最根基的基礎透視。因此，我
一直執著從邊緣向中心，從小向大，從「異端」向「正統」照射
之一種方法，來彌補中國總體史之盲點，由此整理歷史、分析歷
史、解釋歷史。雖然這種嘗試還不能說很成熟、夠體系化，但我
希望能繼續下去，搞出一些小成果，亦希望諸先進能不吝指教。

從台灣之視角接近的重要性

我之所以致力從台灣的具體研究來把握中國近代史、中日近
代關係史，是有其原因的。第一，以往的研究將中日戰爭或者日
本對中國侵略的歷史研究比較常見的是始於1894至1895年的第一
次中日戰爭（甲午戰爭）和1931年九一八事變、1937年七七盧溝
橋事變（中日第二次戰爭全面爆發）至1945年日本戰敗為止的十
五年戰爭。甚至於有時只談八年抗戰。如此的話真有一點對不起
東北以及台灣老鄉。我不希望以往的中原正統歷史觀仍舊支配著
當今學界。通常是忽略了1870年代的台日關係（1871至1874年台
灣出兵事件）正是日本侵略中國（乃至朝鮮、東亞）的原點。

日本自明治維新成功以後，便著手確定其國土疆界及國民所
屬。這樣，首先就遇到了與中國有關的琉球問題。眾所周知，琉

球王國在此之前一直是保持雙重從屬關係，既向中原中國進貢，又受日本薩摩藩的半殖民地性質的控制。明治維新以前的琉球王國夾在中國和日本兩個封建王朝之間苟延殘喘。明治政府想方設法企圖吞併琉球。1871年12月，有琉球宮古島、八重山島民乘船向琉球國中山府納貢，其中一艘船因暴風漂流到台灣東南岸，船上66名的「琉球漂民」中有54名被當地先住民殺害，其餘人被漢人楊友旺、楊天保救助，經台灣府移至福州琉球館安排遣返。琉球國王原先不願意將此消息透露給日本，怕被日本藉口干涉及吞併。但日本終於獲悉此事，於1874年出兵「征台」，此即謂台灣出兵事件，結果是穩住了明治維新政府之「琉球處分」，琉球終於被日本吞併。由此可見，近代日本國家的第一次對外派兵（不算它對北海道和琉球的出兵開拓占領）便是衝著台灣而來。到1894至1895年的甲午戰爭，日本近代國家獲得的第一塊殖民地亦便是台灣。因此，我認為，近代中日關係史的新視野應該建構在1874→1895→1931→1937這樣一個時間順序之上，並加以定形。這就是從邊緣、邊疆史（台灣）的新視野來把握貫穿近代中日關係史。

　　第二，特別應該指出，從全中國看，台灣儘管是第一大島，但以面積、人口、經濟潛藏實力算，仍是一個小地方。然而，辣椒雖小，卻能讓人辣得咋舌。再通俗地說，比如人體，盲腸雖小，甚至可有可無，但一旦發炎，卻能致人於死地。中日近代史以及中國近現代史證明，台灣問題就是一個雖小卻棘手、卻能牽動全局的關鍵。因此，我們紀念七七事變，探討如何從血的教訓中建立中日友好關係和東亞永恆的和平，也必須建立起從台灣看

近代中日關係史的嶄新視野。

近代中日關係中的台籍知識分子

　　首先必須說明，這裡提出的台籍知識分子的內涵，並不是很嚴謹的和定義過的。之所以如此說，是因為日本對台灣殖民統治50年，台灣歷史的發展是被扭曲的，因此，台籍知識分子不能與一般自主、獨立發展的近代國家知識分子相提並論。此外，日本帝國主義在對台灣逐漸進到嚴密殖民統治的50年間，台灣鄉親能進入大學深造的寥如晨星，即使有一小部分，也多為醫生和律師，文學、思想、政治領域的知識菁英在那種歧視、壓迫、窒息的環境中，是很難發展起來的。因此，我們這裡探討的對象是清末民國初年所謂的讀書人階層，以及學歷為中上等學校學生，能寫詩作文、看書的所謂文人階層。

　　其次應該特別指出的是，我這次不做細節考證性的主題報告，因為目前有關台灣史的研究環境不夠成熟。不管大陸、台灣，仍舊有些禁忌、安全顧慮，並不存在「知無不言，言無不盡，言者無罪，聞者足戒」之境界與學術研究之充分自由，連一些史實都糾纏不清，甚至於不便理清。因而今次本人僅提出一些問題，做些概括性的掌握。

　　一紙《馬關條約》，使日本侵台統治達半個世紀之久，從而給台籍知識分子帶來極為錯綜複雜的面貌。

　　殖民統治開始的頭十年，日本用最原始殘暴的武力鎮壓了島內武裝抗日運動。此後，殖民統治走上日帝式之軌道，奴化政

策極為巧妙，民眾被迫或不自覺地，逐漸地接受了日本殖民統治者的價值觀以及體系，知識分子對中華文化傳統的自我同定（identity）也就是認同發生迷惑，甚至於迷失者亦不鮮。與此同時，祖國大陸政治局面混亂，革命領導者往往輕視或無視台灣，無法顧及對台工作。在這樣的背景下，台籍知識分子發生分化。其中有一部分人靠攏殖民統治者以求眼前小利，一部分人留在台灣利用各種合法或地下的方法來抵制殖民奴役；更有一部分人遠渡大陸，希望投身於當時的中國革命，使大陸趨於富強時，再回頭來解救台灣，所謂曲線救國又救台。由於當時民族矛盾和階級矛盾的錯綜複雜、糾纏混淆，1920年代後，回大陸的台籍知識分子中，除立於民族立場之外，因中共和國民黨爭奪中國革命之領導權，他們又進行了分化：一部分人投進國民政府的懷抱；一部分人接近和參加了中共。不僅如此，投入國民黨的人又因歷史進展而再分化：有的繼續追隨國民黨中到右派路線；有的靠近國民黨左派路線；更有一部分缺乏民族骨氣者，走上了偽滿洲國政府、所謂華北冀東自治政府、汪精衛南京偽政權路線。有些甚至於被逼從軍於「皇軍」當了幫凶或砲灰。

　　上述分化的最主要原因當然得歸之於有關個人的不同或正負之選擇。但從總體看，亦可反映當時中國政局、時代之局限性及革命領導人與一般老百姓之認知的局限性。比如，國民黨內部的分歧、混亂、腐敗，歷史的局限性還沒有足夠的時間來培育出真正且成熟的民族主義、中國革命的先進，大格局且高層次的中華民族意識。因此，當懷有被滿清遺棄的養女情結的台籍知識分子投奔大陸革命陣營時，根本不敢公開台籍身分，而只說是福建和

廣東人，怕被人們懷疑為日本帝國主義的走狗和間諜。更可悲的是，當年大陸的軍閥政府和國民黨政府中的某些人，竟然同大陸租界的日本軍憲警察相勾結，把一些歷經艱辛逃離台灣、投奔中國大陸革命的抗日台籍知識分子逮捕，出賣引渡給日方，從而被送回台灣坐牢、甚至被殺害。

堅持中共立場的台籍知識分子，一部分堅持在台領導抗日活動，一部分被鎮壓，一部分則逃離台灣到大陸參加長征。比如埃德加‧斯諾在其《中共雜記》介紹過的蔡乾等人，他們都奮勇地參加了抗日戰爭。此外，參加國民黨抗戰系統的台籍知識分子有參加北伐、進入保定軍官學校和黃埔軍校等人士。比如李友邦將軍，他是黃埔二期，因接近國民黨左派被逼離開國民黨軍隊，抗戰時又組織台灣義勇隊在浙江一帶活動，光復後回到台灣，於1952年4月21日竟被做為共嫌逮捕槍斃，年僅47歲。

兩位詩人 —— 張我軍與王白淵之事例

1920至1930年代，我們台籍知識分子中出現了兩位非常出色的近代詩人。

一位是用中國白話文寫作的張我軍。他所著的《亂都之戀》（1925年11月26日，台北）為台籍詩人所出版的第一本中國白話文詩集，因而值得我們去紀念它。

另一位則與張我軍同於1902年出生於台灣的王白淵。他在九一八的前夕也就是1931年6月，用相當高水平的日文出了一本《蕀の道》，翻成中文該是《荊棘之道》（日本盛岡：久保庄書

詩人張我軍（文訊資料室）

店出版）。

張之詩集是抒情的，「亂都」指的卻是北京，藉其自註「正值奉直開戰，北京城內外人心頗不安，故曰亂都」（頁35）。

同一個時期，張自北京傳達五四的新時代精神並向台灣鼓吹宣傳五四文化運動之新思潮。與魯迅有過來往（請參看《魯迅日記》，1926年8月11日「夜張我軍來並贈《台灣民報》四本」）。他自北京寄回「請合力拆下這座敗草叢中的破舊殿堂」與「新文學運動的意義」（分別登於《台灣民報》1925年1月1日號、8月26日號），率先著文抨擊台灣舊文壇，倡導台灣新文學運動。

據魯迅記載的：

還記得去年夏天住在北京的時候，遇見張我權（權當為軍之誤）君，聽他說過這樣意思的話：「中國人似乎都忘記了台灣了，誰也不大提起」，他是一個台灣的青年。我當時就像受到了創痛似的，有點苦楚，但口上卻道，不，那個不至於的，只因為本國太破爛，內憂外患，非常之多，自顧不暇了，所以只能將台灣這些事情暫且放下。……

　　這一段對話，當今唸起來，仍然會讓有心人深感創痛。

　　王之詩集卻是雄壯富於激勵民族氣節的。特別是他的出名之作〈佇立在楊子江邊〉（〈楊子江に立ちて〉）不知給同時代之台籍青年們帶來了多少激勵。很遺憾的是，今天沒有來得及找出中譯披露在此〔參見《全集15‧郁達夫與台灣》〕。

　　兩本詩集之詩意內涵有異，當然該歸於詩人本身之氣質差異，但詩人寫詩及詩集出版之時代背景不同，亦不該忽視。

　　王白淵在日本受到民族歧視，逐漸走上左傾之路。加上世界資本主義經濟之不景氣，東北因張作霖被害，日本帝國主義侵華之氣息咄咄逼人。1930年，在台灣驚動全世界的霧社先住民抗日事件，台灣抗日勢力被鎮壓等相繼發生。這些情勢，當然影響到我們的愛國、愛民族之進步詩人，唱出其雄壯且愛民族之詩。同時因在日參加左翼文化運動被逮捕，短期入獄更被逼失去職務（盛岡女子師範教師），求職與思想雙方之鞭策促使他直接返回大陸投身於抗日地下工作，此為1933年之事。

　　話說到此，我們得提一提王白淵之好友謝南光。他是王白淵的同學兼同鄉（彰化縣人），本名為春木。本是在台抗日文化戰線之理論家，與「台灣孫文主義者」蔣渭水較為接近，意識形態該屬於國民黨左派的。霧社事件時，他主導了致電國際聯盟控訴日帝使用毒氣鎮壓先住民情事，因而觸怒日本在台當局，終至被逼離台返大陸（1931年）。

　　王白淵返上海是與謝南光返大陸抗日之舉動是有聯繫的。他們在上海從事地下工作，事機不密被日警（一說是被中共軍憲出賣）於1937年被逮捕送回台灣，一直被關到勝利前夕即1943年9

至10月間出獄。謝南光有幸逃出魔網，後在重慶參加國際問題研究所，從事對日的情報工作。

王白淵解台後關了整整六年，這個是他坐日本牢之第二次。1944年夏天以後，由日本特高後藤台灣總督府保安課長之介紹進入《台灣新報》。並在其所創辦之《旬刊台新》雜誌寫了一首〈歌頌日本軍於阿隻島玉碎〉的日文詩。

這首歪詩，有人說是藉而當為「偽裝轉向」之證據而說，有人又說是，後藤課長逼王所作，事實如何，沒有任何人可予澄清，卻給他留下深深的「創傷」。

張我軍在北京亦被逼走上「傷心路」。國府當年在北京的當局，雖借用過張之日語與日本有關當局周旋，但撤出北京市時卻不曾一告，張我軍不得不留住於淪陷期之北京。

日本當局為了搞他們的戰時文化人動員與文化統戰，設立了「日本文學報國會」（1942年5月26日）。日本當局在1942年11月在東京和大阪舉辦了第一屆「大東亞文學者大會」，動員了台灣、朝鮮、偽滿、蒙古，以及中國淪陷區等地的文人們與會。據聞，日本當局所青睞者本為是在北京之聞人周作人。但周畢竟是聰明人，知其利害，很婉轉地回絕，並轉推張我軍代表北京區。

張我軍可能經驗不足，又可能是一直以講授日文及日本文學並靠翻譯日文餬口養家，但因從未有扶桑之行而覺遺憾，終於接受了邀請，踏上「禮遇」貴賓之日本旅行。出席了第一次，而在1943年8月召開的所謂「大東亞文學者決戰會議」為名的第二次會議，又只好繼續奉陪。不管我軍說了些什麼，已不甚重要。勝利後大陸情勢大變，滿街討伐漢奸之聲音，教他有所不安。雖然

在勝利前夕，透過其已進入共產黨之長子張光正之引介，曾經與中共地下黨有過接觸，但有家庭生活之過重負擔，只好帶眷返台避風頭以及圖謀餬口之路。

返台後，一度服務於茶葉公會，後轉業於台灣省合作金庫，背負著「長子之牽掛」與「漢奸之內疚」，日夜與酒相伴，悶悶不樂地死於肝癌，此當是1955年，為二公子張光直出國赴哈佛深造之年。我軍雖沒有坐監之苦，但其精神之苦悶是可以意會得到的。

有關王白淵的事蹟，台灣的著名前輩作家龍瑛宗先生有過描述（請參看〈張文環與王白淵〉，載於《台灣文藝》革新23期）。旅居紐約的畫家謝里法在其〈民主主義的文化鬥士〉（收載於其著《出土人物誌》，1984年10月25日）亦有比較周詳之介紹。但都不曾涉及他有過歌頌日本皇軍玉碎之有關詩作。

光復後的王白淵，曾經與在台左派文人好比蘇新以及自大陸返台及新入台的人士們，好比宋斐如、李純青或許壽裳、雷石榆、黃榮燦、麥非等人聯繫，力圖擔起架橋之角色，希望促進台灣與台灣人盡快地祖國化並圖彌補台灣與中國大陸間，也就是與祖國之間的文化差距和意識鴻溝。

但時勢比人強，二二八慘案又牽累到他，再一次入獄，但非常幸運地逃出劫難。可是1949年末以後一直到他過世（1965年）前的大半時間，卻因他與謝南光（謝在中共政權成立之後，在東京中華民國代表團演出換旗事件，挫折後投奔大陸，一直擔起廖承志的左右手，協助中共對日政策）之關係，而不斷地受到國府情治機構之干擾，不曾有出國之自由。

兩位出色詩人曲折、納悶的歷程給我們後輩無限啟示。

結尾語

從上述個案事例的簡單敘述中可看到，即使投奔到大陸的台籍知識分子，其情況也是相當複雜多樣的。

因此，要將這些複雜的歷程整理清楚，不管是大陸還是台灣，都要有安定可靠的學術研究環境和言論自由。可惜國共對立的政治局面至今尚未結束，許多當事人及研究者很難徹底、實事求是總合性地回憶、蒐集史料（包括當事者的經歷或見聞），並整理、分析研究這一段歷史。

然而，可喜的是，最近四、五年來，海峽兩岸的政治狀況都有很大改善，學術研究的空氣也逐漸濃厚明朗起來。從大陸看，台籍知識分子無論存歿，都從日特、美特、國特的種種禁錮中走出來，十年浩劫的可怕陰影在消失，以《台聲》雜誌為中心，開始介紹台籍知識分子前輩的抗日事蹟和個人經歷；從台灣看，被囚於火燒島的許多前輩也紛紛出獄，並能進行一定程度的各種活動，比如在大陸的中共台籍元老蘇新謝世後，台灣的舊友順利地為他開了追悼會，在台灣的文學前輩楊逵老人被允許出國訪問，逝世時也召開了隆重追悼會。

本文原收錄於《戴國煇文集5・台灣史研究集外集》，台北：遠流出版公司・南天書局，2002年4月1日，頁94～105。係戴國煇赴美參加「紀念七七事變50周年」的演講稿，後經其修改而成文，1987年7月7日

台灣總體相

住民‧歷史‧心性

魏廷朝　譯　張錦郎　校訂

中文版自序

約莫是15年前的事了。當我發表日文稿〈霧社蜂起事件的概要與研究的今日意義〉（《思想》，1973年2月號）〔參見《全集》1〕不出一週的某一天，日本岩波書店的編輯鈴木稔兄來訪。

鈴木兄原任岩波書店的代表性雜誌《世界》的編輯，斯時改調為岩波新書的編輯。我們已相識多年。

他非常直率的問我，有無意思給岩波寫一本以台灣為主題的「岩波新書」。

我一聽，受寵若驚，甚為高興。熟悉日本學術界及出版界詳情的朋友，都會知道，能在岩波出版的雜誌發表文章已非常難得。還能出版單行本，那可以說是莫大的光榮。

多年來，我雖在岩波的《世界》、《思想》等雜誌寫過些文章，但受邀著書，尚是第一遭。

鈴木兄大概不曾意料到會聽到如下的回答：「多謝你的念舊和厚愛。我當然願意，但不是現在。希望最近的將來，能不辜負你的期待。」

他好不以為然地即刻反應：「為什麼？著書或出書有的情況

確確實實需要些時機（timing）配合的。」

鈴木兄沒有繼續說下去，但我可以窺察他所殘藏的一些話。大膽地揣摩，不外可歸結為：1. 岩波新書一出，大可幫你進一步地確立你在日本學術界的地位；2. 你為了蒐集台灣有關資料和史料，花費甚鉅，岩波新書頭版一般都可印上三至四萬冊。版稅又高達15％，藉而可達到「名利雙收」，何樂而不為呢！

1955年秋天來日迄今，我所積累的有關學術及日文修養主要源泉來自於東京大學、岩波書店（特別是《世界》、《思想》、「岩波文庫」、「岩波新書」）和《朝日新聞》（特別是其社論及「天聲人語」欄）。

眾所皆知，岩波新書雖然可列為啟蒙叢書之類，但其「深入淺出」而所體現的啟蒙性卻是出自於深厚的學術研究基礎。我不敢斷言岩波新書本本皆是臻於精良。但我認為，它的絕大部分是經得起時代及學術上的考驗的。

受邀著書時，我認為有關台灣史及台灣問題之個案學術研究，在我個人的積累上尚欠甚多，距離「春蠶吐絲」般的精織「台灣」為名的一塊「美布」（我理想中的岩波新書）的功力及資源仍然甚遠。所以，我不敢貿然接受鈴木兄早到的青睞。

多年來的學術訓練及在日本學術界的生活，我已經養成了一種習慣，比較喜歡苦幹和實幹的作法及多元求索的作風。我堅定不移地著重於「本質性」的、「原理性」的、「邏輯性」的、「思想性」的層次，並就其整體格局來探討問題。必然的歸趨則厭惡虛構的、矯飾的、空洞裝腔的、表象的、末節的、二房東式的、局部性的、羅列式的、一切刀齊的、一言堂式的一類作法或

作風。

　　任何社會、民族及國家都會斷斷續續地出現「狂熱政治之季節」，我希望我們中國人（包括海外華人、華僑）的生活圈裡也能共享點真正的學術研究自由和言論自由的一天，早日來臨。人人都能享受到「實事求是，互相尊重，各抒己見，暢所欲言」的理想境界，而不會因為看法有異，解釋不同，意見不一致而受到威脅或感到不悅的情況發生。

　　面臨大轉換期的「陣痛」及「政治性的狂熱」顯現在當今台灣的，表面上看起來，好像是富於彈性而活潑的，仔細觀察，它確實具有正面的活潑景象部分，但亦難免伴隨著負面的另一半。我們不難發現有一批人忙著在搞「幫風」，藉「批判」一個極端，自己卻不知不覺地陷入另一個極端。兩個極端都不屬於正常且能受到有識之士的歡迎和肯定的。學術界及思想界不但不易邁進既彈性又活潑的理想境界，反而大有走進僵化的死胡同裡或高懸在不知天高地厚、夜郎自大、自鳴得意的險崖上的危機。

　　最省力、最省錢和最方便附和雷同而易獲「安全」的，就是喊些口號，講些空言，假藉「自造的民意」對人家貼標籤，或是參與圍剿異己人士的假「批判」。這一種社會風潮的盛行，當然也是給學術界、思想界帶來僵化和破壞最嚴重的時候。

　　這一本從岩波新書《台灣──住民‧歷史‧心性》（1988年10月20日第一版第一刷）所譯的中文書，我不至於不識相，會當作完美無缺之自著。我歡迎具有創見性、建設性的批判及指教。但對於圍剿性的中傷或貼標籤式的「壓人之言」，我將不會為這一類無聊之事，消耗我寶貴的時間和精力。

　　歷史上曇花一現的角色所在多有，他們雖然常可扮演時期短暫的「新星」，但他們是否能夠爬上世界史、人類史的正常軌道上持續運行，不至殞落，堪為有志之士存疑。我一貫對這類新星不具好感，乃因其極大多數顯係屬於泡沫或渣滓之類故也。

　　我既愛我出生之地台灣，又深愛我祖先之原鄉——中國大陸，並關懷它的前途。我願為我們及我們祖先的鄉土——海峽兩岸之進步和福祉，奉獻棉力，給它的人文、社會科學的園地紮實地、持續地添些磚，加些瓦。

　　這一本小著，在我主觀上也就是添磚加瓦工作的一個小嘗試吧。

　　本書的翻譯整理和編輯，得到魏廷朝兄和遠流出版公司編輯陳雨航兄之協助，出版之催生則受到莫逆知音陳宏正兄和王榮文社長（遠流出版公司）的強有力支援，他們費了許多精神和工夫，特在此表示由衷的謝意。

　　（本書的圖片乃重新編輯，與岩波版不盡相同，圖片承《人間》雜誌、戶外生活圖書公司、《民進周刊》等單位提供，特此聲明，並致謝意。）

戴國煇　謹誌於東京梅苑

1989年7月7日

前言

　　台灣，正面臨大轉型期，變革的腳步響遍八方。

　　圍繞著金錢、物欲、選舉……打轉的狂熱，到底表現什麼？這種狂熱，與這100年來在台灣這個舞台實際演出的歷史劇，應該如何去掌握兩者結構上的有機關聯？又應該如何從根本上追問它「歷史的意義」呢？

　　有人說：「當一個體制和它的秩序在動搖、崩潰的時候，一切動搖的和崩潰的，都會被甩到街頭。」在歌頌「經濟奇蹟」的主調下，地下出版物的氾濫；選戰中龐大異常的群眾與狂熱；走上街頭的民眾示威遊行隊伍；頻頻發生的持槍犯罪；不斷增加與巨型化的金融犯罪；「笑貧不笑娼」的社會風氣等，也許可為明證。

　　顯然，和以往異質的變動，在充滿活力的台灣社會中忽隱忽現。要覺察這種事態，並不怎麼困難，然而，要把握變化的整體形象，卻不甚容易。

　　變動愈是異質，我們愈發認為非正確且迅速地把握它的整體形象不可。此無他，只因為我們確信：假如能夠正確把握正在發生的事象，就不難預見它明日的去向，因而也能夠正確地把握歷

史的潛藏巨流。

　　以「台灣，往何處去？」為中心的論爭，喧囂紛紜。其中，有瞬發即逝的一時流行；有細微末節的喧騰；有濃厚僵化心情傾向的論點；還有磨損折舊了的傳統式歷史主義說法等，不一而足。

　　值得慶幸的是，個人自1955年底以來，一直得以確保並堅持以日本・東京為中心的，也就是，能夠從「外」觀察台灣的立場。儘管能力單薄，速度緩慢，還是替應然的台灣史形象的建構，不斷地堆積了熱情和些微的努力。

　　個人還認為，自己大致做到了與漩渦隔開相當程度的距離。這個漩渦不外是針對台灣史的解釋與台灣史的寫法，而以台灣為中心，在它的內外推展中的充滿喧囂的政治性漩渦。

　　運用這種「有利」的立場與相對的自由度，把判讀圍繞著變革的潛藏巨流及導向做終局目標，試圖勾勒出轉型期台灣的整體形象，是個人決定編寫本書的動機所在。

第一章　台灣的界說

一、台灣的先住少數民族

台灣的位置

　　台灣位於中國大陸福建省的東南海上。東臨太平洋，東北靠近琉球列島，東南隔巴士海峽遙接菲律賓群島，西面隔寬約150公里的台灣海峽，與對岸的廈門和福州相望。台灣全省的位置，在極南點北緯21度45分，極北點北緯25度56分，極東點東經124度34分，極西點東經119度18分之間。全省面積約為36,000平方公里。

　　外國人一聽到台灣這個名詞，也許多半就只想像起台灣本島，充其量也只把包括澎湖島的各島嶼的地理範圍納入想像。可是，光憑這樣，並不足以充分反映政治上的現實狀態。

　　如果把台灣限定於政治、行政層面的領域來加以了解，那麼該是這樣的：

　　以中國國民黨為執政黨的中華民國政府（以下簡稱國府），為了取得中國革命的主導權，從1920年代以來，與中國共產黨抗

台灣略圖

爭、合作，進而互打內戰。結果，國府中央於1949年秋，判定在大陸的形勢不利，撤退到台灣來。於同年12月7日遷移完畢。在撤退的過程中，勉強能夠在台灣海峽靠近大陸的一端，暫時當做橋頭堡來加以確保的，只有金門、馬祖各島而已。

中國大陸方面，1949年10月1日，中國共產黨在北京宣布成立中華人民共和國。直到今天，兩黨所把持的政權，隔著台灣海峽對峙，一面提倡一個中國論，一面仍然尋求中國的統一。由此可見，「台灣」這個通稱所涵蓋的地理上的領域，當然該指國府當局現在仍然有效統治的範圍本身。

它的第一部分，是以曾經被舊日本台灣總督府當作殖民地來統治50年（1895～1945）的台灣本島和澎湖島為中心的各島嶼；第二部分是通稱金門、馬祖的地區。國府在位於國共對峙最前線的該區實施軍政，在民生層面，則形式上建制為中華民國福建省管轄的金門縣和連江縣馬祖，嘗試施政。以往，如果不經過特許，從台灣本島尚且不能夠訪問該地區，然而為了觀光，據說預定不久將開放一部分。這可以看成是環繞台灣海峽的情勢更趨安定所引發的新動向，值得注目。對相貌複雜的台灣，好不容易才開始有邁向單純且進步的變化出現，這不能說不是好預兆。

本省人與外省人

初到台灣旅行，或是閱讀戰後出版有關台灣文章的外國人，往往會對本省人、外省人等的遣詞用字感到困惑。嚴格地說，「本省人」是指在1945年8月15日第二次世界大戰結束以前，就

設籍定居在台灣的住民。相對的，把8月15日以後，也就是台灣光復後，才從中國大陸各地搬到台灣，然後定居下來的住民，統稱為「外省人」。

「本省人」原本的概念，多半是自己或父祖的本籍（籍貫）在中國某省，例如台灣省、四川省、湖南省等，而稱呼目前居住在那裡的自己和同伴們時使用。因此，本籍不在某省而從其他省分搬來的，就成了外省人。本省人，是可以特定於一個省的人；但外省人應該解釋為包括不特定多數省人的統括性概念吧。順道一提，這種用語，不僅在台灣，就是在中國大陸也用得上。

在台灣的本省人中，除了先住少數民族的九部族*1之外，有占壓倒性多數的漢族系居民，漢族系本省人又依他們使用的方言群，而可以分為福佬系，也就是閩南系，與客家系兩大支。讓我們首先從先住少數民族著眼。

先住台灣人

日本人慣稱台灣的先住少數民族為「高砂族」。然而，所謂高砂族，在狹義上，是日本殖民地統治時代末期，日語對台灣先住少數民族的通稱。

進一步嚴格地說，高砂族的稱呼是從台灣總督府在1935年6月4日公布的「戶口調查規定」中開始的，在該次「戶口調查規

---

*1 至2009年4月為止，經台灣政府認定的原住民族有：阿美族、泰雅族、排灣族、布農族、卑南族、魯凱族、鄒族、賽夏族、雅美族（達悟族）、邵族、噶瑪蘭族、太魯閣族，以及撒奇萊雅族、賽德克族，共14族。

定」中，修改以往承襲清代對先住少數民族的「生蕃人」和「熟蕃人」這種歧視稱呼，改稱前者為「高砂族」，後者為「平埔族」。在「蕃人」這個侮蔑性通稱之下，「生」、「熟」的區別，主要是以他們的漢化或「文明」化程度為標準，而由滿清或日本帝國主義統治者所做的獨斷且傲慢的一種規定。

　　平埔族有些與漢族系居民雜居，有些分布在山麓地帶或鄰接的平地，不過現在漢化顯著，幾乎無法與漢族區別。另一方面，當台灣從殖民地解放，重歸中國後，台灣行政當局仍舊專門只把高砂族當作行政的特別對象，改稱他們為「高山族」。現在通常稱他們為「山地人民」或「山地同胞」，也簡稱「山胞」*2。

　　此外，國府台灣的行政當局在戶籍上，把本籍設在舊日本統治時代的特別行政區域，也就是所謂「蕃地」或「蕃界」的高山族及其子孫分類為「山地山胞」，把本籍設在舊的一般行政區域的高山族則分類為「平地山胞」，實施行政和選舉，以迄於今。

　　然而，儘管統稱高山族，實際上卻分為泰雅、賽夏、曹、布農、魯凱、排灣、雅美（以上為「山地山胞」）、阿美、卑南（多屬於「平地山胞」）九部族。在九部族間，語言、文化、社會組織、生活方式等方面各自不同。若要舉出體質上的共同特徵，則大致是淡褐色的皮膚、大而發亮的眼睛、雙眼皮、矮個子等。

　　他們的語言，也同樣都被分類、歸屬於馬來‧波里尼西亞系，不過除了圖畫文字以外，並沒有自己固有的文字。我們也許

---

*2　1994年第三次修憲時，將「山胞」修正為「原住民」。

應該這樣看待這件事：在獲得自身的文字以前，被迫接納漢族和日本人這些外來的闖入者，因此在文字的尋求上遇挫。壯年以上年齡層的部族間，由於歷史的情境，在日本殖民地時代被迫使用的日語，成為唯一的共同語言。另外，青少年層共同的溝通工具，則為光復後新引進的中國標準話，也就是北京官話（在台灣稱為國語）。

到經濟成長期前夕為止，他們大致的分布情形，可參照右圖。把住在平地的阿美族，甚至於住在蘭嶼各島、視為海洋民族也絕不過分的雅美族，一概通稱為「高山族」，筆者無法同意。還不如稱為「台灣先住少數民族」，或由Native Taiwanese翻譯過來，稱為「先住台灣人」比較妥當。無論如何，山地山胞和平地山胞所居住的面積，約占台灣省總面積的44％，截至1985年底的總人口約為32萬。這固有的「分布」，由於受到1960年代以來高度經濟成長所帶來的社會變遷影響，已發生激烈的震盪。

尋求民族意識的抬頭

光復以來，國府台灣當局的山地政策由兩根支柱所撐持。第一，以預防非山地系的一般人入山所引起的侵蝕為方針，依據《台灣省各縣市山地保留地管理辦法》推行「保護」政策。

第二，確保山地治安，具體實施以預防中共建立游擊基地為主要目標的《戒嚴時期台灣地區山地管制辦法》，一直管制一般平地居民入山。這種管制的附帶目的，在於保持山地社會的既存秩序，是不言自明的。

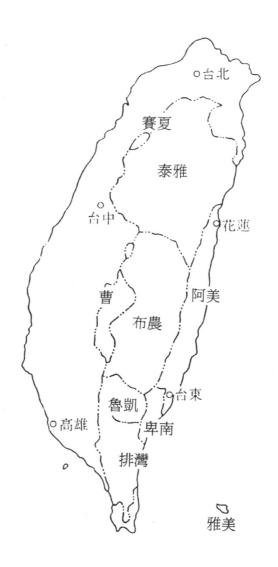

台灣先住少數民族分布圖
（製於1917年4月，日據時期，光復後未有同樣之調查）

　　日本統治時代「理蕃政策」下的特別行政區，也就是「蕃界」的管理，是同時牽涉先住少數民族與漢族系居民雙方的。相反的，國府一面開放先住民自由下山入山，一面卻對一般平地居民的入山採取許可制──通常是嚴格的限制，迄今依然如此。

　　隨著1960年代以來的經濟成長，都市地區的勞力需求增高，山地與平地，尤其是與都市區的所得差距持續加大。原住民下山的自由，同時也促成青年們向都市地區遷移的自由。緊接著，由霓虹燈所代表的都市的虛榮，把先住民的年輕婦女逼進色情行業；先住民就業機會的擴大，把青年們誘入重勞力工作的「最底層」──煤礦工人和遠洋航海的下級船員。而其他的大多數，不是被迫留在人口愈來愈稀少的山村僻壤，就是在都市地區的最底層尋找居停，藉此躲避風雨。

　　我們不能不說，隨著台灣經濟的推展而發生的悲劇式惡性循環和社會變遷，如今正把上述的以往先住少數民族的分布圖，大加塗改了。就算是現代化所必然的副產品，代價仍然太高。先住民系台灣人被迫付出的高價成本，可以說觸目皆是。

　　在這種逆境下，先住民系台灣人多半一天天被迫喪失自我，喪失故鄉。逢逆頂撞，民謠歌手胡德夫（排灣族人）等覺醒的先住民系台灣青年們組織了「原住民權利促進委員會」，開始走向少數民族的民族自覺運動、爭權運動。真正且高層次性的自我認同的尋求，是值得注目與關懷的，但願他們能夠早日恢復以往始則迫於外力，繼則從自身的內在迷失了的自我認同，從而匯入更高層次的自我認同。

二、本省人與外省人

閩南系本省人

本省系漢族出身的住民，分為福佬系，也就是閩南系與客家系兩大支。以下打算探究各自的由來。如眾所知，福建省山巒疊嶂，省內交通不便，迄今仍有多種方言存在，是著名的語言錯綜的省分。福建省人通常不把該省出身者的母語方言群單一地統稱為福建話。慣用於福建省會福州附近的福州話，與通用在福建省的唯一早期的良港廈門的廈門話，差異很大。而這種差異並不僅只是腔調的差異而已。通常並不把福建南部一帶，以廈門為中心的泉州府、漳州府為原籍的人的母語群當作福建話，而限定稱為閩南語（南福建的語言）。

在閩南人居於優勢的新加坡或菲律賓的華人社會，往往有把閩南話改稱為廈門話的例子，這不外是由於廈門到今天仍舊具有他們共同發源地的象徵及聲威罷了。附帶說明，在這些地區，原來的華僑大多數已經取得居住國的國籍而定居下來。「僑」既然意指離鄉而暫時寄居他鄉的人，那麼，以後還是稱他們為「華人」比較妥當。

在東南亞華人社會時常見得到的閩南語群中，除了上述之外，還有潮州話這一支流。儘管多少有腔調上的細微差異，仍把這些語言的統稱——閩南話，也改稱為福佬話，並把說這語言的人們，也統稱為福佬人。因此，在台灣的閩南人和福佬人、閩南話和福佬話是同義詞。

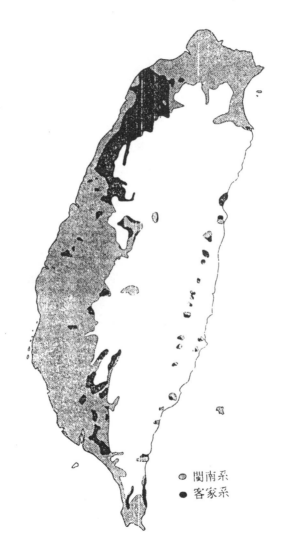

閩南系與客家系住民分布圖

客家系本省人

　　客家人分布在世界各地的華人社會，在中國大陸，也廣闊地橫跨在廣東、福建、江西、四川、廣西各省。因此，台灣客家在大陸的「原鄉」（父祖在大陸的故鄉），並不限於廣東，福建也該算是重要的發源地。來自福建省汀州府的客家，尤其不少。正像閩南語群有四系一樣，台灣的客家語群，有「四縣」、「海陸」、「饒平」三系，在日常生活上可得到確認。四縣主要是隸屬於舊嘉應州的興寧、五華、平遠、蕉嶺四縣，海陸主要是舊惠州府的海豐和陸豐，饒平主要是舊潮州府的饒平出身的人們各自使用的客家話。

　　此外，有一種通俗見解，認為客家由於比閩南系漢族晚來台灣，才被叫做客家，其實並不正確。因為客家這種自、他稱謂，中國大陸自不必說，連在世界各地的華人社會，也慣用無阻，並不是限定在台灣的稱法。

　　綜上所述，我們闡明了在台灣的本省人，就原本的意義來說，具有先住系本省人和漢族系本省人兩個系統，漢族系本省人又可以粗略二分為閩南系和客家系。

　　截至1985年底，台灣的總人口約為1,900萬（包括少數外國人）。如根據國府前文化建設委員會主任委員陳奇祿[*3]針對今昔台灣人口比率所作的發言「本省籍閩南語群74.51％、客家語群13.19％、山胞2.37％、其他0.08％、外省籍9.85％」試算，那

[*3] 陳奇祿任文建會主委期間為1981～1988年。

麼，在本省人中，閩南系占1,416萬人，客家係占251萬人，先住
民系占45萬人。小計1,712萬人。又，外省人占187萬人。上述數
字，跟一般的感觸或想法比起來，顯得先住民的人口數太大，而
客家人和外省人的數字略小，但姑且提示，作為大致的準據。

外省人

　　在台灣常用的「外省人」，是包括台灣重歸中國後，才從中
國大陸各地遷入台灣，目前定居的人和他們子孫的通稱。雖然一
概稱為外省人，可是既有東北地方各省的人，也有安徽、江蘇、
浙江等省的人，又有出身於北京、上海、武漢等大都市的人。此
外，也有出身於漢族系本省人在大陸的原鄉——福建省泉州、漳
州、廣東省梅縣等地——的人。至於所出身的民族，以漢族占多
數固然是事實，但藏、蒙、新疆維吾爾地區的回族，還有滿族旗
人的後裔也該包括在內。

　　外省人大部分追隨國府中央遷台而徙入台灣。據說由於事關
國防機密，當局從來沒有發表過他們的正確數字。儘管如此，民
間一直傳說，連軍隊在內，自光復以來，遷入台灣的外省人人口
大約是兩百萬。當時國府軍的實際總數，據說是六十萬。還有，
值得注意的是，在1950年代初，本省人絕少加入軍籍。

外省人遷台時期

　　外省人遷台時期可粗分為二：第一期是從1945年8月15日的

勝利也就是光復，到1947年2月28日前後。他們以接收要員的相關人員為主力。由於語言因素，會講閩南話或客家話的人，或具留日經驗者，懂得日語的人成為核心。因為在光復當時，除了少數半山之外，會講標準話——北京官話——的本省人，幾乎等於零。

　　第一期遷入台灣的外省人，不但在「地緣」和「語緣」的層面上具有獨特的性質，而且在人事關係上也特異。受命為接收台灣的領袖的，是陳儀將軍。他屬於政學系，日本陸軍軍官學校與陸軍大學雙料畢業，娶日婦為妻。陳儀受命為台灣省行政長官公署首任長官的主要理由，似有以下三項：

　　(1)曾任占有漢族系本省人大半的閩南系人原鄉——福建省——的省主席。

　　(2)屬於知日派，曾在第二次大戰前擔任福建省主席期間，主持過日據時期台灣的視察與台灣研究的計畫。

　　(3)在福建主政期間所培養的中上級幹部中，有熟諳日語、閩南話的一群，能運用這項人事關係。

　　有了上述緣由，就可想見應邀襄助陳儀的台灣施政的中上級幹部，多半是在他主持福建省政時代，具有淵源的人物，或跟這些人有關的人們。

　　另外，也有企圖開拓台灣貿易的商人，為逃避大陸的漢奸整肅（追究對日合作者的責任）而混入台灣。由於戰後的混亂，與對大陸的關係斷絕達50年，容許隱姓埋名的空間較大，這似乎提供了他們緊急的避風港。

　　第二期是從大陸上的國共內戰，顯然正不利於國府的1948年

底起，到國府中央全面遷台的1949年底前後為巔峰。

第一期的遷台人數，合計最多不過幾萬人程度。因此，這只能說是移民的小波。相形之下，第二期應該稱為大浪。光復之初，台灣、澎湖地區的總人口數約為五百六十萬。這等於是說，在叫作「台灣」的這個鎔爐中，僅僅不到一年，居然多出了約兩百萬人，也就是現存人口的36％弱的短期性社會性人口大增加。

外省人的生態

本來，中國話所說的外省人，是不限定於台灣省人與他省出身者的用語，好比是人類學上的概念那麼單純的東西，然而，在目前的台灣，它已變成政治學上的概念而獨行其道了。在從內側分析、說明成年層的本省人或台灣人的憂鬱與他們反外省人的感情之前，先據實介紹外省人的生態：

第一，追隨國府中央遷台而移入台灣的外省人的大浪潮，本於國府政權當時的性格，是地緣性的牽連極濃的集團。成為地緣的核心的，是浙江、江蘇兩省。

第二，黃埔軍校出身的將領們所統率的軍方人員，與軍方高級幹部的家屬。蔣介石擔任過該校校長，企圖透過該校鞏固自己的軍方勢力。

第三，是特務機關，也就是「軍統」（國民政府軍事委員會調查統計局）與「中統」（中國國民黨中央執行委員會調查統計局，俗稱CC）以及警察機關的上層人員。

第四，是民意代表與高級官僚集團及其家屬。

　　第五，是積極支持國民黨的財界、經濟界、企業界的領袖們。其中也有一部分人士，當國府政權在台灣尚未穩定以前，居留香港、澳門、東南亞，甚至北美洲等地觀察情勢，等到進入1960年代之後，才以華僑投資方式，重新遷入台灣。

　　第六個值得注意的集團，是技術官僚圈的人士。他們多半與政治沒有直接的牽連，只因為厭惡在大陸困於國共內戰而無從就業，或無法工作，才遷入台灣。他們主要是想在1948年以後，從事戰後復興而開始運作的台灣近代公共事業與各項工業，尤其是鐵路、電力、製糖業、石油（以台灣中北部所生產的天然瓦斯為中心），還有肥料廠中，尋求高級技師和經營者的職位。

　　第七個可以舉出的集團，是以初中、高中以上的中高等教育機關的教職員身分遷入台灣的人士。由於殖民地時代的愚民政策，台灣人合於條件者絕少。何況，又沒有設定便於改制的過渡期，而在光復後馬上開始以中國標準語為核心媒體的學校教育。因此，自然不得不全面仰賴外省人為主要成員。唯一的例外，是與醫學相關的專門教育。

　　上述人士可以說是得天獨厚的移民，是「逃亡者」。由於中國人的習性，金額多少固然有別，但逃亡者的中上階層仍舊隨身攜帶「黃金」或美鈔進入台灣。

　　然而，隨大浪入台的將近六十萬的外省籍軍人，倒是以下級士兵為主。他們可以說是歷經抗日戰爭，浴過國共內戰的砲火，然後在具有強制性的軍紀下被帶進台灣的。他們多半未婚，或隻身入台。他們學歷既低，地位且卑，因此多半條件不好，實在值得同情。據說其中文盲占多數。直到現在，仍然常見到無法結

婚，被思鄉病折磨的老「榮民」，在擔任台灣最底層的勞動的身影。入台時年齡稍輕的軍人中的幸運者，據傳還是娶台灣最底層（貧窮的先住系台灣人和極貧窮階層的漢族系台灣人）的婦女，靠擺攤子餬口，躲避雨露。

外省人的語言生活，在原則上大致以國語（北京官話）為前提。然而，國語的制定、推行，才沒多久，一般人以出身地的方言應急。外省人的本鄉既橫跨全中國大陸，方言的種類當然多而分歧，趨於繁複。

外省人的獨特性格

移入台灣號稱外省人的新移居者集團，跟一般移民的性格頗多不同。按通常情形，移民或因移居結果而變成的新來者，以併入既不是他們所建立，也不是為他們而建立的既存政治、社會、經濟結構為前提，來選擇移居這個社會行為。因為對新來者而言，並沒有做其他選擇的可能性。移居者自己儘管抱有賓客或過客，也就是新手的自覺，通常總是自發地——多半具有即使將來有一天會被同化也無所謂這種打算——力求適應環境的一切。

以國府中央為核心的向台灣移居的大浪，景象顯然不同：

第一，他們是以超過200萬的絕對數所形成的相當完整的移居者集團。

第二，他們儘管對中共軍抗爭失敗，仍然擁有號稱60萬的大軍。擁有海、空、裝甲兵的所謂現代裝備的三軍，仍然幾乎毫無折損地移到台灣。

第三，以中央政權的行政機關為中心，把包括國會在內的現代國家大致的框架全數遷到台灣。

有趣的是，由以蔣介石為中心的國民黨右派解釋的三民主義，也不曾被遺忘，當作意識形態帶入。

大陸風格建築的義涵

在外省人帶入台灣的一切之中，另外還有台灣這座島嶼不曾有過的兩樣東西，烹調和建築式樣。

冠以中國大陸各省名或各處地名而林立的中菜餐廳，來自外國的觀光客所百嚐不厭的種種中式菜餚，這些譽之為飲食生活藝術的巔峰也絕不為過的山珍海味，似乎可以說是跟外省人一同入台，並展示它的演化的典型新事物。

由公共機關為媒介而引進，且國府當局費盡心血帶入的代表性事物，有國立故宮博物院的「寶藏」。建立在位於台北市中心東北方約八公里的外雙溪山麓的故宮博物院，據說收藏了綿延中國歷代五千年的美術品及文物等約六十二萬件[*4]。這正是它與法國的羅浮（Louvre Museum）、蘇聯的艾爾米塔齊（Hermitage Museum）、美國的大都會（Metropolitan Museum of Art）等博物館並列為世界四大博物院的緣由。

這些國寶本來是北京的國立故宮博物院（於1924年清朝最後的宣統帝溥儀被逐出紫禁城後設立）與南京的中央博物院所收藏

---

*4 據國立故宮博物院編選，《故宮七十星霜》（台北：臺灣商務，1995年）頁295所載，係為645,784件冊。

的絕品。它是在1949年4月，中共軍進攻南京前夕，國府當局搶先運進台灣來的。如今已成為國府台灣足以向世界誇耀且可當為招徠嘉賓的最大且最高的象徵性觀光資源。

　　鑑賞了故宮博物院的國寶後，看著台北故宮博物院這座建築物，往往會陷入沉思——直線式屋頂的華北系式樣的建築，到底象徵著什麼。

　　足以引人陷入同樣沉思的代表性建築物，另有圓山大飯店和中正紀念堂兩座。前者是日本旅客喜歡投宿的中國式宮殿風格的宏偉華麗大旅館。在同一地點，直到1945年8月15日為止，日本當局有計畫地欲藉宗教層面來增強台灣統治而建立的台灣神社，還在屹立揚威。如今，知道這件事的日本人已經越發稀少了。含意深長的是，該飯店開業後，主要的顧客是美國軍事顧問團的高級幹部。

　　位於台北市中心的總統府，是由日據時期的台灣總督府整修而成的。主人固然換了，但功能——當作支配與統治的權威的象徵——依舊不變。而屹立在它的正對面，高達70公尺的中正紀念堂（1987年10月完工），是台灣最大的公共建築物。眾所周知，興建在總面積78,500坪（25萬平方公尺）的寬闊廣場上的這座巨大的中國式建築物，係以紀念故蔣介石為目的。

　　按照蔣介石所享的年齡89，從該紀念堂正面的人行道到二樓正廳的台階，經設計為89階。從上述設計等推想，傳聞有人說這是中國史上罕見的、興建在大都市中心區的陵墓。

　　這些與台灣本來建築式樣完全異質的大陸中國式巨大建築物的出現，也是透過外省人，尤其是國府台灣的權力機關所帶來

的。蔣介石的後裔和支持者，或許是為了要永遠把蔣奉戴並推崇為孫文以至於辛亥革命的正統繼承人而仿建的。此外，也未嘗不可看成：他們憑藉建築式樣，來紓洩思鄉的情懷，來補償喪失「故土」——錦繡大陸河山——的內心空虛。

　　他們儘管在逐鹿中原上失敗，可是也許自詡把中華文明移植到台灣這個邊疆來，而感到自我滿足吧。當作無可取代的象徵，而假託在這一連串的建築物上，這種解釋也是可能成立的。

第二章　台灣史的原景

一、地名變遷的義涵

古代的台灣

　　台灣有一個英文名字，叫Formosa（福爾摩沙）。據說字源可以追溯到葡萄牙人通過台灣海峽，遙望台灣本島而叫喊的Ilha Formosa（island beautiful）。這「島，美麗的」轉為「麗島」、「華麗島」，再變成近年在台灣常用的「美麗島」。日本詩人北原白秋（1885～1942）把他1934年夏天所寫的台灣紀行，收編在《華麗嶋風物誌》的標題下。內容姑且不論，以書名來說，顯得異常優雅。

　　領著歐洲勢力的前鋒東漸的，是葡萄牙人。他們在1517年航行到澳門。按記載，於1543年和1550年分別抵達日本種子島與平戶。

　　明朝授與葡萄牙人在澳門的通商定居許可，是在1557年。此外又有1594年葡萄牙人在台灣島嘗試貿易殖民的說法，唯尚未成為定論。就算葡萄牙人曾經占據過台灣，也只是一時性的，還不

如認定他們由於西班牙人與荷蘭人的東漸，加強澳門堡壘才是迫切的要務，因而撤退。這樣追究下去的話，似乎可以說，葡萄牙人稱台灣為福爾摩沙，約略在16世紀中葉以後。

在文獻上能夠追溯的福爾摩沙以前關於台灣的地名，不用說，是根據漢語的。按照通說，秦漢時代稱台灣為「東鯤」，東漢（後漢）及三國時代的吳國，則稱台灣為「夷洲」。鯤是古代中國傳說上所出現的大魚名字，因此，從猜測為「東鯤」這點推想，似乎可以論定：當時的文人們對台灣還沒有臨場感。

《三國志·孫權傳》記載：吳的黃龍2年（230），衛溫與諸葛直率領「甲士」（軍人）萬人到夷洲。如果按照通說，把夷洲改讀為現在的台灣，那麼衛溫他們的軍事行動，可以看成中原中國的王朝計畫遠征台灣的開始。夷或東夷，原先是古代中原中國人指住在自己東方的各民族名稱，洲則指浮在水上的陸地。因此，夷洲應當看作住在以長江三角洲一帶為勢力範圍的吳國東方的少數民族（夷）之島嶼（洲）。

在歷經兩晉南北朝到隋初約略三個半世紀的期間，目前尚未發現有關台灣的特別文獻資料，或許是因為大陸內部的政權多災多難，無暇過問東南海域。

西元589年，隋的楊堅統一了分裂的南北朝。乘勝推進的第二代皇帝煬帝試圖四處對外遠征。依據《隋書·流求國傳》煬帝於大業3年（607）首先派遣朱寬等到「流求」，訪求異俗。第二年，從事慰撫，但不聽，於是決定派兵。令陳稜與張鎮州率兵，從義安（今廣東潮安）啟航，出兵到流求。結果，俘獲男女數千人凱旋，以後斷絕來往。

　　一般認為流求後來變成留求，然後是瑠求，再次是琉球，直到宋、元。今天的琉球（沖繩）的存在，在中國史上愈來愈明確，台灣這個琉球就成為小琉球，沖繩這個琉球就成為被冠上大字的大琉球。認定大小的區別，不是指土地的大小，而是指文化程度的形容詞，似乎不差。應當認為是：分別對「未開」的台灣戴上小字，對已知中華禮法的琉球戴上大字。總之，這足以令人窺知中原中國文人對外認識的一端，饒富趣味。

宋、元時代的台灣

　　難道沒有從「台灣」這一方，向大陸彼岸那一方引發挑戰性行動的可能嗎？

　　宋朝的兩種文獻，提示有趣的事蹟。一種是樓鑰撰《攻媿集》卷八十八的〈汪大猷行狀〉。該書記述毘舍耶人（按：可想像當為現在先住台灣人中的雅美族）侵入平湖（澎湖），擔任泉州知府的汪大猷因此於南宋乾道7年（1171）派遣軍民到澎湖島。

　　第二種文獻是擔任福建路市舶提舉（海港稅務官）的趙汝适在所著《諸蕃志》上的記述。據趙汝适的記述，淳熙年間（1174～1189），毘舍耶人，同樣可認為是雅美族的人，到泉州府的水澳村和圍頭村，在暴行後，搶奪鐵器等。

　　其實，元世祖忽必烈在攻略日本（日人所謂「元寇」，第一次為1282年，第二次為1287年，都告失敗）後，於1292年隨著國力的伸張，派遣楊祥到瑠求，試圖招撫。然而，居民不理。

接著，成宗又於元貞3年（1297）再度派兵瑠求（《元史‧瑠求傳》）。設置第一個地方行政機關「巡檢司」於澎湖，作為台灣經略的一環（元朝汪大淵著《島夷志略》）。時在至元年間，也就是1335至1340年。汪大淵也記錄：同一時期，居民達一千六百多人，與泉州之間，有商船數十艘頻繁來往，盛行貿易。

綜上所述，當可推知，到了元代，「台灣」就慢慢地、以更清楚的面貌，逐漸被編進為中原中國歷史舞台上的一員。

二、明朝的大陸與台灣

鄭和的遠征與台灣

明朝（1368～1644年）是中國史上以江南為中心而出現的第一個統一王朝，這點事實很重要。1421年，第三代永樂帝遷都北平改為北京。然而，明太祖建都南京（江蘇省）的歷史意義是重大的。江南文化的成熟，必然把它文化的浪潮推到台灣海峽的彼岸。

明帝國所發動的七次遠征南洋（從今南中國海到東南亞以至西南亞一帶的地區），頗為著名。指揮遠征的武將鄭和，是雲南出身的回教徒，在永樂帝時代擔任宦官的首領。遠征從1405到1433年為止，實施七次。

足以傳述鄭和遠征南洋與台灣的牽連的，有下面的事項。第一，是萬曆15年（1587）成書的《明會典》，記載遠征軍在赤嵌（今台南市附近）補給用水。第二，是台灣有關「三寶太監」

（鄭和）的民間傳說。這個民間傳說究竟是出於台灣，還是從對岸帶進來，未嘗沒有爭論的餘地，但似乎以後者的可能性比較大。

倭寇與台灣

明代中葉，15世紀以後的中原中國王朝之外患，正史通常以「北虜南倭」四字表示。與台灣具有直接關係的，當然是後者南倭，也就是倭寇的侵入和稱雄。通說認為倭寇是從13到16世紀，在朝鮮、中國沿海耀武揚威的海盜和商團的總稱。倭雖然指日本，但實際上，應該說是日本、朝鮮、中國各國居民雜湊成軍，比較接近史實。

倭寇又可分為前期倭寇與後期倭寇。前者以14世紀為中心，主要在朝鮮與中國山東省沿海騷擾；後者則從15世紀後半到16世紀，以長江三角洲地帶乃至華南海域為中心逞威。

南台灣變成後期倭寇的基地，對岸居民也開始移居並開墾台灣。而且，台灣還衝破明朝所實施的海禁政策──對民間海上交通、貿易、漁業等的限制與禁止──的漏洞，逐漸提高它貿易中介地的地位。

從現存的史料看來，自16世紀中葉到末期，對岸的漢族系住民似乎主要把台灣當作「海盜」基地，加以利用。此外，漁撈大概也是目的之一。至於農耕，至多只夠附屬於基地的農產物的自給而已，這樣想像，大致不差。總之，這時期的台灣本島，一如東蕃這稱號所示，對明王朝而言，還是域外之地。不過，值得記

下的是：明王朝把在洪武20年（1387）一度撤廢的澎湖巡檢司，
於嘉靖42年（1563）重設，作為倭寇對策的一環。

　　有趣的是，葡萄牙人的一部分曾與後期倭寇勾結，紀錄俱
在。他們後來與明朝合作，以驅逐倭寇立功。在這段期間，他們
獲准在澳門定居通商。此後，稱為「佛郎機」的葡萄牙人就獨占
明朝的官辦貿易，尤其是澳門、南九州間的中日貿易達一個世
紀，收取莫大的利益。西班牙系的耶穌會相關人員稍微落後，於
萬曆8年訪台。（按：他們恐怕是利瑪竇一行的有關人員，在中
國大陸正式傳教──1583年前夕，順道停留台灣。）

16、17世紀間的日本與台灣

　　日本方面，豐臣秀吉約略在同時，試圖於文祿2年（1593），
向「高山國」送達「國書」。織田・豐臣政權的統一（1590年）
使日本人・倭寇趨於平靜。「海盜」性格固然淡化，但他們的精
力與體驗的累積卻透過朱印船貿易的形式，建立體制。秀吉致
「高山國」國書的舉動，如果把它看作上述趨勢的一部分，即可
理解。

　　根據日本明治・大正年間的歷史學家伊能嘉矩的考證，當時
往來台灣的日本列島居民，以南台灣沿海為主要停泊地。該地叫
做「打高社」（蕃語名），被漢族轉訛為打鼓山社。它的發音接
近日語的「高砂（音takasago）」，土地風光明媚，又令人聯想
到日本高砂浦（兵庫縣）的勝景。伊能研判：似乎因此假借高砂
二字，來勉強轉訛。他接著又記述：起初只用作單純一個地方的

名稱，可是以後被慣用為全島的地名（參照吉田東伍編《大日本地名辭書續編》所載，伊能執筆的〈第三，台灣〉）。

　　其實，在金地院《異國渡海御朱印帳》中的元和元年（1615）條，有「高砂國」的記述；又，被認為於正德年間（1711～1715）寺島良安所編著的《和漢三才圖會》中，有「塔曷沙古，和用高砂字」的記述。正擬歸納為：從takau（打高）而takosan（打鼓山），然後轉為takasago（塔卡沙哥），以漢字「塔曷沙古」對takasago的近似音，再轉訛為雅字的「takasago高砂」。後來，到了日本殖民地時代，由日本當局把打狗（takau）和（生）蕃族分別改名為高雄和高砂族。這是由於有上述歷史根源的緣故。

　　隨豐臣秀吉之後，有馬晴信在1609年帶武卒視察台灣，接著，村山等安於1616年率領13艘兵船，試圖遠征台灣。

　　總之，萬曆年間（1573～1620）前後的台灣一帶，紛擾多事。明朝對澎湖島增兵、奔命警備。對岸的漢民族對台灣的積極介入也趨於明顯，登場史冊的頻度也加高。

「台灣」的登場

　　「台灣」這個名稱終於登場了。

　　徐懷祖的著作《台灣隨筆》（清康熙34年，西元1695年成書）說：「台灣（的稱呼）至今尚不知曾有。惟明代甫田（閩北縣名）人周嬰所著《遠遊篇》，有〈東番記〉一篇，稱台灣為台員。當係南音。」閩南話中，「台灣」和「台員」是同音。

　　康熙23年的諸羅（今嘉義）縣知縣季麒光在自著《蓉州文稿》（一作《蓉洲文稿》）中也記道：「萬曆間，海寇顏思齊，據此地，始稱台灣。」顏是否最先稱呼「台灣」，另當別論，反正從萬曆末期開始，「台灣」或同音異字的「台員」就出現在史冊，這點是確實的。此外，據和田清博士的考證，除了「台員」之外，同一時代還使用「大員」、「大圓」、「大灣」等，為近似音譯字。

荷蘭人的東漸

　　受到葡萄牙人據澳門並獲取獨占性高度利益的刺激，西班牙人和荷蘭人也都東漸，出現在台灣海域。荷蘭人早就在1602年時，組成以當時來說，屬於特別先進的荷蘭東印度公司，而成為此後經營亞洲的前進基地。

　　荷蘭出現於南中國海海域，以中國貿易為目的的首次軍事行動，是1602年的澳門攻擊。它主要的意圖，在於打擊獨占亞歐之間貿易的葡萄牙。

　　然而，荷蘭受到葡萄牙與明朝聯軍的反擊而後退。儘管1603年7月占領澎湖島，仍屈服於明朝的警告，而在大約十個月後撤退。第二年，即1604年，派遣兩艘船到漳州，向對岸的泉州官憲請求貿易許可，可是再度受到拒絕而離去。荷蘭於1622年4月，向澎湖島發動正式的攻勢，然而經過八個月的占領和交戰後，在明朝的大軍壓境下進行交涉。

　　在荷蘭與明朝的交涉中，荷蘭自明朝確保：第一，台灣為

「化外之地」，也就是王化所不及的土地，教化之外的土地和住民，因此對占領不表異議；第二，承認他們在台灣與民間的通商貿易，不妨害中國商船來航為條件，才從澎湖島撤退。

　　荷蘭人1624年開始在安平修築熱蘭遮城，在它對岸本島部的赤嵌修築普洛文西亞堡（Provintia，或譯：普洛文遮城）。並且以台南一帶為中心，逐漸進行重商主義式的殖民地經營。

圍繞台灣的三大勢力

　　另一方面，在菲律賓稱霸，把墨西哥銀帶入亞洲，正在改變中國商品外流形勢的西班牙人，對荷蘭人占據南台灣的局面感到震驚和威脅。主要的理由是極度擔憂被荷蘭切斷、妨害華南→馬尼拉→太平洋→西班牙（歐洲）這條航路上甚具軍事和經濟潛力的太平洋的制海權和橫斷貿易。

　　兩年後，即1626年，西班牙巧妙地躲過荷蘭的阻撓，沿台灣東海岸北上，經三貂堡（三貂角，原為西班牙人所命名的聖狄亞哥的漢譯，今台北縣東北角地區），在雞籠灣內的社寮島（今和平島）修築聖薩爾瓦多城。接著，於1629年，也繞過西北部沿岸，拿下淡水，修築聖多明哥城（紅毛城），溯淡水河而上，試圖也在台北平原扶植勢力。

　　如今，在台灣本島，荷蘭人占據安平、台南一帶，顏思齊、李旦（1625年卒於平戶）和鄭芝龍一夥占據魍港（今嘉義縣東石與布袋附近），並有西班牙人占據以雞籠淡水為中心的北台灣，各自肆意活動。再者，企圖與上述三大集團交易，因而向台灣推

進的，正是搭乘朱印船的日本商人。

　　在這三大勢力中，以台灣為據點而出力經營的，是荷蘭的東印度公司。在此以前，以安平、台南為中心而盛行的對中國大陸的「走私」，也隨著荷蘭的軍事介入而改變，原有的交易業者，中國人和日本人都被課徵重稅，商權的主動力也逐漸被荷蘭人所掌握了。日本人濱田彌兵衛一夥與荷蘭有關人員在台南的衝突事件（1628年），即為著例。

　　1620年代的荷蘭當局與鄭芝龍一夥之間對抗的紀錄，目前尚未發現。這或許是由於兩集團間的互補、共存關係，緊密、重要到超過矛盾、對立的緣故。

三、荷蘭對台灣的統治

荷蘭人占據南台灣

　　外來者對台灣與先住各民族的「征服」，從1620年代開始正式化。在以台灣為對象的抗爭過程中，日本人和西班牙人落敗下去了。

　　剩下的是中國人與荷蘭人。中國人，不用說，是福建、廣東二省，尤其是以接近台灣，慣於渡海且長於航海術的閩南系居民為核心的集團。

　　通常多把台灣史的1624到1662年這38年間，當作荷蘭統治期來掌握。不過，單就荷蘭方面的史料，例如《巴達維亞城日誌》、《被遺誤的台灣》（荷蘭的台灣太守揆一著，1675年）等

來看，荷蘭人並沒有那麼執著於對台灣的殖民地統治。

　　荷蘭方面為了打破葡萄牙人在遠東對日、對華貿易的獨占，甚至於驅逐葡萄牙的勢力，而攻擊它的根據地澳門。這一著失敗，接著就到西班牙人所掌握的中國商人在華南——馬尼拉航路上的起程港之一——漳州，逼迫通商。然而，荷蘭連這一著也失敗，於是試圖在中國沿海的離島——澎湖島——設立據點。可是，也沒成功。這一來，終於決定占據南台灣。

　　值得留意的是：連占據台灣這一著，都是1622年聽到西班牙人向台灣推進的傳聞，而想先發制人的倉促決定。荷蘭人所修築的熱蘭遮城和普洛文西亞堡都以監視外海為主要目標，並不以台灣島內的土地和人民為攻守之主要對象。

　　當時，台灣的先住各民族，多半仍在狩獵與漁撈階段。荷蘭東印度公司結合豐饒的「處女地」與大舉移來的漢族系居民，推行開拓。稻作和甘蔗成為它的中心作物。這不僅是風土適宜此兩種作物，而且來自閩南的移民也具有該兩種作物栽培的高度技術。此外，當年的閩南是中國製糖技術的先進地帶，在開墾中砍伐的樹木，還成為貴重的燃料來源——製糖所需的柴薪。

鄭芝龍開拓台灣

　　處於時勢的漩渦中，因勢利導，並充分加以運用的代表性人物，是鄭芝龍。芝龍也稱為一官或老一官。出生於福建省泉州府南安縣，年輕時投奔外祖父，出澳門。及長，遷往父親紹祖寄居的日本平戶，娶平戶的田川氏，1624年生福松（即鄭成功，後來

的國姓爺）。

鄭芝龍加入為顏思齊、李旦的夥伴，出沒華南沿海及台灣海峽一帶，繼承顏、李的衣缽，從泉州一帶到澳門、馬尼拉，再以魍港、安平、台南與平戶各地點為舞台而活躍。

針對上述行徑，明朝於崇禎元年（1628）招撫芝龍，芝龍也接受了。從海盜（有時為武裝貿易集團）搖身一變而為官的芝龍，起初就任海上防禦，借名掃蕩海寇，打倒往昔的競爭對手，掌握制海權。接著，為了對抗荷蘭的勢力，並加以利用起見，致力於魍港鄰近的開拓。

鄭芝龍於1628年招募福建省民數萬人到台灣，發給他們每人銀三兩，每三人耕牛一頭，責令從事開拓，企圖在台灣扶植並擴充自己的勢力。然後，積許多戰功而升任都督。後來，這些經歷和業績，成為兒子鄭成功向荷蘭奪取台灣時所運用的口實。

盤踞在北台灣的西班牙人，可能忙於經營美洲與菲律賓。起先是在歐洲敗於荷蘭人所挑起的獨立戰爭，來到東南亞後，又在搶奪香料貿易獨占的摩洛加群島（Moluccas）之戰再嘗敗績。在北台灣既以山地民族中最勇猛、勢力最強大的泰雅族為主要對象，事實上，根本不必提殖民經營，恐怕連天主教傳教也無法如意實施。不久，被占優勢的荷蘭艦隊所驅逐，結束了16年的北台灣統治史。

四、漢族政權的上台

鄭成功與清朝的對立

　　中國邊疆少數民族之一的女真族，自古分住在中國的東北部。萬曆44年，首長努爾哈赤（清太祖）統合女真族，脫離明朝的間接統治而獨立，在東北建立後金國。他死後，第二代皇太極（太宗）繼承父業，分別征服東面的朝鮮半島和西面的內蒙古，創立了橫跨東北、朝鮮、蒙古的國家。崇禎9年，太宗稱帝，號稱大清國。

　　1644年，北京受到李自成所率領的農民軍攻掠，明亡。清軍乘機突破山海關，進入華北，兵不血刃而入北京，定都於此，君臨中國。

　　明朝的殘餘勢力之一，是以東南沿海各省，尤其是廈門為中心而活動的鄭芝龍、鄭成功一夥水軍。明在北京滅亡後，南京的宗室福王（朱由崧）倚賴芝龍的勢力，封他為「南安伯」（1645）。靠近芝龍家鄉且為他們根據地之一的福州，駐守的唐王（朱聿鍵），也封芝龍為「平虜侯」，再封為「太師平國公」，以企圖對抗清朝。

　　然而，芝龍的事功，與其說關心明王朝的命運，倒不如說在乎怎樣保持自身榮譽的情況下，和新王朝共存。清有切斷芝龍的水師與反清復明運動的結合，讓它維持局外中立的必要，芝龍又設法憑藉他與清朝的談判，以保存自身的勢力。

　　1646年，清朝傳喚芝龍到北京，並加以軟禁。既把芝龍扣留

為人質，清軍就同時使用攻擊與撫慰的軟硬兩策，企圖挫折他的兒子鄭成功所指揮的水師。不料，利用鄭芝龍之策得到反效果，只有激發鄭成功對清王朝的憤怒。結果，鄭成功由於拜受唐王賜為朱姓，自號國姓爺，統合留存在華南一帶的明宗室和遺臣，為反清復明運動而奔走。

　　清攻膩了鄭氏一夥，於1656年發出貿易禁止令。接著，於1661年，對福建、廣東等東南沿海五省頒布遷界令。這是要在沿海地方劃清特定界線，強制居民遷移到該界線內，使沿海一帶保持無居民狀態的一項極端嚴厲的法令。它的目的，是要切斷鄭氏一夥與沿海居民的接觸，枯竭物力、人力雙方面的補給來源，逼迫鄭成功等反體制派投降。然後，清室於同年四月，將在北京軟禁中的芝龍一族全部處斬首刑。這當可判斷為對鄭成功的決裂宣言。

鄭氏的主政

　　鄭成功於1661年，率領25,000人的大水師，攻取荷蘭人占領下的台灣。第二年二月，荷蘭人開城投降，鄭成功就在台灣本島的土地開創他的政權。此後，到鄭成功的孫子鄭克塽降清為止的22年間，實施綿延鄭氏三代的台灣主政。

　　原始林和豐饒的處女地所代表的「曠野」，與以南宋以來驟然使中原中國文化生根發芽的閩南人為中心的鄭氏一夥的「文明」二者正式的融合，以台灣為舞台而開幕了。這又成為漢族系政權在台灣建立的歷史性創舉。

　　鄭成功稱台灣全域為東都，以赤嵌之地（今台南市）為承天府，設府治，建立一府二縣一司的制度，開始新政。他又試圖招撫呂宋島，但沒有結果，而於1662年6月23日病死，年僅39歲。在鄭成功死去的前一年，中國三千年的歷史上以不世出的天子聞名的康熙帝即位了。

　　奉命留守廈門、金門的鄭成功的兒子鄭經，接到父親的訃聞，就率領殘軍及有關人員七千餘名遷台。鄭經改東都為東寧，又將天興、萬年二縣升格為州，建置內閣制度。鄭經在形式上仍舊遵照明朝的統治制度。不過，只要依實質來看，確有把台灣當作安居之地而加以開拓經營的意願，這也可以從前述的改名和內閣制度的建置推測。

　　從政策的層面輔佐鄭經台灣經營的，是流亡儒士陳永華等人。再者，大舉推動處女地的開墾、製糖、製鹽產業力量的，應該歸功於與鄭成功父子一同遷入台灣的五萬人，以及在他們以前定居的十萬人，共計約十五萬人的漢族系居民，一面抗清，一面奮發圖強。

　　開拓遠超過荷蘭時代，南抵今日的恆春，中部達彰化、新竹，北部及於淡水河沿岸。然而，那最多只不過是從西部沿海順著各河川，向內陸而推進的點、線上的屯田式開拓而已。以先住各民族的抵抗與原始林為核心的「曠野」，在阻止中原中國「文明」的「面」層次的擴展。儘管如此，鄭經還是採納陳永華的獻策，也實施中原中國式文教的獎勵和科舉考試，試圖拔擢人才。此外，又經營以砂糖為中心商品的國際貿易。

　　1673年，大陸發生三藩之亂。鄭經對此響應，進兵閩粵兩省

而失敗，1681年，在失意中病死。與父親同樣，僅活了39歲。

　　鄭經死後，發生繼承的骨肉之爭，最後，12歲的次子克塽受到擁立。清室乘1681年平定三藩之亂的聲勢與鄭氏的內亂，攻陷澎湖島。克塽的徒眾知道大勢已去，遂無條件投降。康熙帝由是獲得中國全土的統治權。

五、清朝前期的台灣

初期的行政機關

　　清朝固然消滅了鄭成功的政權，內部卻發生針對處理台灣善後方式的爭論。有不少人認為未開發而稅收少，隔海峽而難統治，因此對領有台灣提出質疑。據傳，連康熙帝起初也抱曖昧的態度。不過，攻取台灣當時的水師提督施琅，深知台灣的經濟潛力及其在國際關係上的重要性，並極力主張保有台灣。清朝採納他的意見，於1684年，決定在台灣設置一府三縣，隸屬福建省施政。

　　清朝迎克塽至北京，還允許把鄭成功父子的棺柩遷葬故土南安等，一面致力收攬台灣居民的人心，一面針對三十萬左右的居民派遣一萬水師防禦，表現出其用心的深遠。

　　清代初期對台灣的行政機關，稱為「台廈兵備道」，是在福建巡撫管轄下，把台灣、廈門兩地區合為一體的行政區，主要的著眼點在於一掃台灣海峽的「海患」。台廈兵備道的權限中，有斟酌台灣的特殊性，而賦予委任的、和大陸地區頗為不同的特別

權限。

　　掌握文武兩權的最高行政官，稱為道台。道台每半年輪流就任於台灣與廈門間，它有關台灣的權限強有力而範圍廣大。道台一手統括內務，也就是一般行政事務、兵務（軍事）、按察使（司法）、學政使（科舉教育）和布政使（財政）。道台之下，設文治機關——台灣府，與武備機關——鎮台，道台衙門（公署）則設在台灣府（台南）。

　　台灣府下，置台防同知廳與台灣（台南）、鳳山（高雄）、諸羅（嘉義）三縣。台防同知廳在台南的外島——鹿耳門，它的首長稱為同知，是掌理「海寇」的取締等，以海岸防備為任務的公署。又，縣的首長稱為知縣。而鎮台把台灣分為五個警備區，以總兵為首長，統帶水陸兩軍。五區是府城、南路、北路、安平、澎湖。它的劃定務求符合道台所管轄的行政區，以策水師能對安平、澎湖作重點式防衛。又，從文武百官到一般士兵，採三年輪換制，由大陸派遣到台灣。

　　台廈兵備道當局力求治安的維持與秩序的重建，把對岸民間人士的來航改為許可制，違反者嚴加處罰等，設立一定的限制。尤其視廣東為海盜巢窟，禁止廣東居民（主要是客家人）的渡台。閩南系男子與平埔族女子的通婚，因此大為盛行。

　　然而，海禁隨時間的推移而名存實亡，每逢大陸發生戰亂或饑荒，破禁渡台的人就陸續湧現。與鄭氏一系關係不淺的閩南系人掌握開拓的主導權，將西部平原沿著海岸開拓下去。以閩西粵東為出處的客家人，渡航期稍稍落後，主要在中央山脈和西部平原所夾的中間地帶動斧揮鋤。

隨著開發的進展，一府四縣二廳制於雍正元年（1723）開始實施。新成立彰化縣，澎湖島從台灣縣劃出而成澎湖廳，還有管轄現在的新竹以北地方的淡水廳分別開設。

稍前的1721年，發生朱一貴之亂。依據紀錄，這是清朝統治下的台灣三大「匪亂」之一。據傳原為鄭氏一系武將的朱一貴，於康熙60年（1721）4月，在羅漢門（鳳山縣下，今高雄縣旗山附近）舉兵，進逼台灣府。叛軍由於各方響應，很快就席捲全台灣。朱一貴慶幸與明共戴國姓──朱，善用復明為天經地義而自號中興王，改元永和。

閩浙總督滿保派遣水陸兩軍對付，俘獲朱一貴，七天就鎮壓大亂。不過，要恢復全島的治安和秩序，卻花了將近兩年。前面所提的新行政機關的創設，正是為對應這種情勢而催生的。

理蕃政策

隨著漢族系移民的開拓，推向以山地為中心的邊界地，它一面壓榨先住系各民族的生活圈，一面逐漸破壞他們傳統的生活方式。行政當局不得不針對這點，謀求對策。因而實施的，就是所謂「理蕃政策」，一直持續到日本殖民地時代。

新加入的開拓者，對還沒有培育出個人所有權的先住系各民族，贈送酒肉、布帛、玻璃珠等。一面試圖慰撫，一面騙取土地進行「開墾」。有時也組織徒眾，以暴力方式闖入，頻頻挑起所謂「民（漢）蕃紛爭」。合併後不久，主要是對稱為「熟蕃」的平埔族，採漸進式的同化政策。據傳，到了康熙54年，被征服並

劃歸管轄的「蕃社」已達到53社。

　　不過，對住在遠離平原的僻地「生蕃」來說，事情可不容易。雍正7年，建立理蕃政策，作為漢人頻頻進入「蕃界」而引起的社會不安的緩和策略，標榜確定民蕃境界與保護蕃人。雖然樹立界碑，提倡禁止漢、蕃互相侵犯，但效果不彰。當局靠蕃童的漢文教育、「清俗」（辮髮漢服）的普及、漢姓──潘等──的授與，大步推行同化政策。另一方面，為了事先防止漢、蕃結合起來造反，而試行禁止漢、蕃通婚（乾隆3年），和限制漢人移居台灣等，但效果亦不大。

　　從對岸向開拓前線流入的移民群，勢難抵拒。清朝到了乾隆31年不得已而創設理蕃廳。把全台灣分成南北兩路，南路理蕃關係事務由台灣府的台防同知兼管，統括22社；北路理蕃同知，特設於鹿港（彰化縣），統括72社。從上文可以看出，南台灣的「蕃情」已經相對安定，相形之下，在彰化以北，山地開拓愈來愈盛行的情形，呈顯於文字，饒富趣味。

六、清朝後期的台灣新政

列強進窺亞洲

　　清朝對台灣的統治，由1683到1895年，達兩世紀有餘，這裡列舉在這段期間，可以顯示漢族移民「成果」的指標如下：

　　1. 漢族系居民人口，從30萬人（1684年）增加到255萬人（1893年）。

2. 耕地面積，從18,000甲激增到75萬甲。

3. 行政區域，起初以隸屬福建省的一府三縣開始，由於開發的進展與防務的關係，從台灣府升格為台灣省，脫離福建省而獨立；管轄內設置三府、一直隸州、六廳、十一縣。

19世紀中葉，東北亞風雲告急。歐美列強爭取世界性規模的殖民地分割行動急遽化。經過康熙（1662～1722年）、雍正（1723～1735年）、乾隆（1736～1795年）三朝，到嘉慶朝（1796～1820年）前半為止，大約有120年間全盛無敵的大清帝國，也在進入19世紀以後，逐漸走上衰亡的軌道。茲列舉這期間的動態如下：

1840年前後，英國兵船在鴉片戰爭時，為了牽制而在台灣近海巡弋。接著在1854年，美國遠東艦隊司令培理（M. C. Perry）自日本返航中途，停靠雞籠（基隆），調查測量煤礦與港內，並熱心向華盛頓當局提議占領雞籠，充作補給港。1858年，台灣府（台南和安平）與滬尾（淡水），根據《天津條約》而向外國開港。1860年，普魯士船對南部先住少數民族部落實施砲擊。1863年，增開打狗（高雄）、雞籠兩港。1867年，美國軍艦砲擊並進攻南部先住少數民族部落。1869年，英國乘居留台灣的英系商行與清朝官兵衝突的機會——即「樟腦紛爭」，砲轟安平。1874年，日本謀求國際上承認它對琉球的「處分」（吞併），而對台灣出兵，爆發了所謂牡丹社討伐事件（出兵台灣，另於第三章詳述）。1884年，法國艦隊配合侵略中南半島之中法戰爭，砲轟雞籠、滬尾、澎湖島。

上述一連串的動盪，促成腐敗橫行的清室覺醒，不得不承認

位於東南沿海七省門戶的台灣、澎湖各島在國防上的重要地位。在此以前，清室一直認定亂多起自內部，很少從外面發生。因此，被迫作一大政策變換，採行以防止外患於未然為最高命題的新政策。

台灣洋務運動的推行

台灣建省正是上述變換的具體表現。劉銘傳被任命為首任台灣巡撫。他是洋務派首領李鴻章的部屬，因此，這是企圖在台灣正式實行洋務運動而安排的人事。劉於1886年到任。

洋務運動，通常指在英法聯軍之役（第二次鴉片戰爭，亞羅號事件，1856～1860）到甲午戰爭（第一次中日戰爭，1894～1895）的35年間，清室官僚中，具有買辦傾向的實權派所推行的中國型富國強兵運動。台灣的洋務運動先驅，也出現在劉銘傳以前。同治年間，福建船政大臣，以鴉片戰爭著名的林則徐的女婿沈葆楨，就積極試行電線的鋪設，行政的革新，台灣東南部山地的開拓，道路的開通，兵制的重編與砲台的建造，受到英美兩國注目的雞籠一帶的煤礦開採，當作台灣防禦政策的一環。

沈的繼任人——福建巡撫丁日昌，原為洋務派的巨頭之一。他為了獎勵開採煤礦、硫磺，也兼顧石油等礦物資源的開發調查，而渡往台灣。並且於1877年底以前，完成了沈所留下的工作——電線的鋪設。丁自己是客家出身，因而讓客家人大量渡台，從事山地開發。尤其大力進行特產品樟腦和茶的製造，火藥原料——硫磺的開採。另外，洋務派大臣左宗棠於1885年春，等

待中法戰爭結束後，上奏朝廷，提議將糖業之現代化政策引進台灣。

劉銘傳的新政

劉銘傳所作的嘗試——在台灣實施正式的洋務運動，有上述基礎與時代背景。原來，自牡丹社事件的善後處理中，沈葆楨奏請福建巡撫移駐台灣以來，台灣獨立建省一直受到考慮。於是以中法戰爭為轉振點，由於情勢的再度緊迫，才能付諸實施。

劉的新政，以「辦防」、「練兵」、「清賦」、「撫蕃」四大要素為骨幹。前二者都涉及軍政。民生部分的兩大支柱包括稱為「清賦」的土地調查事業，和在「撫蕃」名義下展開的山地開發事業。新政是洋務運動的一環，因此，防衛任務就成為它的大前提了。財政的支柱，在於合理並順利徵收田賦（土地稅）。又以土地調查事業為核心的「清賦事業」的附帶形式下，編成最基層的行政組織——保甲制度與實施人口調查。

台灣的特產——砂糖、樟腦、茶葉的貿易，因開港而越發繁盛。此外，更多新田的開發，大大地提高稻米的生產。劉銘傳沒有錯過把豐富蘊藏資本主義的新芽、開始具有相當規模的台灣經濟加以靈活運用的機會。

矢內原忠雄在《日本帝國主義下之台灣》一書中，高估劉銘傳的清賦事業，認為具有資本主義式開發的先驅性意義。他又對劉所用力的雞籠、竹塹（新竹）間的鐵路鋪設，輪船購置，對大陸、香港、新加坡、西貢、菲律賓的貿易，郵政制度，樟

腦專賣，理蕃事業的實施及運作等，也加以注目，認為具有積極的意義。除了上述之外，劉銘傳也推行建港，開路，擴充電信設施，改善貨幣制度，擴充近代式教育設施，聘請西醫韓森（Hanssen）而創辦官醫局，架設電燈等。在農業方面，則同時試辦茶、蠶、棉花、呂宋種菸草的引進與獎勵。更有趣的是計畫在大料崁（今大溪）溪上游（今石門水庫）開設灌溉水道，還聘請外國技師試行測量。

同治6年（1867）恆春的排灣族所引起的美國船員殺害事件，與13年同樣由排灣族發動的琉球漂流民殺害事件釀成開端，而發生牡丹社事件。清室當局乘此契機，一變以往的消極性理蕃政策，而改採積極政策。

起初，依沈葆楨的建議，首先把南路理蕃同知，從台南移到卑南（今台東市），改為卑南同知。又將北路理蕃同知，自鹿港移到埔里社（今南投縣埔里鎮），改為中路理蕃同知，並新設北路撫民理蕃同知，令雞籠海防同知兼任。這是乾隆31年創設理蕃廳以來的改革與新的編制。不僅是組織層面，而且在南、北、中路開設道路，由政府積極領導山地開發。

劉銘傳承襲沈的政策，把撫墾委員制度更擴大為撫墾總局，設在大料崁。適用範圍內的土地，各設分局，假借「撫育」的名義，進行山地開發。大料崁靠近先住少數民族中最強大的泰雅族居住地區，水運便利，是漢、蕃間物產交易中心。利用上述大料崁溪流域開發的機會，大發財富的，正是林本源家。該家在台北近郊——板橋修建「林家花園」，從清末到日據時代，始終獨享台灣第一豪府的大名。

　　然而，為國內外的許多人士所注目的新政，也隨劉銘傳的離職（1891年6月）而暫告頓挫。也許該叫作歷史的弔詭吧，四年之後，劉的治績竟被日本帝國主義者，當作與統治台灣並行的殖民地開發的「台木」而接枝活用下來。

第三章　日本的殖民地統治

一、出兵台灣與甲午戰爭

化外之地

　　眾所周知，日本對台灣的統治，是根據1895年，清日兩國所簽訂的《馬關條約》，台灣、澎湖島的「割讓」而開始的。到了1945年，在第二次世界大戰中落敗的大日本帝國接受了《波茨坦宣言》，最後一任的台灣總督安藤利吉在公會堂（今台北中山堂）簽署投降文書（同年10月25日）而終結統治。前後約為五十年。

　　前面已經逐步探究，自荷蘭人被趕出台灣以後，始終看不到中國人以外的外來民族對台灣進行殖民地化的具體行動的形跡。包含有清一代在內，外來者與台灣居民之間的摩擦，多半是局部性的，幾乎都只是與先住系少數民族之間發生的小衝突而已。就拿「牡丹社征討事件」為例，進入台灣的日本軍隊，從頭到尾標榜懲罰「不逞蕃人」的堂皇理由，以極力避免與漢族系居民的衝突之類的所謂有限式軍事行動自律。

不止是歐美列強，就是新興國家而仍然虛弱後進的日本，在中國領域內以清室為對手的衝突中，也顯得在力避衝突。從出兵台灣到甲午戰爭為止的主戰場，各自局限在「化外之地」（如台灣），抑或屬國（朝鮮），長城外（東北三省），足可為證。

進入帝國主義時代的列強，是否忙於插手與侵略中南半島與中國大陸內部，而無暇他顧？不然，是否認為與其對精悍的先住系各民族展開熾烈的遭遇戰，還不如與大量移殖而以開拓收穫成果的漢族系移民社會進行交易以謀得利潤？列強在南北的港口開設商館的例子，持續不斷。然而，企圖把台灣全面加以殖民地化的行動，卻久久不見出現。

打破這沉寂的，正是新興資本主義國——日本。首先，就出兵台灣加以敘述。

出兵台灣

出兵台灣也稱為牡丹社事件，或牡丹社「討伐」事件。1871年（明治4年，清同治10年）11月，琉球宮古島官民69人為了納租而到那霸，可是歸途遇到颱風，漂流到南台灣的八瑤灣牡丹社附近。登陸時3人淹死，54人歷經迂迴曲折，而被牡丹社的「蕃人」殺害，只有12人為附近的漢族系有力人士所救。他們被送到福州的琉球館，於第二年6月7日，從福州回到那霸。

單純的遇難事件，引發了近代日本首次的海外出兵，是由於以下的情況。1871年8月29日，明治維新政府斷然實施廢藩置縣，接著在9月13日，與清室簽訂《中日修好條規》。第二年10

月，半受強制而入江戶朝廷的琉球賀使晉見明治天皇。明治維新政府強迫冊封琉球國王為日本之藩王。維新政府又隨即通告各外國：今後琉球藩與各國間的一切交際事務，均屬於日本外務省管轄。它用這種方法，巧妙地演出：把向來一直保持同屬於日本、清朝形式的琉球王國，移歸日本的單一支配下的過渡程序。

　　宮古島官民的遇難事件，正給明治政府挑撥對清外交問題的好機會。恰逢薩摩、長州等舊四藩聯合政權，正圍繞著「征韓論」與實施徵兵令，開始鬧分裂。在征韓論上失利的西鄉隆盛與牢騷滿腹的薩摩士族軍團結合，隨時可能生變的緊迫情勢錯綜複雜。隆盛的弟弟從道和外務卿副島種臣預見這項危險，因而趕快斷然決定出兵台灣，藉機把薩摩士族軍團自西鄉隆盛拉開，暫緩惹事。出兵前夕，副島為了交換《中日修好條規》批准書而入清。

　　明治政府以「保護人民義務」的冠冕堂皇理由，於1874年5月17日出兵台灣，22日登陸台灣南部。企圖用這種方式逼迫清朝，以便一口氣完成對琉球的吞併。台灣蕃地事務都督西鄉從道極力避免遭遇清朝駐台軍隊和漢族系住民，巧妙地進兵。一面利用出兵，一面對清交涉的結果，於1874年10月31日締結北京條約。日本不僅從清朝拿到龐大的賠償金，而且使其承認琉球歸屬日本，就是在國際關係上，也讓清朝事後承認「琉球處分」是以「合法」方式實施。

　　明治政府把剛剛起步的日本軍事上的聲名與國家威信，以東亞為舞台而留下國際性印象的歷史意義是深遠的。反之，對清朝與台灣來說，遇難事件被用為藉口，台灣則被當作近代日本對外

的軍事與外交行動的演習場。清朝因此受到日本的輕視，終於引起日後以甲午戰爭為嚆矢之一系列侵略。

在出兵台灣期間，日本從事有關台灣的軍情、民情雙方的細密調查。值得一提的是，出兵前夕，首先就有關軍事方面進行勘查的領隊樺山資紀，與同時調查民情的水野遵，日後分別就任第一任台灣總督與第一任民政局長。台灣總督府這樣巧妙的人事安排，又豈是偶然的巧合！

此外，稍後在劉銘傳新政末期的1890年，駐福州的代理副領事上野專一，奉外務大臣（部長）青木周藏的命令，以「商情視察」名義，試行台灣實地勘查。時在1890年12月20日到1891年2月14日間。值得注意的是，給上野的指令內容，有「假如他日有溫帶地方的人民（係指日本人）占據或遷居該島的情事，他們的生活方法將如何，民心的向背亦將如何等各點，也應請深加考察，然後詳報」的說法，其對台灣的領土野心，躍然紙上。

甲午戰爭

距牡丹社事件20年後，為了爭奪統治朝鮮的霸權，從1894年8月到1895年3月，發生了甲午戰爭。同年4月，由於《馬關條約》的簽訂，戰爭結束。新興資本主義國日本，為了要與列強並立，成為帝國主義國家起見，無論如何，都必須領有殖民地。日本當時還沒有足以併吞全朝鮮半島的力量。靠《馬關條約》，把遼東半島南部當作北進的據點；再以台灣、澎湖各島的「割讓」，取得南進的據點。雙向齊下，用盡全力的日本，難以掩飾

新興國家的左支右絀，因而在俄國發動的三國干涉下，未能實現
奪取遼東部分的願望。

　　在馬關的和談中，清朝全權大臣李鴻章舉出很多理由，努力
促使日方放棄台灣之占據。例如，台灣不但有「生蕃」，而且漢
族系各部族也強暴精悍，法國在中法戰爭攻擊在台清軍，但無法
擊敗他們。又，台灣不但外海波濤洶湧，而且瘧疾之類的水土病
也多，台灣人民為了驅除毒氣而大半吸食鴉片，因此弊害甚大。
李鴻章這樣嘗試討價還價，企圖逼退日方野心，然而，日本全權
代表伊藤博文非但不聽信李的說詞，反而回答他，日方明白這一
切，割讓後日方會負責克服這一切，而終於成功地把台灣割讓條
款加入和約中。

　　此外，日本也有強烈希望領有台灣的明確經濟理由。當時大
藏省的高官，且為金融、經濟論壇上的泰斗添田壽一，在〈甲午
戰爭的經濟觀察〉一文中，立「台灣及澎湖列島的略取」的專
項，說明台灣樟腦、砂糖、米、甘薯、茶、菸草、煤、硫磺等資
源豐富，而且台灣是向東洋沿海及南洋各島擴張貿易，延長航路
的重要跳板，日本人應當實行殖民。以在和談成立後不久的時機
所寫的評論來說，不能不推崇為特出的力作。

二、日軍進駐台灣與抗日的複雜相貌

台灣民主國

　　傳聞清室承認台灣的割讓後，台灣官民大為憤怒。1895年5

月宣布成立台灣民主國後，打出反對把台灣割讓給日本的行動。

台灣民主國的構想，由陳季同提供。陳出身於巴黎大學，擔任駐法公使館參事，也是受過法國文豪羅曼‧羅蘭（Romain Rolland）推崇的人物。他的駐歐經歷受到賞識，因而跟隨劉銘傳渡海來台。起初以推行洋務運動的幕僚活躍，後來升任副將（相當於旅長）。陳季同模仿法國共和制，或許意圖藉此喚起列強──尤其是把越南殖民地化的法國──的同情與干涉，逼迫日本放棄占據台灣。

巡撫唐景崧被推舉為總統，為了防備日軍的侵略，於甲午戰爭爆發後，立刻從廣東緊急派來台灣的黑旗軍勇將劉永福、客家系台籍進士丘逢甲和陳季同本人，以及台灣第一大地主林本源家當時的大家長林維源，分別被推舉為大將軍、副總統兼團練使（當地募集義勇軍的民兵司令官）、外務部長、議會議長。唐勉強就任，林堅辭不就。

奉派交割台灣的全權委員李經方（李鴻章的義子）對台灣官民強烈的悲憤感到威脅，不敢登陸。他匆忙在基隆港外海的軍艦上，完成與樺山總督的移交程序就撤走了。時在1895年6月2日。

從民主國建元「永清」這一點來看，台灣民主國並沒有追求原本意義上的獨立自主，已很明顯。何況唐還派遣特使到北京去，說明他鑑於民情激昂，不得已才就任總統。並且宣誓「恭奉正朔，遙為屏藩」。

負有占領台灣任務的近衛師團，在戰略上似乎完全不把台灣民主國的存在放在眼裡。然而在戰術上，卻慎重地避免對基隆實施正面攻擊與登陸作戰。到了1895年5月29日，襲擊基隆的背

後，試圖從小漁港澳底登陸。6月1日，占領基隆。

脫逃的人士

　　事實愈來愈明朗，割台的決定不易改變，列強的干涉和支援也都無法期待了。正在這個關頭，基隆失守，民心的動搖只有更加激烈。唐景崧在四日夜晚，偷偷逃到淡水，藏在德國船上，脫身到廈門去了。

　　台北城內，大為混亂。將士們落得四出徬徨、蠻幹橫行，以謀求抵抗或逃亡的資金。以靠對外貿易發跡的買辦式豪商為首的上層階級，非但不抗日，反倒為了維護自己的權益和安全，變得寧願歡迎日軍不流血入城。他們派遣冒險漢子辜顯榮到基隆，叫他引導日軍入城（6月7日）。辜由於這番功勞，日後被任命為台北保良局長，享受許多特權，遂成為台灣首屈一指的政商。到了1934年，經「敕選」（天皇親任）為台灣人的第一個貴族院議員（終身職）。不過，他在受到日本當局寵愛的反面，畢生被台灣民眾罵為「辜狗」、「漢奸」等。

　　對駐台官吏、將士相繼逃亡到對岸去，我們可以作相當程度的了解。在處境上，他們不能違背清朝的命令，在台繼續抗日；再說，他們本來只是以三年輪調方式，從大陸奉派來台的所謂外來官員而已。我們應當認為，他們對台灣原沒有愛惜之心，更沒有挺身保衛台灣的情理。

　　不可或忘的是，在已經生根台灣的漢族系移民當中，一部分有力人士也爭先恐後地往對岸或香港去避難。日本當局所通緝的

丘逢甲，也帶著族人加入流亡的行列。富豪多半把本宅和事業據點，分別設在大陸原籍和台灣，因此既容易逃走，也容易避難。

劉永福也不例外。他據守台南城到10月中旬為止，靠台灣民主國的郵票、向逃亡對岸的難民徵收人頭稅等方式，收集軍費，孤軍奮鬥。這樣一來，台灣民主國連兩個星期也無法維持就崩潰了。

大清國的「帝政意識形態」難道仍舊高高在上，泰山壓頂，拴住人民嗎？劉永福最多只肯以大清國特命台灣防衛副司令的官位，盡軍人的義務。民眾渴望他繼唐而就任新總統，於入山後指揮游擊戰，但他一概拒絕。10月19日，劉終於抵不住日軍的圍攻，從安平城搭英國船，脫逃到廈門去。11月3日，日本當局證實劉的逃出，而宣告全島業已「平定」。

留下來的人們

在台灣留下來的人當中，有一群像上述的辜某一樣，希求引導日軍，靠新秩序建立社會安寧的人。其中典型的例子，就是協助台南的不流血入城的長老教會牧師——英國人巴克禮（Thomas Barclay）。他由於這項功勞，日後獲授日本勳五等雙光旭日勳章。另外，對高雄一帶的鎮壓助一臂之力的，是台灣屈指可數的糖商，「順和棧」的掌櫃陳中和。陳就趁這機會，變成南台灣的大政商，後來擔任新興製糖股份有限公司的董事長。

初期對日合作者多半是在台外僑或與外國關係較深的漢族系人士，不然就是買辦商人的一夥。此外，避難的富翁留下看守

人，用心周詳地摸索因應方策，是不問可知的。

　　在一小撮合作者之外的另一個極端，還有仍舊充滿著開拓精神的，主要是住在農村地區的漢族系移民集團。又，山間地區或台灣內的邊界地，則有為了維護原本意義上的自己的鄉土與生活方式，而受闖入者的逼迫，以致不得不奮起的先住系居民。他們除了舊敵漢族系移民之外，不得不再迎擊新侵略者——日本人。以台灣為舞台的新侵略與反侵略，對立與抗爭的構圖，於是進一步錯綜且複雜化。

三、後藤新平的台灣統治政策

農民的抵抗

　　抗日游擊隊打得最堅強的，是在西部平原和中央山脈之間的狹長山麓地帶。背後有山屏障，因此容易抵抗，並不是唯一的理由。此無他，只因為這個地帶的開拓比較晚，「小租戶」和「現耕佃戶」的連帶關係最堅強。

　　台灣的土地制度，由於台灣開拓史的特殊性格，而逐漸地形成一田兩主制。移民中的先行者或有力人士，向當局取得開墾權而成為墾首。墾首就招募從事開墾者，也就是墾戶，實施開墾。墾戶向墾首繳納叫做大租的佃租，因此墾首也叫做大租戶。

　　墾戶有時再把開墾過的土地，租給耕作農民（現耕佃戶）耕種，而徵收佃租。上述佃租叫做小租，而墾戶也叫做小租戶。隨著時間的推移，土地的實權轉到小租戶，而大租戶幾乎變成只掛

空名的存在。

來自對岸的一般移民，一方面把中原中國文化的榮耀和重擔，另一方面把在大陸的挫折和貧窮，一並帶進台灣來。移民們受長年來希求擁有自己的土地的欲望所驅使，靠只有形式的「協定」，用物品的「交換」或騙取及戰鬥，向先住各民族奪取土地。他們為了尋求新的土地，進入人跡罕至的原始林，有時遭遇「出草」（獵首）而倒下，或因惡劣的天候、水土病、飢餓而死亡。

在這樣千辛萬苦才到手的土地上，日軍居然無禮地踩進來了。就是在台灣民主國崩潰以後，小租戶、現耕佃戶以及開拓農民也結成無形的抗日戰線，在各地奮起。開拓精神與質樸的民族主義相結合，化成抗日游擊隊的能源，掀起了激烈的抵抗運動。

台灣出售論

在日本的帝國議會（國會），眾口紛紜，討論以一億圓把台灣賣給法國的台灣出售論。另外，國際輿論中，也有嘲笑未成熟的日本，有何能力來承擔殖民地統治的一些評論。很能表達這中間的實情與困境的資料，是當時率領日本征台軍第二師團，以南部台灣守備隊司令官地位從事遠征的乃木希典寄給朋友的私函（1896年1月30日發）。他在函中寫道：

> 恐察之台灣施政亦誠皆不痛快之事而已。人民謀反亦不無理，如乞丐得馬，不能飼養、不能乘騎，終致被咬被踢惱怒之結

果，貽笑世間，深感慚愧。今後混亂越發相加間消磨日子，可
曰意外之幸福。

叫化子的譬喻，非乃木般之儒將畢竟道不出，豈能不說是絕妙的
自我解嘲。

　　打贏了甲午戰爭的日本，積極干預東亞地區帝國主義國際秩
序的舞台，意圖成為東亞的盟主。台灣的出售自不必說，連從台
灣撤退也不是大勢所允許的。對日本帝國而言，不等待資本主義
經濟的成熟，而強行轉化為帝國主義，是必須的課題。因此，對
第一個殖民地──台灣──的確保與安定的殖民主義式經營，就
成為最高命題之一。

兒玉源太郎與後藤新平

　　1898年3月28日，日本陸軍首屈一指的才俊，且深受當時藩
閥政府倚信的兒玉源太郎中將就任第四任台灣總督，後藤新平就
任其幫手──民政局長（後來改為長官制）。從此以後，就在當
局的全面委任之下，直到1906年11月13日轉任「南滿洲鐵道」總
裁為止，大顯其「精明」強幹近十年，實施鎮撫並用的政策。

　　後藤在到任前，約有三年期間，擔任明治政府內務省衛生局
長和台灣總督府衛生顧問，以鴉片政策的制定為中心，一直插手
台灣經營。雖然說有了這項體驗的累積，但他的洞察力和政治手
腕，的確不凡。他假借尊重舊風俗習慣的名義，首先從截斷台灣
抗日勢力下手。他以改變鴉片的嚴禁政策為漸禁政策，除卻資產

階級鴉片吸食者對斷絕鴉片的不安。後藤這麼做，也是因為覺察到「日本人嚴禁鴉片」成為抗日口號的一部分，驅使中上級地主階層參與抗日。

另一方面，兒玉總督又舉辦號稱「饗老典」的敬老儀式，邀請在台民社會上受到尊敬的老人，加以慰勞。此外，舉行以對讀書人表示尊敬並聯絡感情為宗旨的「揚文會」，共吟漢詩。最巧妙的是紳章制度的政治運用。把地主、富農、商人階層的有力台籍人士，捧為士紳，說要讚揚他們的榮譽，而讓他們佩帶紳章——限定用於台灣的勳章。對維持治安的合作人士，則毫不吝惜地給予鹽、菸草（專賣制）的銷售特權等經濟上的權益，以推行懷柔政策。

兒玉在另一方面，公布《匪徒刑罰令》（1898年11月3日），把反日的台民一律當土匪看待，加以嚴罰。後藤的女婿鶴見祐輔所編的《後藤新平》記載：

從明治30年（1897年）到34年之間，拿獲的土匪數目有8,030人，殺戮的有3,473人；又在明治35年的大討伐中俘獲而經審判處以死刑的有539人，交付「臨機處分」而加以殺戮的多達4,043人。

所謂「臨機處分」，是把順應招降政策而報到的游擊隊人員，假借歸順典禮的名義，集中在一個場所，然後用集體槍決的方式屠殺，與「武士道」完全相背的作風，不是可怕的鐵腕統治又是什麼呢？

四、殖民地型開發與台灣居民的抵抗

土地調查事業

當治安獲得確保之時，後藤以自己所標榜的生物學式殖民地統治策略和科學性調查研究，雙管齊下，正式開始作接枝式的政策推行。立即成為「台木」的，是前面提過的劉銘傳新政；新枝呢，不用說，是日本資本主義所要體現的合理主義。媒介的角色，則由新興日本的帝國主義國家權力來擔當。

後藤行使強大的權力，完成劉銘傳因遇挫而未竟的土地調查事業（1898年9月5日～1905年3月31日）。在徹底執行的過程中，「隱田」（不曾登上官冊之田地）被登記了，可課稅的耕地面積增加一倍了，對財政大有幫助。而且，又能夠一並整頓土地的資本主義式交易條件，因此，成為日後殖民地型經濟開發的基礎事業而發揮功效。值得特別記述的是，土地所有權由於對大租戶採取解消式的整理，而單一化為小租戶。它在經濟上的意義是深遠的。

日本起初以為可以採用與歐美殖民地統治相同的形式，任性肆意地實行土地的全面性奪取，但那是完完全全的誤解。說起來，台灣人民的生活水平、文化程度已相當高，具有足夠的資格引進洋務運動的社會經濟基礎，尤其地主階層有一部分頗為富裕。另外，日本與台灣，在人種上同屬於黃種人，在文化層面上都屬於漢字文化圈，共有儒家倫理，有上述這些共同點。因此，姑且不論妥當與否，漢族系讀書人階層或多或少對日本人抱有先

進身分的自負和優越感。這對日本的台灣統治來說，實在是極為不利的條件。前述的饗老典之類，正可看成日本當局應付這個層面的懷柔政策來加以理解。

　　土地制度的近代化與寄生地主制在殖民地體制下的重編、強化，以結果來說，是擔當了從社會經濟層面支持懷柔政策的功能。起初，地主階層害怕自己的土地會被沒收，而奮起抗日。日本當局也許由於抗日游擊戰爭的激烈與戰線的寬廣而驚慌失措，也許認為不能消滅地主階層，於是在符合殖民地經營的邏輯範圍內，准許地主階層保有私有土地，用法律保證他們的權益，把地主編入殖民地體制內，從事度量衡制度和貨幣的統一等整頓投資安全與經濟循環的擴大所倚靠的基礎事業。另則強有力地推進鐵路、公路、港灣等的創設和擴充。這些財源的一部分，是透過鴉片、鹽、酒、菸草的專賣制度來籌措的。

殖民地體制的「共犯結構」

　　繼土地調查事業之後，林野調查事業（1910年1月1日～1914年12月31日）也開始進行。忽視漢、蕃邊境地區與先住民所居住的廣大山林地帶既往的舊風俗習慣，強迫推行國有化（歸為日本國家所有）政策。這個政策引起了先住系各民族與漢族系居民的武力抵抗。針對隨著製糖業的振興而進行的土地強制收購，原料甘蔗的不當價格承購制度，支援三井、三菱等大企業的侵蝕而辦理的土地放領，激烈的農民運動展開了。所謂以資本的原始積累為中心的動與反動的構圖，由是醞釀起來。

　　殖民地經營以對宗主國資本主義的發展效勞為大前提。日本當局歡迎台灣人取得股份，也就是提供資本，但禁止台灣人獨自創設與經營公司。此外，用心於提高下級勞工與農民的品質，也試圖推廣普通（小學）教育。然而，對於威脅日本人優越地位的大學教授、高級技術人員、熟練工的培養，則刻意加以限制；至於開業醫師和律師，又為了當作殖民地經營的潤滑劑而讓他們發揮功能起見，一面斟酌「適當的人數」，一面培養。

　　上述在「鎮撫並用」之下推展的殖民地型經濟開發的基礎，大致在後藤新平任內穩固確立。並且，它把台灣人這一方的中上階層編進可稱為殖民地體制的「共犯結構」。日本政府在對台灣的殖民地統治中，主張台灣人和日本人同樣是天皇陛下的赤子，力求設法把台灣人塑造成大日本帝國臣民。可是無論古今東西，殖民地統治畢竟是要以統治者與被統治者之間一定的差別為前提來實施的。所以所謂台、日一視同仁，只是虛有其名而已。

羅福星事件

　　當初期的抗日游擊隊受到鎮壓，殖民地開發剛剛上了軌道的時候，辛亥革命（1911年10月）在大陸發動了。儘管受了中國本土革命的刺激，而出現了新型抗日運動，但每次都受到近似大屠殺的大鎮壓，終歸失敗。其中著名的，有羅福星事件（1913年10月）、西來庵事件（1915年8月）等。

　　羅福星事件，又稱苗栗事件。這個事件的核心人物羅福星，是原籍廣東省嘉應州（今梅縣）的客家人。1903年，在台灣「割

讓」後，被一度還鄉的祖父再度帶來台灣，讀苗栗的公學校（專收台灣人的小學校），接受日本教育。1906年，厭惡日本統治的一家，再度返回大陸的故鄉。

羅福星後來在故鄉擔任小學教員時，由於同鄉的前抗日領袖丘逢甲的介紹，遠渡南洋，擔任客家系華僑學校教師。眾所周知，當年，孫文他們的革命運動，在南洋華僑社會盛行。據點多半布置在華僑學校。羅受到丘與孫文的同志們的影響，而加入孫文所組織的中國革命同盟會。

羅福星於辛亥革命的第三年，和12名同志商定，密渡台灣，計畫把革命適用到台灣來。然而在蜂起前夕，事機不密，一起遭受逮捕，於1914年3月，在台北監獄留下兩首詩，登上斷頭台，年僅29。因為羅是繼承中國近代革命的壯士，所以日本當局加強警戒他的影響力擴大，但有志氣的台灣人卻在暗地裡歌頌他壯烈的犧牲。

西來庵事件

辛亥革命的影響延續下去，在以余清芳為首的西來庵事件中再度呈現。余是屏東人，1879年生。從他歷經店員、巡查補（基層警員）、公所書記等行業，就可看得出來，是極為活躍的人物。他可能充滿反叛精神，1909年被憲警送進台東的「浮浪者收容所」，被羈押到1911年。當時的日本當局把反日的人當作土匪，把提出異議的人當作流浪者，分別加以處分。也許因為余當過巡查補，又是地方上的名士，不能夠輕易地適用《匪徒刑罰

令》把他處死吧。

　　余在恢復自由後，慎重地使用他人名義，經營碾米廠，籌措軍費。另一方面，隱身於「食菜堂」（素食者所信仰的廟），透過信徒，組織同志。他的主要根據地是台南市內的西來庵。他的心腹，有羅俊與江定。羅是嘉義出生，當過私塾教師和中醫的讀書人，也是往來台灣海峽的素食者。因而通達內外時務，充任余的參謀。1914年12月，從大陸到淡水下船，同余會合。

　　密切監視的憲警，逮捕了航渡廈門的蘇東海——余的同志，解讀密函，知道余集團的密謀。余獲知計畫洩露，就投靠初期抗日游擊戰爭失敗後，巧妙地潛伏在山中的江定居處，搶先發動攻擊。在噍吧哖（今台南玉井）一帶展開激烈的游擊戰，日方當局由於靠台南守備隊的正規軍與警察隊的聯合作戰，施加集體屠殺式的大鎮壓，飽受國內外的抨擊。當時的總務長官下村海南在回憶錄中留下費盡苦心、多方辯白的記載。

　　事件的被告將近二千名，固然驚人，但其中被宣告死刑的人竟達903名，約占半數，更成為世界審判史上空前的殘酷紀錄。由於這個事件，日本當局野蠻鐵腕的一面趨於明顯化，把台民陷進恐怖的深淵中。結果，抗日運動只好逐漸轉向社會文化運動了。經過許多曲折後，1921年10月，台灣文化協會在台北設立。該會是台灣人受蘇俄十月革命（1917年）、美國總統威爾遜（T. W. Wilson）第一次大戰後所提倡的民族自決論（1918年）、朝鮮的反日三一獨立運動（1919年3～5月）、中國大陸在北京發起的愛國民族運動——五四運動（1919年5月4日）等的影響，而創立的反日團體。起初，不分資產階級和無產階級，右派或左派等，

大同團結，擁有兩千個會員而開始活動。可是隨著時局的變遷而一再分裂。無論如何，一方面近代民族意識在台民之間漸漸高漲，他方面反日青年階層的左傾化與急進化也加深。對此感受恐懼的以中上地主階層為中心的一部分台灣資產階級，或許只能算是從犯，但越發有意或無意地深陷在殖民地體制的共犯結構裡，並被套牢。

台灣統治的變遷

日本當局受到第一次大戰和蘇俄十月革命的影響，由以前的武官總督實施軍事統治，改為文官總督實施文治統治。它以第八任總督田健治郎到職（1919年11月11日）開始，第16任總督中川健藏離職（1936年9月）結束。然後，為了因應「滿洲」事變（九一八事變，1931年9月）、上海事變（一二八淞滬抗日之役，1932年1月）依次連續不斷的日本的大陸侵略，文官總督制再度恢復舊制武官總督制。第17任總督小林躋造（1936年9月～1940年11月在職）和第18任長谷川清（1940年11月～1944年12月）都是海軍上將，而擔任最後一個台灣總督的第19任安藤利吉，則為陸軍中將，後升任為上將。

還要補述一下，當漢族系移民社會上的殖民地秩序大致就緒時，第五任總督佐久間佐馬太（1906年4月～1915年5月）以兒玉的繼任人地位到職。他動用總額高達2,000萬圓以上的龐大預算，實施「五年討蕃事業計畫」。這是從明治43年度到大正3（1914）年度之間的事。

　　這麼一來，日本資本主義也開始侵蝕到占台灣面積60％的山地。當時的先住系各民族，仍舊以狩獵和火田農業為主要的生產方式。由於林野調查事業，已經實施把沒有地契的土地收歸國有的所謂無地主國有化政策。以它為背景，倚仗佐久間的武力集中行使，而對少數民族居住地區所採取的強行侵略，引起了先住民的激烈抵抗。然後，一再累積的怨恨，不久就爆發為霧社蜂起事件。此時正逢世界經濟恐慌高峰期，九一八事變前夕，1930年秋天。

霧社事件

　　1930年10月27日，上午八點光景，在台中州霧社公學校（今屬於南投縣管轄），正要舉行秋季聯合運動會開幕典禮。會場上，霧社一帶有關的日本人，為了共享一年一度難得的「拜拜」式聚會，不分男女老幼，幾乎全都到齊了。

　　泰雅族的隊伍襲擊過來，意圖殺光集結在會場上的日本人，包括以郡守為首的來賓，參加運動會的學童、觀眾在內的日本男女、孩童等一百餘名被供上怨恨之祭壇。受到事件的牽累而死的漢族系人，包括因穿著和服而被誤殺的兒童與誤中流彈而死的成人，只有兩人而已。

　　這次蜂起的民族性格與問題意識相當鮮明，而且基於極為周到的準備和計畫，因此嚇住了以日本憲警為首的日本全部有關人士。蜂起從當天黎明前開始。把四周的警察駐在所，以霧社為準，按由遠而近的順序襲擊，首先切斷電話線，把日本人的警察

當作第一個犧牲品而擁進。蜂起方一面如上行動，一面在安排大
舉同時衝入運動會會場。

　　日本當局大為吃驚，打從心底發怒。因為他們以前一直把霧
社當作「理蕃事業」最成功的示範地區，向國內外大力宣傳。事
實上，當局在霧社試過很大的努力。首謀莫那‧魯道早就應邀到
日本考察，期能誇示日本的國力，另外，也選拔優秀的「蕃童」
與日本人同校共學，意圖塑造「模範生」，當作「花瓶」顯示於
內外。

　　典型的例子是以現職巡查與警手（警察的助手）而參加蜂
起，事件後一同自殺的「花岡一郎」（達吉士‧諾賓，台中師範
學校畢業）與「花岡二郎」（達吉士‧那武義）。他們並沒有血
緣關係，日本當局卻給他們彷彿是兄弟一般的日本名，並且主動
撮合他們與同樣是日本人小學校畢業的「川野花子」（歐賓‧那
威）和「高山初子」（歐賓‧達道）的婚事，以官費訂製和服，
讓他們舉行日式婚禮，大加表揚。

　　正因為日本當局對霧社的用心太深切，對「背叛」的報復也
就更為殘酷。可能也擔心前一年世界大恐慌所引起的普遍性社會
不安，加上一昧高漲的社會運動與朝鮮、台灣的反殖民地運動
吧，不僅是正規軍，連空軍部隊都出動，把近代兵器──機槍、
大砲、毒氣等，順便當作實驗般地加以使用，費了將近兩個月，
才鎮壓下來。

　　憲警方的報復，偏執地延續下去。挑唆跟日方合作的集
團──「友蕃」，對集中收容一處的蜂起方倖存者──「保護
蕃」，實施夜襲，把15歲以上的男人，幾乎全都殺死。時在1931

年4月25日黎明前。這被稱為第二次霧社事件。

中日戰爭與台灣

以霧社事件為轉捩點，理蕃政策重新受到檢討，侮蔑性的稱呼——「生蕃」，台灣總督府把它改為「高砂族」，「熟蕃」則改為「平埔族」。

隨著武官總督制的恢復，正式的皇民化運動開始推行。從1937年4月1日起，台民母語的使用受到限制，報紙的漢文欄也廢止了。粗暴的是，連民眾的娛樂——傳統的戲劇、音樂、武術，也禁止上演和傳授。尤有進者，連台民靈魂的領域，警察權力也踩入了，對傳統的宗教儀式以及祭祀活動，也加以限制和禁止。取而代之的是日語的強制使用，「天照大神」（神話中的日本開國母神）的奉祀與取日式姓名的改姓名運動（1940年2月11日），一直強制推行到戰敗的前夕。無論任何一項，都不外是為了因應原原本本的侵略戰爭，希望把台民改造成日本皇民的既傲慢且任性利己的行徑。

以改姓名成日本式為條件，當局就戰爭期間的物資配給和子弟的升學，惠予少許的特別照顧，當作「飴」餌，但在基本上，受歧視的「二等日本人」——本島人（台灣人）——的地位，無論在法律上、社會上都沒有本質性的改變。反而遭到不為所動的台民的白眼。

太平洋戰爭爆發後，先住民系的青年們，一變而被當作日本人的同胞一樣看待，被迫接受動員，以「高砂義勇隊」名義參加

南方（南洋）作戰，再度犧牲。1974年底，在印尼的摩洛泰島被發現，1975年1月8日，隔了31年才回到故鄉台灣的原「皇軍」士兵「中村輝夫」（阿美族的本名為史尼育唔，中文名為李光輝）的悲劇，對我們而言，記憶猶新。

由九一八事變打起的中日十五年戰爭與太平洋戰爭，使台籍人士被囚困的共犯結構，變得更加複雜。成為新而有力媒介的，不用說，是侵略戰爭本身。不堪忍受在台灣所受的歧視跑往大陸的，打從開頭就意圖雄飛大陸的，還有由於日本當局的徵用而被迫從軍的人等，真是五花八門，不一而足。

從當過「滿洲國」外交部總長，該國駐日大使的謝介石算起，在號稱冀東政權、汪精衛政權、蒙古聯合自治政府的這些傀儡幹部中，以通達日語的「二等日本人」身分合作的台灣出身知識分子，為數不少。憑自己的意志，做日本的爪牙，是本於自己負責所作的個別性選擇，因此，他們的動機是較容易理解的。

不過，最常見的例子卻是像吳濁流所描寫的《亞細亞的孤兒》主角那樣，小心翼翼的台籍人士。他們往往被大陸的中國人輕視，懷疑可能是日本人的奸細。並且，有時日本人又從另一種意義上把他們看成中國那一方的間諜，侮蔑為「不逞之徒的支那人」的同夥。正是被逼到兩面不討好的悲慘狀態下的「亞細亞的孤兒」。

在戰爭末期，以軍人或軍屬身分受到動員的台籍青少年們，由於接受戰時體制下的軍國主義教育，中國人意識已逐漸被磨滅，在無意識中被培養成日本的積極爪牙。甚至於有人因日本戰敗而以戰犯身分被捕，經聯合國這一方判處死刑。

　　覺醒而抱中國人意識，投身於大陸抗日運動的民族主義者或社會主義者，也粗分為重慶（國民黨）、延安（共產黨）兩大集團，前者則占多數。他們希求殖民地台灣的解放，而各自採取行動。當台灣重歸祖國以後，有人向國府靠攏而「成功」，也有不少人不幸在政治整肅下喪生。

第四章　光復的明與暗，
二二八事件的悲劇

一、光復與社會的百態

光復的喜悅與不安

　　1945年8月15日，天氣熱得叫人發昏。憑前一天的廣播預告，知道中午有天皇陛下重大廣播的人們，貼近了收音機。雜音干擾，聲音又低，因此，「玉音」很難聽懂。不過，戰爭結束之語意，倒清楚地體會了，知道日本要接受波茨坦宣言。本島人在心中深處細細玩味這份喜悅；相反的，日本人卻過著不安而無法闔眼的日子。

　　任何社會，任何時代，總有血氣方剛而愛出鋒頭的青年們。抱著輕鬆的心情，不知從何處尋覓來的中華民國國旗、中國國民黨黨旗、孫文遺像和三民主義教本之類出現了。會讀樂譜的人，一聽到「義勇軍進行曲」等抗日戰爭的軍歌就唱，還到處教唱。尤其是雄壯的進行曲──《義勇軍進行曲》，把因光復而歡欣的年輕人，鼓動得熱血沸騰。他們邁著大步，簡直在誇耀：「我自由的時代，就要來到了。」

　　縱然知道情勢已變，幾乎所有的一般百姓還是不肯改掉旁觀、注視的姿態。為生存而忙，為三餐而緊張。此外，這也是因為他們本來就一直遵奉「莫談國事」，也就是「不過問政治會對自己比較有利」的生活方式或哲學所致。更何況無依無靠的百姓們，可能也不會輕易忘記日本統治初期血流成河的鎮壓，嗣後日本憲警繼續逞暴行虐的種種。

　　街頭的一部分小商人，尋找「剝狗皮」（用客家話讀）的機會。台灣的平民們厭惡日本人的統治，一有事，就暗地裡把「狗」或「四腳仔」（用閩南話讀）的賤稱，向日本人轟過去。「狗」就是犬，是看見日本人隨地撒尿，或脫光衣褲，只圍一條兜襠布邁大步的模樣而取名；又，「四腳仔」指四隻腳的動物，是表示野蠻的字眼。發洩積壓的憤恨，是弱者長年的習慣。日本人開始賣出大小家具雜物，人們把收購出售品的生意叫作「剝狗皮」，就是剝掉犬皮。人們添上理由——向日本人取回被掠奪的財產，來辯護這種行為。

　　前面已經提過，日本當局不准台民創設和經營台籍人士獨自的公司。結果，幾乎全部的台民薪水階級屈居日本機關和日本人公司的下級職位。可以說被阻擋在經常被迫忍耐、把接受歧視看作當然的身分上。因此，他們高興日本人的敗退，期待自己能藉機升級去遞補日本人的遺缺，是正常而自然的趨勢。

政治領導權的欠缺

　　台灣和朝鮮不同，中小地主的階層相當寬厚。在這些台灣本

土地主階級中，有一部分與日本人牽連不淺的人，尋求日本人不動產和動產的移轉登記而蠢動。有的用口頭約定，等局勢平穩下來後，再結算匯款；有的自家藏書突然增加，住進鋼琴坐鎮客廳的宅院，而擺起臭架子的人等，呈現不少奇景。

　　最慘的是替皇民化運動做走狗的「士紳」、經濟警察，和居於特高警察屬吏地位而狐假虎威的台民。逃得太晚而飽嘗報復的鐵拳，被打得半死的也不少。比日本人更高唱忠君愛國，呼喊「天皇陛下萬歲」或「大日本帝國萬歲」，痛罵蔣介石的本島公學校教員也驚慌失措了。他們多半就像測風器一般，每天大忙特忙地專心學習北京官話。

　　形勢一變，中國成為四大強國之一。四千年的歷史是燦爛的。偉大的母河——黃河，是世界性大河，它的流域是古代四大文明之一的發祥地云云，轉變方向頗快。小學高年級的孩子，疑惑地仰看教師們的臉，對他們的缺乏定見，投注輕蔑的眼光。不過，傳統式儒家倫理仍然殘留的台籍漢人社會，對教師寬容。教師的輕率言行和過失，受到了原諒。

　　以台灣文化協會為中心，曾經參與過抗日運動的人們，則採稍微不同的姿勢。包括從中間偏右到左派，還有少數共產主義者的這個集團，暫時以民族主義為共同的主調，隱藏各自的盤算而活動。帶妥協色彩順應日本統治的中間偏右派，儘管抱著些微內疚的心情，還是比任何人都拉高聲音，歡迎重歸祖國。他們也許有必要格外展示自我存在的證明吧。

　　跟他們比較起來，體驗過牢獄的左派和原共產黨人士懷有道德上的自尊心與活力，而居於優勢。然而，他們的人數和力量，

卻小得可憐。

　　順便說明，1928年4月15日，在上海成立的台灣共產黨的正式名稱，是日本共產黨台灣民族支部。大概是由於台灣處於日本的殖民地統治下的情勢而定出的通俗名稱吧。黨員除了以台灣為共同的活動範圍之外，斟酌留學日本或留學中國大陸等背景的不同，發生把活動舞台限定在日本或大陸的不同的個別案例。尤其是在1929至1931年間日本帝國主義的大彈壓以後，倖免被捕的人，除了潛伏地下或在大陸打開生路之外，沒有選擇的餘地。據說，在日共中央受當局彈壓而癱瘓後，按當時的情勢，台共人士改為接受中共的直接領導而從事活動。

　　遺憾的是，貫穿全部殖民地時代，獨立自主，而且以社會科學方法研究日本在台殖民地體制，並加以批判的台籍菁英人士甚少。從而，在台灣實踐從殖民地體制解放與變革的革命家也就更少了。少數中的少數「勇士」大膽地向日本的鎮壓挑戰的，不是受到極殘酷的鎮壓而死於牢獄，就是在遇挫後逃出台灣，把戰場移到以大陸為首的島外。變節者以及戰後獲得釋放的人，還有潛伏避難而在島內倖存的人，估計最多不到50名。

　　當時的狀況是，無論在島內任何地方，都沒有掌握政治領導權的勢力存在，足以填補殖民地權力瓦解和崩潰後的空檔。既沒有在島內組織統治機構——軍部與官僚——的領袖，也欠缺支持它的人力資源。夠資格稱為財閥的，當然也沒有。

　　儘管有少數的大地主和層面相當寬厚的中小地主階層，卻沒有具備整合他們力量的政治家。中間偏右派及保守的民族主義派士紳，先是對日本當局進行不徹底的「台灣議會設置請願運動」

（1921年2月～1934年9月），後則與左派激進派民族主義者劃清界線，集結於具有濃厚的翼贊日本當局治台性團體色彩的台灣地方自治聯盟（1931年8月16日組成），而力圖在殖民地體制內妥協，以謀保身。這一群士紳，大家都知道他們的存在，他們多半並沒有超出地方性政客的境界。日本以寄生性地主的保留與重編為主調的「殖民地型經濟開發」，收到相當程度的成功。結果分享「殖民地利潤」殘羹的台灣地主階層，無論是否覺察，都被殖民地體制的「共犯結構」緊緊地收編過去。縱然有正犯與從犯的差別，被略誘，或自行接受引誘的儼然史實，是不變的。抵抗的自主性或民族的自主性顯著地受到損傷，因此，在光復隨後，他們實在沒有足夠的條件，來擔當塑造歷史的社會力主體。事實上他們並未以真的主體自勉而奮起的意識和意願。大多數自以為菁英的台籍人士，甚少對這一次大戰的結束作過具有自主性、原理性、思想性層次的思考而對其定性。究竟對台民來說，大戰的結束係單純的「終戰」呢，抑或「勝利」？但教有志之士啼笑皆非的卻是：有人暗裡跟著日本人認其為「敗戰」而一起涕泣。

於是，大多數人就把戰爭的結束，原封不動地直接看成「光復」了。然後，一心一意等待祖國接收人員的來臨。頂多考慮到：第一，與日本的殘餘權力（軍隊、警察）合作，以謀求維持當前的社會治安；第二，籌備歡迎國府接收人員；第三，與國府有關當局合作，以便順利進行有關接收台灣的業務等。

農民也好，工人也好，作為一個階級，雖然存在，但革新派這一方並沒有累積以他們為基礎，在短期內組織革新力量，使它發揮政治勢力功能的領導權。

純樸的愛國心

　　本於民族主義純樸愛國心的流露，與單純而又美麗的重歸祖國的心願，成為社會上的一般潮流。島內資產階級的代表們，一心一意期盼來自祖國的接收人員，與具有國民政府軍和國民黨軍雙方含意的「國軍」進駐台灣，這種氣氛瀰漫全台。繼承德高望重的孫文主義者蔣渭水的乃弟蔣渭川，組織「台灣政治建設協會」；以原台灣共產黨的女領袖著名的謝雪紅，在她的地盤台中組織「人民協會」；謝又與楊逵夫婦，組織承襲戰前「台灣農民組合」的「台灣農民協會」；在台灣共產黨內部的抗爭中，與謝雪紅對立過的蘇新等，則組織「台灣文化協進會」；分別作建立據點的嘗試。

　　謝雪紅是1900年生在彰化的女鬥士，不但出生在窮苦的家庭，而且在少女時期失去雙親，經歷養女、女工等的逆境，在政治上逐漸覺醒。曾遊學神戶和上海，尤其在上海時，活躍於五三○運動（1925年），因此受到賞識，於1925年底，到莫斯科的東方共產主義勞動大學（KUTV）留學。她也是1928年台灣共產黨創立時的主要成員之一。謝在二二八事件遇挫後，逃亡到香港，組織台灣民主自治同盟（1947年11月）以及台灣再解放聯盟（1948年8月）等。中共政權成立前夕，進入大陸，歷任要職。但因在反右派鬥爭中受到批判而沒落。文革期間，再受批判，1970年，在失意中病死。到了1980年，獲得中共當局的平反。

　　另外，早先的新聞記者和文化人士，兼圖啟蒙運動而湧進大眾傳播媒體，投身於從日本接收的報紙──《新生報》（前身為

《台灣日日新報》）、《中華日報》（《台南新聞》的化身），還有在光復隨後創刊的《人民導報》、《內外新聞》、《自由報》等報紙，與《政經報》、《台灣評論》等雜誌。

陳儀抵台

進入10月，「祖國」的影子才在台灣出現。5日，台灣省行政長官公署及台灣警備總司令部的前進指揮所在台北成立。17日，國府軍隊第七十軍分別搭乘美國軍艦，在歡呼回響中，登陸基隆。24日，兩度變更到達時間，讓歡迎的龐大群眾焦慮不安的陳儀長官，終於從松山機場降落了。

陳儀或許因為與魯迅和許壽裳有交情，有益於形象吧，被認為是屬於政學系——以國府內開明官僚為核心的派系——的清廉之士。在重慶被任命為接收台灣的長官時，一般說來，反對的聲音低，良才獲得選任的風評反而較高。這也是由於他是日本陸軍士（軍）官學校畢業，娶日本人為妻的知日派，歷經福建省主席的職位，了解閩南人（使用與台省人的多數派相同的母語群）的氣質，有訪台的經驗，也主持過有關台灣的調查與研究。

不過，南洋華僑的有力人士——陳嘉庚這幫閩南系人士等，對陳儀強硬且獨斷獨行，與傳統中國官場習慣有異的施政，從他的福建省主席任期開始，一有機會就加以指責和批判。

台灣的新貴

　　各色各樣的人，開始從對岸湧進台灣來了。有自稱懂得閩南話，而謀求一下子發大財，或者在處女地尋覓高官厚祿而來的閩南系人；有因為與日本當局合作，擔心以「漢奸」罪受追究的「滿洲國」、「汪精衛南京政府」、「冀東政府」等的有關人士，他們懂日語，又由於沒有熟人，反倒得救，以為台灣容易藏身，而蒙混進來。事實上，他們哪裡肯安靜地藏身，竟拿北京官話當武器，簡直是趁別人不知情的好機會，公然高掛來自祖國的「勝利者」的假招牌，欺騙台灣老百姓，毫無顧忌地一意作孽。

　　從台灣逃出去的抗日分子、「雄飛」而在大陸或南洋的日本機關走紅的前「二等日本國民」、被強迫徵用與徵兵復員的人員——具有複雜背景的人們，從四面八方向台灣回流。

　　從日本回來的留學生和學業已完成的老留學生，以充滿自負心的菁英集團，獨異於眾。戰爭結束以前，台灣青年的留學目的地，幾乎以日本為限。這也是他們的心情所致吧。其中的一位，東大法學院的校友作了以下的證詞：

　　老校友：「聽到日本戰敗與台灣重歸祖國，我們高興得跳起來。再也不讓日本人喊我們為『清國奴』啦！趕快回台灣吧！除了我們，沒有任何人士能接收台灣總督府，接收過來建設台灣呀！我們大家都這樣歡欣鼓舞。」

　　戴：「那麼，前輩們當時所看到的中國是什麼模樣，可有清清楚楚的形象嗎？」

　　老校友：「如今想起來，我們是完完全全的無知啊。對蔣介

石和國民黨，是知道的；關於中共，僅止於傳聞的程度。戰爭結束時，中國至少有重慶的國府和延安的中共，加上即將面臨消失命運的日本帝國主義的傀儡──『南京政府』和『滿洲國』，居然有四個『中國』。我們連這項客觀上的事實，也完全不知道。

「想投進慈母溫暖的懷抱的心情在引導著，再沒有別的任何念頭。什麼也看不見，什麼也不擔心。我們大家都把國府本身當作好久以來一直懷念的慈母而深信不疑。連自己不會講中國的標準語，也就是北京官話，不會讀，更不會寫的情形，也不加關心與注目。我們充其量只不過是會講母語──閩南話或客家話──的台灣人；不止是語言而已，就是在意識的層面，也被殖民地統治扭曲掉不少。並且，沒有注意到由於被帝國主義隔離的結果，好也罷，壞也罷，在意識層面上，在生活型態上，與中國大陸的人們產生了隔閡。連我們自己多半只不過是『不完整』的中國人，都無法確認，真是粗心啊。彷彿以為只要接收總督府就行，一切就成了。這麼充滿幹勁，由衷地興奮。」

戴：「由於美國準備不足和變更預定計畫，取消對台登陸、占領作戰，改成麥克阿瑟（Douglas MacArthur）先進行呂宋島的占領。到了後來，又因戰況的急速進展，跳過台灣，改為沖繩（琉球）大血戰。請問您，是否知道這中間的原委？」

老校友：「不知道有過這等事。不，連想要知道的意識也沒有。豈止是我一個人！就是到現在，我們台灣人仍然不肯在全世界戰略構圖中，好好研判台灣的位置。嘗試替自己定位，從事獨立自主的、原創性思考的台灣人很少。格局小，視野又窄，正是我們無法否認的本質性缺點。遲遲不能自我提升，可真是糟

糕啊。」

　　不經任何媒介而直接地變回中國人，得意揚揚地承接日本人的職位，可以向台灣的建設軌道邁進——這樣想的，並不是只有這位校友仁兄而已。法律形式上的「光復」，與每一個人在重歸中國後，能否自主地參加新台灣的建設，擔任自己所應該擔任的角色，是層次根本相異的問題。台籍菁英分子的幻想，不久就被戳破粉碎。

二、國府軍到達台灣

第七十軍

　　台灣的馬路街景煥然一新，充斥歡迎光復、慶祝國府軍到達的彩飾。解脫感與戰勝了日本的滿足感交織的氣氛，使蔣介石的形象大大地清新化了。中共地區以外的民眾，接納蔣為勝利的象徵人物，光復隨後的台灣，自是如此。

　　國內外冷靜的分析家，則評估蔣介石為軍閥割據時代以來，足智多謀地倖存下來的最後且最強的軍閥之一。他與其他軍閥的差異，通常被舉出的是：具有近代軍事知識；透過妻子宋美齡與美國深相結納；以妻族孔祥熙和宋子文為管道，在財政上能作相當程度的控制。

　　然而，國府軍的對日勝利，徒有形式，實際內容卻只是「慘勝」而已。第七十軍不過是為了進駐台灣而匆匆編成，姑且湊合的「雜牌軍」罷了。以戰爭結束當時的國府軍而論，還欠缺國家

軍隊抑或國民黨軍隊所應有的實質。在國府的軍隊中，以公認為蔣介石嫡系的黃埔軍校系最占優勢。可是，以李宗仁、白崇禧為首的桂系（廣西軍），仍然保有與黃埔系分庭抗禮的實力。此外，有孫立人將軍所率領的美式裝備的「新一軍」，以在緬甸作戰中痛創日軍聞名。還有以1936年的西安事變為轉機而被解散的東北軍（張學良部）和其他被再整編而成的軍隊等，同時並存。

　　第二次世界大戰一結束，以爭奪中國革命領導權為目標的國共鬥爭就顯著地表面化、激烈化。在軍事方面，爭戰於東北地區與華北地區；在政治、財政、經濟方面的接收重點，是包括：南京、上海的長江三角洲，重工業的武漢三鎮，以紡織業等為主的天津、青島，再加上故都北京與鄰接香港的廣州等地。相形之下，台灣可以說是國共鬥爭的圈外之地，似乎並沒有被列為接收的重點地區。事實上，國府主流的袞袞諸公甚至還有認為台灣無關緊要的跡象。「雜牌軍」——第七十軍——的進駐，就如實的反映這一點。陳儀獲任為長官，自另外觀點來揣摩，未嘗不可以說是蔣介石周圍的主流人士用巧妙的方式，把非主流的陳儀隔離放逐到離島台灣去。

受降典禮前後

　　1945年10月25日，受降典禮在台北公會堂舉行，陳儀長官與台灣總督安藤利吉代表中日兩國政府，在投降文件上簽署。從此，這一天就稱為光復節，成為國定紀念日。

　　受降典禮完畢後的當天下午，「台灣光復慶祝大會」由大

地主且為文化協會右派民族主義者集團盟主的林獻堂主持。第二天，林結合從中間到偏右派的台灣士紳，發起「台灣建設協會」。意圖似乎在於輔佐長官公署的施政，並保持和擴大他們自己的權益。在歡迎活動的幕後，由於個人或群體背景的差異，有各種意願錯綜傾軋。台籍士紳間的爭執，有密告，有相互中傷，令人側目。

受降典禮後，街頭處處是旗海、舞獅隊、鑼鼓喧天的熱鬧場面。從8月15日到10月25日的兩個多月，因為還有50萬日軍存在，台灣總督府好歹勉強維持了秩序。等受降典禮完畢，接收正式開始，日軍被解除武裝，警察權力也瓦解了。維持秩序的責任與權力，移交到中國這一方。

陳儀、沈仲九的實驗

陳儀從日本留學時代就跟魯迅和許壽裳有深交。魯迅太出名，因此這裡略過不談。許壽裳，字季茀，浙江紹興人。在日本留學時代（1905〜1909年）加入中國革命同盟會，編過革命先鋒雜誌《浙江潮》，並在此時期與魯迅、陳儀訂了深交。東京高等師範學校畢業回國後，應蔡元培的邀請，和魯迅同就教育部職，並兼任北京大學等校教授。

戰爭結束後，許被陳儀內定為台灣大學校長。可是國府教育部以許為魯迅好友，為魯迅思想的宣傳者而拒絕任用。當時的教育部長是CC的鉅子陳立夫，因此，或可說這是必然收場。許壽裳不得已，只有擔任陳儀創設的台灣省編譯館館長（1946年7月10

日），並兼台灣大學中國文學系主任[*5]，但於1948年2月18日夜晚，在台灣大學宿舍被暗殺。此舉被指為政治整肅的恐怖行動一環，大受國內外的抨擊。

提起《浙江潮》的同仁，就會浮出沈仲九（銘訓）的名字。沈與陳儀有親戚關係（沈為陳妻之堂弟，陳之第一任夫人為中國人），於日本留學後，再到德國留學，據說是上海馬克思主義研究會居於領導地位的會員。以智囊地位參與陳儀的福建施政，在同一期間主持行政幹部訓練班，另一方面他又組織無政府主義團體，徵求同好。沈仲九在陳儀的庇護下，戰略上，局外人不易窺知其基本想法，但在戰術方面，則可看出其有立志追求與國民黨、中國共產黨不同的「第三路線」的濃厚形跡。沈把台灣看成理想的實驗場地，而早在重慶就策定三項「基本施政方針」。

這三項是：第一，樹立適合台灣實情的行政制度；第二，實施統一接收；第三，保持幣制的安定。第一，是要樹立承襲日本舊總督府體制形式的長官公署體制，謀求如同日本的台灣總督一樣，掌握行政與軍政的一元性權力，陳儀於是兼任台灣省行政長官與台灣省警備總司令。第二，是要完全掌握「日產」——日本有關機關及其人員所留下的財產，預先阻止針對接收的權益而介入的大陸各勢力，以便確保治台財政基礎。第三，是要隔絕大陸通貨膨脹的狂潮，意圖禁止大陸的浙江財閥系銀行和CC掌握的農民銀行等向台灣發展。

[*5] 據《許壽裳日記》（日本：東京大學東洋文化研究所附屬東洋文獻中心，頁279，293）所載，許壽裳於1947年6月4日被任為台灣大學中文系教授兼主任。

　　沈仲九在表面上高倡「實踐三民主義」和「建設台灣為模範省」，實質上則大舉留用日本人，著著皆致力於建立體制。接收專賣局與繼續實施專賣制度，為謀求獨占進出口與移出入而創設貿易局，為建立計畫經濟而整備統計等，就是著例。

對陳、沈體制的抗拒

　　對光復的興奮、對新的開幕的期待、歡迎的熱情一天天冷卻下來。通貨膨脹的猛進，由於相繼的復員而更加惡化的失業痛苦，「雜牌軍」紀律的鬆弛，接收官警的橫暴和貪污，與陳儀、沈仲九體制所自豪的高遠理想和戰略構想正好相反，大陸的陋習也侵入台灣了。台籍的意見領袖們透過大眾傳播而開始批判。不用說，接收官警的作惡成了抨擊的主要目標。不過，他們更憤怒的對象，正是陳、沈體制的中樞本身。

　　他們把陳儀和沈仲九的各項政策，看成是要侮蔑、剝削台灣本省人，而當作譴責與彈劾的主要目標。以博學多聞揚名的沈仲九，竟好像也沒有覺察到：在日本50年的統治中，台籍知識分子最敏感的反應或抗拒的是差別待遇。浙江財閥與在CC等影響下的大陸系大眾傳播界，外省人的新聞記者，都抨擊陳儀一幫在台灣構築「獨立王國」。因為他們也被排除在台灣的權益圈外，焦躁難忍。

　　在法制上，陳儀雖然握有相當於舊台灣總督的權力，但權力基礎卻很脆弱，名高實低。軍與黨的實權，陳儀都沒有能夠充分地掌握。國府內的政學系本來就是與軍、黨，更與特務機關——

「軍統」和CC具有劃清界線，另成一派，試圖造就近代式政治家
和行政官的集團。加上陳儀班底的主流，由於沈仲九的影響和人
事淵源，從福建主政以來，一直以非國民黨系的青年黨、民主社
會黨和左傾分子或原為共產黨員等人士為核心。當然，就是在台
灣，國民黨黨部與行政部門的不和，也是分明的事實。

　　人人得面對戰爭後的混亂。儘管利用台灣海峽，制定隔絕、
管制與大陸經濟關係的政策，仍然不易產生實效。以「日產」為
計畫經濟的基礎，透過專賣局、貿易局的經營，來確保財政收
入，使台灣成為模範省的意願，顯然是值得嘉許的。可惜欠缺充
分的人材，致不能估量民心，充分地關懷草根性情結，站在更高
的見地和更大的格局，來推展接收工作這項秩序的重建。

　　事態一路惡化。招惹民眾的怨憤，憎恨的「火種」，確實且
持續地撒下去。

三、二二八事件的悲劇與傷痕

事件的發端與擴大

　　事件從芝麻小事引起。「星星之火可以燎原」的比喻亦可適
用於此。時間是1947年2月27日晚上，地點在台北市北郊大稻埕
（今延平北路）以夜市繁榮的「圓環」附近，著名的「天馬茶
房」店頭。公賣局查緝私煙的警察隊正要向來不及逃避的女攤販
沒收私煙，而扭成一團。

　　女攤販因為生活交關，急著討回被扣押的香煙和值錢的東

西，拚命拉住警察。面對這種情況，年輕的外省人警察就用槍托毆打她。注視事情發展的群眾愈來愈多，民眾的憤怒極端尖銳化。警察也許發現形勢危急吧，意圖解圍，而開槍嚇唬。結果，直接打中一位圍看的男人，他中了彈，當場倒下，立刻死亡。激怒的民眾衝到警察逃進去的警察分局前面，要求逮捕肇禍警察，並且要求當局，把他就地槍斃。到了2月28日，由於得不到當局有誠意的回答，民眾的示威隊伍改變方向，直衝公賣局的台北分局前去。然而，在這裡也不得要領，於是搬出公賣品，推翻停在分局前面的公用車並燒毀。

示威隊伍愈來愈多，再以長官公署為目的地，排成隊伍。衛兵感到恐懼，為了對抗他們，而從公署樓上用機槍掃射。因此，示威群眾有人傷亡。民眾雖然潰散，可是憤怒至極，演變為火上加油的情勢，一看到外省人，就處以私刑，還襲擊外省人經營的店鋪，逞兇施暴。

另一方面，占據台北廣播電台的群眾透過廣播來報告事件的經過，同時呼籲一致奮起，採取抗議行動。「火種」既已撒下，而米價的暴漲，又越發鼓動眼看就要迎接三、四月青黃不接期的生活不安都市居民們加入行動。

「反叛」的波濤迅速傳遍全島。興奮的都市群眾與血氣方剛的青年學生們，只要看到外省人，不分男女老幼，一律施以私刑，又襲擊官署和公營機關，耀武揚威，洩憤出氣。

我到過好幾次現場，碰上怪異的情況，感到驚慌失措。曾經是日本人向包括漢族系台民在內的中國人呼喝的「清國奴」的罵聲，如今居然由本省人向應該是同胞的外省人亂罵一通。甚至於

還有人揮舞日本軍刀，用布巾纏頭，高唱日本軍歌。我眼看這種人心的荒廢，不由得毛骨悚然。至於為了辨別本省人和外省人，逼迫別人唱日本國歌，罵可憐的外省籍小孩「清國奴的王八蛋」並施以私刑，縱然是在動亂中，也未免過火。即使未曾受到私刑的非外省人，也會心疼。希望變成幻滅，純粹且質樸的愛國心被蹂躪，「美麗島」不久就成為染血的悲劇島。

國府軍的傲慢

在同一時期，大陸的國共鬥爭已經演變為激烈的內戰。國府軍當局似乎有倚恃美國的援助，依靠並不紮實而且充滿矯飾的「強勢」，並期待獲得民眾支持的形跡。他們想必是因打勝日本而沖昏了頭，並沒有爭取民心的積極作為，力圖革新政治的自覺。台灣的局面當然也不例外。

進駐台灣的國府軍當局，大概是被歡迎的龐大群眾的旗海搞糊塗了。再加上，他們大都把台灣看作中共強有力的地下組織和游擊勢力還不存在的唯一「淨土」。未嘗不可以說，有足夠使他們夜郎自大的客觀條件存在。以下，稍微把時間往後挪回去看看。

1946年秋，蔣介石給陳儀拍了祕密電報。原來是要試探台灣駐軍為補充大陸的軍事力量而移到大陸的可能性。陳儀以為正中下懷，而趁機答應把「雜牌軍」撤回大陸。有位老新聞記者對此始末作證：

「接收當初，進入台灣的『第七十軍』於1945年底被調到大

陸。取代他們而駐防台灣的『第六十二軍』的士兵也是烏合之眾，還沒有好好接受訓練，就進駐台灣。因此，軍紀紊亂，成為民眾怨恨的對象。陳儀雖然在形式上兼任台灣省警備總司令，可是實質上並沒有掌握到軍事權力。此外，由於拒絕法幣在台灣流通的關係，台灣駐防軍的薪餉等，一律歸台灣長官公署自理。於是變成了『負擔』的『第六十二軍』的撤回，簡直可以說是正中陳的下懷。

「無論如何，對台灣民眾歡迎重歸祖國的熱烈與守法精神所得的好印象，加強了陳儀對台灣施政的自信，確屬事實。所以，陳儀不需要大規模的台灣駐防軍。

「二二八事件當時的台灣駐防軍中，只有隸屬『第二十一師』的『台灣獨立團』是唯一的正規軍，駐防鳳山、嘉義、台中。此外，『憲兵第四團』雖然在形式上駐防台灣，但實際上兼管福建、台灣雙方，而各駐一半。另有擔當管理、運輸從日本接收的武器類的『聯勤總部台灣供應局』與『輜汽二十一團』的大隊。另外又有從日本接收的高雄和基隆二要塞的留守部隊，與直屬警備總司令部人員微小的衛戍部隊。就算把以上全部合計，能夠擔任實際作戰的，也只有三千五百名左右，而且是以軍械庫和接收自日本軍事設施的管理為主要目的的軍隊。因此無法臨機應變地用來鎮壓起事的民眾。

「我絲毫無意替鎮壓辯護，不過如替完全明白守備軍人手不足的警備總司令部這一方的將士設想，那麼對憤怒若狂的群眾害怕發抖，希望靠開槍來制止的心情，也未嘗不可以想像。總而言之，實在是愚蠢的舉動，釀成星星之火而燎原的結果，步步進展

到幾乎不可收拾的局面。」

中共的行動

在當時，有或多或少的政治經驗，稍具組織能力的反體制團體，非中國共產黨（中共）莫屬。中共當局對事件當時所實施的黨的具體方針及實際行動，直到現在都不曾有過正式的發表。

如把片斷的報導和回憶錄等撮合起來，加以整理，可能大致是這樣的：

中共地下組織的要員，已經潛入台灣。光復以來只有不到二年的期間，根本無法充分展開組織的重建與舊台灣共產黨有關人員的歸隊手續等活動。正在展開其活動過程中，二二八事件就突如其來的爆發了。黨的地下組織，當然，沒有意料到事件的發生，更談不上進行配合事件的組織上的有關準備。正確地，或許應該說，既尚未具配合事件進展的條件，也沒有配合的組織力量。

在台中地區，原台灣共產黨幹部謝雪紅一夥人於3月5日組織二七部隊，從事活動。在嘉義地區，有經中共紅區派回台灣的中共台灣省工作委員會軍事負責人張志忠（張梗）所領導的襲擊嘉義機場等軍事行動。實際行動的人們，都不是工人、農民階級出身，多為從舊日軍復員的失業青年和熱情奔放的大專中學生等，乘著反政府的興奮漩渦，可以說臨時湊合在一起而已。

台北地區沒有成形的軍事組織，共產黨員和原共產黨有關人士，最多只能躲在「二二八事件處理委員會」（3月2日在台北中

山堂組成）背後，充當向「進步人士」獻策的參謀性角色，或從
事宣傳工作。

處理委員會

　　談到處理委員會，原是當局所提議設立的（按：當局起初大
概既希望又打算迅速且圓滿地了結事件）。到了形勢惡化以後，
也許以拖延時間為目的而倡設。最先成立的，是台北市的處理委
員會。會員包括當局方面的代表、省參議員、參政員、制憲國民
大會代表等本省籍的民意代表。

　　既然是依政府方面的提案而成立的機構，成員的台省人的想
法和政治上的立場，當然從左到右，分歧多端。不過，就以左派
來說，也沒有一個是正式的中國共產黨員。

　　如果加以冷靜地研判，以台北市處理委員會為中心的政府方
與反體制方的攻守或討價還價，也許如下：

　　委員會內部勢力，大致由三個集團所構成。首先，第一個可
以舉出的是當局，以及跟它貼緊的「半山」集團。「半山」就是
抗日戰爭中，在大陸從事抗戰，光復後隨長官公署，以接收要員
身分返台的原台省出身者的通稱。他們多冒充「凱旋將軍」，行
使特權，接收「日產」，化為私有，因此頗有惡評；第二，是熱
心於政治改革的中間偏左集團；第三，是從中間派到右派的保守
系大地主和地方士紳集團。

　　第一集團在處理委員會中的意圖，前面已經交代了。第二集
團，有中共的地下組織在背後擔當參謀的角色。他們一面把談判

引導到有利的方向，一面意想亡羊補牢地掌握並組織民眾奮起的能源。此外，也謀求透過談判的過程，推行自己所意圖的政治性的社會教育。被選任為委員會的「宣傳組」組長，也就是發言人的，是茶業公會理事長、省參議員、進步派民主人士王添灯（3月12日晚上被暗殺）。第二集團的人一方面支持他，他方面充分運用他開明資本家的資質，挑起合法性鬥爭。成果落實在後來的「處理大綱32條」。

從許多非正式的證詞和情況證據研判，當時中共在台灣的負責人蔡孝乾（在埃德加‧斯諾的日譯本《中共雜記》中以蔡乾名義登場。）似乎企圖把台中和嘉義的武裝組織合併，將鬥爭引導到有利的方向。嘉義的張志忠是黨員，但據說因為蔡與台中的謝雪紅之間，自光復前以來的個人對立仍然持續，只好聽任統合失敗，眼睜睜看著事態演變。

可以當作結論來說的是：以共產黨為首的左派，志氣固然高，可是組織的基礎脆弱，明顯地在白費氣力。幾乎所有公開活動的幹部，在國府軍支援師抵台（3月8日）之後隨即逃亡到大陸，其餘或被槍斃，或入獄，或潛伏地下，陷入七零八落的苦境。

第三集團，一面冷眼旁觀事態的進展，一面設法防止情勢的惡化，擔當調停的角色。他們雖然希望民主化和台灣的地方自治化，可是擔心被左派掌握領導權。因為他們具有在殖民地時代的抗日運動中抗爭的痛苦經驗，完全明白左派的目標在哪裡。

國府增援軍的鎮壓行動

國府增援軍的兩個師，從3月8日到9日，陸續在基隆登陸。肇事方的台省人對外省人所加的私刑、漫罵，尤其是用日語或日式的侮蔑行為，嚴重地刺傷外省人的感情，挑起怨恨，並轉而影響增援師將士，是不難想像的。何況處於抗日戰爭中的反日感情仍舊濃厚留存的時期，台省人與外省人之間所造成的隔閡，深刻的程度，超出人們想像之外。

鎮壓軍的鎮壓行動，兇悍地展開了。「近親憎恨」升到頂峰，透過槍枝而進行的淒慘情況展開了。

共產黨人一開始就把自己的政治行動定位為明確的政治改革，進而當作在大陸進行的壯烈革命領導權爭奪戰之一環，因而老早知道自身的危險。他們迅速潛入地下，或試圖逃出島外。可以區分為從中間到左派的熱情名士和屬於知識階層的人們，也許受到時代性情況的局限，可以說處於中國革命的圈子之外。他們多半本於樸實的祖國愛，把一縷希望寄託在政治改革的可能性之上。按實情來說，大概一直到最後，都還沒有發覺到自己在事件前後的行為，將被他人怎樣作「政治上的」利用。

台北市處理委員會委託宣傳組長王添灯起草的「二二八事件處理委員會處理大綱」，起初有32條。它的主調在於穩健的事件收拾方策與政治改革。他們所揭示的最高目標，只不過是在台灣實現錄用更多台省人的高度地方自治而已。

然而，在進入討論的3月7日下午的時候，國府支援軍抵達台灣的風聲傳開，眾人心惶欲逃。當局派特務人員潛入會場，在

忙亂中，追加新的十條，逼使它通過。在這十條中，「甲、軍事方面」的第五條「撤廢警備司令部，防止軍權之濫用（於未然）」，與「乙、政治方面」的第二十九條「要求無條件立即釋放以戰犯及漢奸嫌疑受拘禁之本省人」，後來被利用為鎮壓的法律上理由。顯然，這是被套上去的「陷阱」！

受鎮壓而死傷的人，據說在一萬以上，但正確的數字，至今仍不明確。從日本殖民地時代以來就活躍的菁英分子和士紳，失蹤了不少；被暗殺的事實，直到今天仍舊銘刻在中上層台省人的心目中。

由於談論和研究二二八事件都是觸犯禁忌，所以它的實情和真相，至今還是根本弄不清楚。儘管鎮壓的機構錯綜複雜，現在大部分的台省人還是只把自己看成受害人，而痛斥國府、國民黨、外省人為加害人，把事情單純化，並加以咒詛。甚至於時常對外省人流露出厭惡的情緒。

當時的國府也罷，國民黨也罷，都絕對不是一個整體。特務機構的軍統也好，CC也好，都有台灣人的有力特工，他們簡直是在「趁火打劫」，拿事件做藉口，恐嚇別人，勒索錢財。事件之後，他們又多半以經濟界要人身分，君臨台灣的財界和企業界。據說，有一部分人為了防止自己曾經和日本合作的積惡被揭發，正好利用這次好機會，以密告和假借憲警之手進行暗鬥和暗殺，以「借刀殺人」的方式根除對手。這種案例自屬不少。

無論如何，多半不是公開審判，而是祕密中的逮捕和暗殺。不管兇手是誰，不問鎮壓的方式和內容如何，罪惡元兇的標籤，都要貼在國府、國民黨、外省人的頭上。陳儀被看成他們的代表

人物，惡名昭彰地刻在人們的記憶裡。只留下悲劇的傷痕，繼續疼痛下去。

　　而日本殖民地時代「共犯結構」中的從犯們，卻趁二二八事件的機會，在不知不覺之間，巧妙地從民眾的視野和記憶隱身而去。他們從此一變而挺胸抬頭，以新的「共犯結構」的配角身分，毫不在乎地重新上台。他們自己也是台省人，因此以主張被害人之類的姿態行動。並且看準了民眾在認識上很少覺察政府、政黨、外省人的區別和層次，而巧妙地在民眾面前充分運用政府、政黨、外省人為擋箭牌。只要擋箭牌存在，政治上的禁忌持續下去，他們就可以在虛構和矯飾的大環境中磨鍊保身術，安享餘生。並且，以現狀來說，他們的後裔也深深套進「共犯結構」中，一直發達到今天。

第五章　國府中央遷台與
國民黨統治的確立

一、台灣的國共鬥爭

大陸的國共鬥爭

　　從戰後到中華人民共和國成立為止，國共二陣營在大陸的勢力的構圖，大致如下：

　　獲得美國全面性支持的國府軍，有正規軍約二百萬，總兵力約四百三十萬，裝備也精良。尤其是蔣介石以贏得抗日戰爭勝利的象徵性人物，聲望空前高升，因此在表面上，國府方面似乎占有壓倒性的優勢。

　　相形之下，中共方面連八路軍和新四軍合計約一百三十萬人，從延安以窯洞為中心的極端樸素生活，和草鞋所象徵的簡陋裝備推測，人們頗有判斷他們屈居下風的趨勢。然而鑽過陶醉在勝利中的國府軍的疏忽和空隙，中共軍向華北和東北地區，逐漸確實地鞏固地位。

　　國府於1946年5月5日，從重慶遷都南京。6月30日，國共停戰會談一決裂，內戰就全面化。國府方面或許以為有必要不計一

切地在制度層面與政治形式上趕緊取得優勢，因此在同年11月15日召開制憲國民大會，於1947年1月1日公布《中華民國憲法》。接著，在同年11月21日和1948年1月21日，分別舉行第一屆國民大會代表的選舉和第一屆立法委員的選舉。

國府依據選舉的結果，於1948年3月29日召開第一屆國民大會，分別選舉蔣介石為首任總統，李宗仁為副總統。與國民黨所倡導的政治拜拜盛況正好相反的，是惡性通貨膨脹的猛颶。為了因應這個局面，蔣介石締結中美經濟援助協定（7月3日）。此外，又任命其子蔣經國為上海地區經濟副督導員（8月21日），實施幣制改革（發行金圓券）以策萬全，但終歸失敗。財政經濟的崩潰，進入讀秒的階段。

在軍事上，國府軍也更加陷入劣勢。1948年9月26日，濟南失守；10月21日長春，11月2日瀋陽，11月30日徐州，1949年1月15日天津，分別失守，終於導致1月23日，聽任中共軍不流血而入主北平的結果。

1949年1月21日，因情勢急轉直下，蔣介石下野，李宗仁就任代理總統。惡化的軍事情勢再也無法扼止，4月23日南京，24日太原，5月15日武漢，25日上海相繼失守。這一來，連長江一線也變得無法防守了。

8月5日，美國判斷大勢已定，公布了《對華關係白皮書》，把大陸失敗的一切責任推給蔣介石與他所領導國府的腐敗和無能，《白皮書》可以說是美方對蔣的一種斷絕關係宣言。留在蔣介石前面的出路，只有就西南地區的昆明或重慶、華南的廣東，以及離島台灣三者，選擇其一為流亡地而已。前二者已經是中共

的地下組織所控制之地，因此不得不趕緊死心斷念。

中華人民共和國的成立

　　1949年10月1日，毛澤東在北京天安門廣場宣布：「中華人民共和國中央人民政府，今天成立了。」以這一天為界線，中國大陸的大部分上空，由中華人民共和國國旗──「五星紅旗」，取代了中華民國國旗──「青天白日滿地紅旗」而飄揚。

　　嚴格地說，在這個時候，西南地區的重慶、兩廣（廣東、廣西）地區的廣州、海南島、還有西藏，也都仍在國府手中。國府在形式上雖由李宗仁代理總統指揮，可是實權依舊歸於1949年1月21日下野的蔣介石，以國民黨總裁的名義掌握而遙控。中國大陸全土統歸中共的統治，是在1951年12月，人民解放軍和平進駐拉薩的時候。

　　中國共產黨建黨（1921年）以來，呈現熾烈進展的針對中國革命領導權的國共在大陸上的鬥爭，到此大致收場。新的鬥爭舞台，從此搬到以台灣為中心的島嶼部。

　　然而，蔣介石遙控的國府中央正式遷到台灣，是在1949年12月上旬。從鎮壓二二八事件，收拾告一段落的1947年5月，到中央政府遷移台北的1949年12月為止，在大約兩年半期間，台灣絕不是處於無風狀態。

　　國府於1947年4月22日，任命擁有駐美大使經歷的職業外交官出身的文人政治家魏道明為台灣省主席，做陳儀的繼任人。魏後來也出任駐日大使（1964年6月～1968年8月）。此外，國府把

惡名昭彰的長官公署制與警備總司令兼任省主席制，雙雙廢除。
這是安撫台灣省民與顧慮對美輿論的人事安排。將這些看成因應
美國的反蔣介石勢力的策略之一，想必沒有大過；他們把蔣在大
陸的失敗與二二八事件的爆發合併起來，把批判和彈劾蔣介石的
聲音提得更高。

台灣省政府的新施政

在新起步的台灣省政府內，可以說相當於不管部閣員的14名
省政府委員中，本省籍改為占有七名。當局又害怕「半山」的惡
名，避免偏重「半山」，而選任林獻堂、杜聰明（台北帝國大學
時代唯一的台灣人教授）、南志信（台東阿美族，但或說係出身
卑南族的醫師）、陳啟清（高雄望族出身的原糖業資本家）等
人。對省級的正副廳長職位，也謀求錄用本省人和「半山」，致
力收攬人心。

受到鎮壓的衝擊而視政治為禁忌的本省籍士紳們沉默下來，
通常避免作公開的政治上的批判，而把精力專注在經濟活動上。

1949年1月5日，被看成蔣介石在軍事上的心腹而手腕狠辣的
陳誠，取代魏道明，就任省主席。國府於2月4日，為避免重蹈在
大陸上的錯誤，趕緊宣布要在台灣實施「三七五減租」，規定佃
租不得超過主要作物——習慣上用來支付佃租的作物——全部年
產量的37.5％。藉此在法律上實施減租，也可以說企圖鞏固國府
避難基地——台灣——的基礎。終局的目的雖然是要爭取共產黨
潛在的社會基礎之一的農民勢力，但當前的緊急課題則在於抑制

通貨膨脹與確保移入的大批官軍民的糧食。

得勢的學生運動

　　共產黨的地下組織祕密展開了：「三七五減租」是虛偽的農地改革的一環，不要上當的反宣傳運動。此外，中共看準這簡直是千載難逢的良機，而混進從大陸敗退的初期難民群中，潛入台灣。

　　另一方面，受到大陸學生運動的刺激，台灣更以響應的方式，發起澎湃的學生運動。本省籍的學生們，被來自大陸的進步作家——魯迅、茅盾等——的文學作品，與雜誌《觀察》、報紙《大公報》等所吸引。和馬克思主義有關的小冊子也一直在地下流傳。

　　受共產黨在大陸所占優勢的煽動而左傾的學生不斷出現。「反內戰、反飢餓、反迫害」這項在大陸的反體制口號，在不知不覺之間，以台北市為中心而蔓延下去。負有任務的來自大陸的留學生，也混進台灣，企圖為學生運動點火並加以領導，是不難想像的。

　　1949年3月25日，國民黨宣布同意與共產黨在北京舉行和談，任命邵力子等五人為代表。台灣的學生運動越發得勢帶勁。

　　3月29日，在台灣大學的大操場，舉辦營火晚會，慶祝「台北市大中學學生聯合會」的成立。台灣型的「全學連」露面了。這是台灣史上之空前創舉。

　　面臨4月12日的「三七五減租」的實施，南京、上海的要衝

岌岌告危（4月23日棄守）。4月6日，陳誠下令襲擊台灣學生運動的聖地——台北師範學院（舊台北高等學校，今台灣師範大學）學生宿舍以及有關地點，斷然大舉搜捕。這就是所謂「四六事件」。

國共在台灣的鬥爭，由於這次的「四六事件」而表面化，憑靠鎮壓該事件的成功而暫時閉幕。嗣後，情況就演變為地下鬥爭。

二、「三七五減租」與掃紅

三七五減租

台灣的農地改革，通常以1949年4月12日開始的「三七五減租」為第一階段。第二階段為1951年6月29日實施的公地放領；第三階段為1953年1月26日施行的孫文所提倡的「耕者有其田」政策。研究者多對農地改革的經濟層面詳細注目，加以討論。但，台灣的個案，正以具有特殊的政治性意義，而獨異於眾。

大家都知道，台灣是透過光復，才剛剛重歸祖國的原日本殖民地。從客觀的立場來看，國府政權在中央政府遷移台灣之時，在台灣應該還沒有穩固的民眾基礎。

以國府政權的階級屬性而言，本來由台灣的資產階級和中上層地主階級做它的支持基礎，應該是合理合情的。不過，在光復隨後的以政治權力為中心的重建，與針對它的支持基礎的新編和整合所做的處理，可以說由於二二八事件的爆發而徹底挫敗。

　　對陳誠來說，台灣施政的緊急課題是建構自己權力在台灣的支持基礎。它也具有預防「紅色細菌」滲透的意義。以陳誠當時的處境，台灣農民是唯一存在且最適當的可以說服及可資利用的對象。在國府中央權力內部，還沒有台灣地主階級參加。令人啼笑皆非而又傷心的是：二二八事件在意想不到的一面，幫助了國府中央鞏固在台灣的權力基礎。

林獻堂的流亡

　　從減少佃租開始，然後，儘管要付出代價，但以廉價徵收的地主的土地，交給佃農。對這種農地改革，地主方面有異議的反應，是不足為奇的。然而，二二八事件的打擊太大，對鎮壓的恐怖陰雲，依然沉重地壓在台灣中上層地主頭上，夾纏在心中深處而不散。

　　具有象徵意義的事象，是林獻堂流亡日本。前面已經提過，林是台灣首屈一指的開明大地主，是反抗日本的中間到右派集團的統帥。他於1936年6月，結束中國大陸的旅行，在返回台灣後的報告會上，稱呼中國為「祖國」，因而挨過右翼日本浪人的毆打（祖國事件）。另一方面，林在二二八事件中，擔當調停人的角色，被謝雪紅等左派批為與國府當局合作的人物。

　　在表面上，林獻堂於1949年9月23日，假借療養疾病的名義，流亡到日本去。不過，這似乎應當看成他向陳誠對付地主的政策——包括籌措糧食與三七五減租——所作的無言反抗。一直到1956年9月8日，在東京久我山壽終正寢為止，林始終不肯理會

國府的返台勸誘。不但如此，據說在中共政權成立後，還暗中支
援邱永漢等的台灣獨立運動。

　　從國府方面看來，林獻堂的流亡與不合作，表示它沒有充分
獲得台灣中上層地主的支持。換句話說，也可以研判：國府未能
把台民的中上層資產階級，充分且有效地編入它所倡導的、以台
灣為舞台的反中共統一戰線。台灣獨立運動的「根」之一，正可
以在這裡尋覓出來。

國府遷移台灣

　　自從1949年8月5日，美國發表《對華關係白皮書》以來，國
府人士愈來愈心惶意亂。

　　如今回顧起來，似乎只有以蔣介石、經國父子為核心，圍繞
他們的少數中心人物，在冷靜地為策定並實踐從大陸避難到台灣
的大計而奔命。但也未嘗不可以說，因為被中共的「戰犯追究」
攻勢，逼得無處可逃而變得天不怕地不怕。

　　蔣介石下野後，對代理總統李宗仁的制止命令充耳不聞，命
令陳誠、俞鴻鈞（當時的中央銀行總裁）、蔣經國和徐柏園（當
時的中國銀行總裁），把以中央銀行、中國銀行等為首的有關銀
行所存國庫金、銀、美金等財物、外匯，祕密運入台灣。

　　據說，單單是黃金就有390萬盎司、美金7,000萬元、白銀相
當於7,000萬美元，以當時的價格為準，共計大約有5億美元被運
到台灣來（李宗仁口述，唐德剛撰寫《李宗仁回憶錄》，香港：
南粵出版社）。這些財貨對後來財政金融的安定大有貢獻，自不

待言。

在台灣經濟的重建上，不可或忘的是：國府以行政院所轄的資源委員會為中心，把對大陸的美援資金引進台灣，加以運用。國府當局起初試圖在工業部門重建台灣糖業、台灣石油、台灣電力、電信電話，在農業部門則大量輸入肥料，運用肥料換穀制度，以恢復糧食生產並確保食米。

掃紅與陳儀的槍決

抑制住通貨膨脹，使經濟循環稍微開始轉到有利方向時，噩夢再度糾纏台灣的反體制一方。「掃紅」開始了。「四六事件」因為發生在國共和談中，所以被捕者中有一百多名獲釋，19名移交審判，數名被認定為首謀的人被執行槍決。據說就國府對中共鎮壓的歷史上，這算是比較溫和了結的。由於中共政權的成立與國府中央的正式遷台，政情的態勢立即一變。

1949年5月1日，自零時起，實施全省戶口總檢查。這是逼出可疑人物的初期作業。5月20日，全省宣告戒嚴令。它居然到1987年7月解除為止，硬是持續了將近四十年。這只能說是名譽掃地的世界紀錄。

1949年以來，對岸向台灣所作的廣播，一直高喊著「武力解放台灣」。因應緊急情勢而創設的台灣省保安司令部（1949年9月1日）規定：1. 加強台灣入境檢查；2. 嚴格取締縱火破壞；3. 舉發與肅清中共間諜；4. 禁止與中共地區的電信往來，共四項緊急措施。

　　儘管如此，據聞一般人還是把收音機拿進被窩（當時還沒有耳機），蒙在裡面收聽對岸的廣播。或許存心盡快得知中共對台灣的動靜吧。大致在同一時期，台北火車站大門前面經常張貼「匪諜×××業經槍決」的公告。人們只有一面抱著懷疑和不安，一面極力避免表露其心情，皺眉、歎息而去。

　　從1950年1月到7月，中共地下組織的舉發與被視為匪諜的人物的槍決，一直持續著。另一方面，二二八事件的關係人物卻獲得釋放。其中，值得注意的是下列事件：

　　5月13日，國防部總政治部主任蔣經國宣布：舉發中共地下組織八十多個單位，逮捕中共台灣省工作委員會的最高負責人蔡孝乾等。蔡於同月31日屈服，向全省人民廣播。他於1982年，在台灣病死。

　　6月18日，陳儀以叛亂罪被槍決。陳儀於二二八事件後返回大陸，不久就調任為浙江省主席。據傳，陳儀在中共南下時，策劃仿照北京「和平解放」的前例，以不流血方式解放浙江省和上海，可是計畫洩漏，而於1949年2月23日，以意圖投靠中共的嫌疑被捕。陳於4月29日被祕密移送台灣監禁。

　　緊急狀態持續下去，掃紅一直到1953年底頻繁發生。又，根據國府特務機關的內部出版物《台共叛亂史》，在中共台灣省工作委員會被舉發後，潛伏的黨員們重建組織，從1950年前後起，在中部山岳地帶建立根據地，但終被一網打盡。

掃紅的意義

以前，連談論掃紅也是禁忌。到了近年，政情才改變，當年的「倖存者」全體從火燒島（今綠島）釋放出來。像要配合政治氣候的好轉似的，曾經是政治犯的作家陳映真，以獄中的採訪材料做藍本，在《山路》（收錄於《陳映真作品集》）這篇小說中，描寫當時恐怖的情形。有人批判史實並不像在這本小說中所描述的那麼輕鬆，不過，台灣的共產主義運動，現在仍然處於非法之下。有關人員對當時的事情，依舊保持沉默。國共雙方的有關當局，只要「國共對立」還在激烈持續下去，也極少公開事情的原委，因而學術性的現代史研究遲遲不能推展。

然而，關於這中間的事情，大致可以說明如下：

第一，當局一方面進行掃紅，另一方面同時很巧妙地進行二二八事件的善後，是值得注目的。本省人關聯者的相繼獲釋，相關事件審理終結的宣布，與陳儀——被視為鎮壓二二八事件的元兇——的槍決，可以說是在實施絕妙的以本省人為對象的人心收攬政策。當然，陳儀的槍決，在另一方面是針對外省人，尤其是軍政高官而作的警告，自不待論。

第二點可以提出的是：在台灣，抗爭也淡化了地域主義式對立的性質，以「上對付下」的階級鬥爭的冷酷，在民眾面前展開。病態的政治整肅攻勢，廣泛到波及國府內部的軍、警、政界高官，甚至於企業界的要人、領袖。

在這段期間，假借掃紅名義而排擠對手，報復私怨等卑鄙的行徑層出不窮，因而造成的冤獄也不少；民間至今仍然存有這種

耳語。

　　掃紅的真相，並不明確。唯一明確的是：人性被扭曲，互不信任的人際關係和陽奉陰違的社會風氣，很快地蔓延到台灣整個社會；另一方面，奉承和追隨得志的權貴的人則愈來愈多。在少數的知識分子中，也有試圖標榜「君子不立危牆之下」，而作沉默與隱遁式的消極抵抗的人士之出現。

　　姑且把掃紅看成國共兩黨以台灣為舞台的血腥競賽好了。從1940年代末期到1950年代前半，尤其是在韓戰前後，國府權力正處於危機之中。在緊急狀態下的權力，與世上的獨裁權力完全相同，不，應該說因為殘留著濃厚的封建體質，所以無暇注視事件的是非、真偽，只關心對中共鬥爭的成敗。

　　這對懷抱開明心情的人們、無告的百姓來說，是難以忍受的不愉快的政治、精神季節。可是，只有冷酷的政治過程大模大樣地向前推進，而邁入一黨獨裁的道路。學會明哲保身之術的民眾，不知不覺地被迫屈服，新秩序與台灣中上階層的新型「共犯結構」於是慢慢塑造成形。

三、美國對國府的援助

蔣介石復總統職

　　政治，無論是國際政治也好，國內政治也好，經常在歷史上留下充滿意外的戲劇性痕跡。在1950年6月25日爆發的韓戰中，以台灣為中心的局面為之一變，就是很好的例子。

　　發表《對華關係白皮書》（1949年8月），一度甩開蔣介石的美國，隨著美蘇冷戰的激烈化與韓戰爆發所帶來的遠東情勢的劇變，慢慢轉變對國府的政策。此外，當時的蔣介石有相信以第三次大戰的爆發作賭注，可以趁機重返大陸的跡象。他在1949年1月下野，只不過是為了重整自己的陣營與台灣的要塞化而爭取緩衝的時間而已。

　　除了國庫所存的金銀與外匯搬入台灣之外，還有一件值得注目的是：北京故宮博物院中能夠移動的文化財寶，幾乎全部都在1950年1月上旬以前運進台灣。這些文化財寶於1965年9月底，在台北市近郊興建完成的故宮博物院展示，從此成為珍貴的觀光資源，是眾所周知的。有一種說法是：從1950年代到1960年代前半為止，文化財寶被運用為美援擔保物的一部分。但，沒有確實證據，真相不明。

　　兼任台灣省主席與東南軍政長官的陳誠，一手承擔國府中央的大陸撤退業務與在台灣重新、再度部署的指揮，效犬馬之勞。蔣介石重新對陳賞識，在遷台隨後，立即命他組閣，後來還重用為副總統，由他統攬經濟建設。

　　取代1949年1月21日下野的蔣介石而就任代理總統的李宗仁，仍舊無法掌握實權，徒然東奔西跑。他也趁中共政權成立與廣州失守（1949年10月15日）的機會，逃到香港，隨後於12月5日流亡美國。

　　蔣介石於1950年3月1日，排除流亡美國的代理總統李宗仁的反對而復職為總統。在這以前，不但遙控撤退的大業，而且也沒有忘記作人事部署，以便再度爭取業經中止的美援。

在《對華關係白皮書》公布隨後，派遣唯一由美國維吉尼亞軍事學校（Virginia Military Institute）出身的將軍孫立人，以陸軍副總司令帶職赴台，兼任陸軍訓練司令與台灣防衛司令二職。它的目標不外是謀求運用孫和美國的關係，尤其是和盟軍總司令部麥克阿瑟元帥的私交，與美國重歸於好。蔣在復職時，更進一步提拔孫擔任陸軍總司令的要職。

與孫的人事並行，任命吳國楨為台灣省主席，以取代陳誠。時在國府中央剛剛遷台的1949年12月21日。吳是普林斯頓大學博士，在美國大眾傳播界素獲好評，這是國府高官中少見的情形。他曾任上海市長，與蔣介石夫人宋美齡有深厚交情，是被美國的中國通稱為K. C. Wu而親近的文人政治家。

在同一時期，破格任命數學、彈道學專家俞大維為國防部長。俞擁有哈佛大學博士學位，原是文人氣質的學者。抗日戰爭前夕，進入軍界，擔任了12年的軍政部兵工署（兵器廠）署長。這段期間，接受過英、美為首的聯合國方面的許多勳章。他是很有特色的自由派儒者，一直受到尊重。

以俞大維為中心的獨特人事安排，似乎不僅僅是對外而已。通常認為與國府軍傳統派系的糾葛無關，是被賞識具有文人氣質，通達內外的教養、哲理，淡泊而廉潔的人品而作的任用。他於1951年2月一度離職，但於1954年5月再度入閣，擔任國防部長竟達十年七個月。在這段期間，據說以蔣經國「幕後且未被覺察的家庭教師」身分，發揮實質上的功能。他始終堅持超然的處世態度。即使在過了90歲的最近*1，還有人評論他仍然在正面的意

---

*1 俞大維逝於1993年。

義上對台灣的政局保持隱然的影響力。

美國的援助與《日華和約》

　　《對華關係白皮書》發布後，作一連串慘痛的敗退，勉強完成撤退台灣的國府中央，除了仰賴美國，別無他法。韓戰爆發，形勢丕變。美國第七艦隊美其名為中立化，實質上卻從介入國共關係的1950年6月27日起，防禦中共軍進攻國府台灣。

　　美國已經不能夠忽視這統治不沉的航空母艦・台灣，擁有60萬大軍的蔣介石的存在了。不但如此，就是在美國本身遠東戰略的執行與圍堵中共的作戰上，國府台灣也成為不可或缺的海上堡壘的一環。

　　美國重開援助。此外，美國國務院顧問杜勒斯（J. F. Dulles）還主張在對日和約交涉（1951年9月8日簽署）中，排除中華人民共和國，由國府參加，而向當時的日本首相吉田茂施加壓力。那時候，在美國參議院，國府遊說團仍然較強，麥卡錫主義的瘋狂整肅風（1950年2月～1954年12月）正在猛吹。日本如果不選擇國府台灣為講和的對象，美國就不會批准和約的氣氛甚濃。選擇部分性妥協途徑的吉田，向杜勒斯提出「與國府講和，但以國府有效支配地區為限」為宗旨的書簡。它暫時受到接納，日本於是從1952年2月20日開始，在台北與國府從事交涉。

　　國府台灣與日本雙方，從一開始，意願就不同。國府方面虎視眈眈，打算巧妙地活用美國以韓戰為轉捩點而高漲的反中共大陸趨勢。蔣介石使出渾身解數，把國府代表全中國的立場與舊金

山對日和約的簽訂夾纏，以便透過美日關係，爭取國際上對他的
存在的肯定及外交承認。

　　吉田當然不願意承認國府本身為全中國的代表。因為他預見
未來的國際關係，希望先打通與中國大陸的交道。拿與杜勒斯的
妥協案做主調，日本方面堅持不讓。美國參議院看到在台北進入
交涉，就放心下來，於3月20日承認對日和約，並預定4月28日生
效。國府與日本在台北的折衝，拖延不前。日本方面倚仗4月28
日這個和約生效預定日而堅持其主張，國府代表則固執自己的立
場。最後，國府讓步，而於4月28日簽署。對國府而言，這真是
一個緊張萬分的交涉場面。

　　日本與國府的和約，本來是以「局部承認」──也就是不涉
及中共所統治的中國大陸──的形式擬訂的。它漸漸變成似乎也
能適用於全中國的形式，乃是透過日本自民黨政府在日本國會的
答辯。簡而言之，是以艾森豪（D. D. Eisenhower）、岸信介政權
共演的「美日新時代」（1957年6月21日岸信介訪美時的共同聲
明）為時代背景而逐漸成形的。

　　值得記住的是：岸信介首相在訪美前夕，於1957年5月20日
啟程訪問東南亞六國，更於6月2日排除中共政權和日本大眾傳播
主流的反對，斷然進行首次的訪問台灣。以日本首相地位，在戰
後首次訪台，所代表的意義，相當重大。

　　倚靠韓戰，國府才能以台灣為舞台，抓住重生的契機。假如
沒有韓戰，恐怕也不會有美國對台灣海峽的介入，並且也不會把
《舊金山和約》與《美日安保條約》搭配，而那麼匆忙地締結
《日華和約》（本冊接下來以「華」字簡稱國府台灣）；這是不

難想像的。

　　歷史是要探究的，「假如」是禁忌；不過，建立假說來馳騁想像力作些遊戲亦未嘗不可，且該是挺有趣的。往往會有人半開玩笑地指摘：「說起來，是毛澤東不好。假如他不在北京宣布什麼中華人民共和國成立，而仍然承繼孫文的中華民國，抑或新稱中華民族共和國的話，海峽兩岸有關國號的爭議也就不致發生或搞得如此混亂了。」

　　台灣以蔣家為中心的國民黨一黨專制之統治機制，於是添上各種各樣的變化色彩而確立下來。

四、一黨專制的確立

尼克森的回顧

　　「右也罷左也罷，反正是我的祖國」（喬治・歐威爾，George Orwell, 1903～1950）；「北也罷南也罷，反正是我的祖國」（留日朝鮮人作家李恢成）。外國作家曾作過這種快刀斬亂麻式的表態。做為台灣出身的中國人的一分子，也想依樣畫葫蘆地說：「大陸也罷海島也罷，反正是我的祖國」，該是在今天這個時期的氣氛所釀成的。

　　把中國近現代史比方為一枚銅板好了。起初，正面是國民黨和蔣介石，反面是中共和毛澤東。以1949年為界線，銅板的正反面被顛倒過來了。原美國總統尼克森（R. M. Nixon）把這中間的經緯，加以歸納如下：

過去半個世紀間，中國的故事大半是毛澤東、周恩來、蔣介石
這三個人物的故事。當被毛追趕的蔣，跑到台灣，中共制壓住
中國本土之後，就把毛蔣的鬥爭說得簡直像上帝與魔鬼的戰爭
一樣。毛澤東本身就曾經把自己比方做活在兩千年前的秦始
皇。個人崇拜把他捧到接近上帝的地步。在這段時期，周躲在
毛的影子背後，忠實地包辦實務。逃到台灣的蔣，雖然採行獨
裁，卻不像毛一樣著迷於個人崇拜，一面保持威嚴而致力於實
現台灣的經濟奇蹟，一面繼續給國民反攻大陸的希望。（《何
謂領袖》，LEADERS By Richard Nixon, Warner Books, Inc., N. Y.
1982）

讀過該段文字的原國府軍的某將軍說：「尼克森歸納得很
好。此外，對毛、周、蔣等中國政治人物的了解，也在該書的有
關描述提供值得閱讀的內容。不過，可惜有許多地方簡直不懂得
我們中國人的感情。尼克森說『繼續給國民反攻大陸的希望』，
但這並不是事實。蔣介石自己沒有放棄反攻大陸的意願，也許
是確實的，可是對他在1950年3月總統復職時所標榜的『一年準
備，兩年反攻，三年掃蕩，五年成功』的口號，認真接受的人幾
乎沒有。當時的我們，首先為了要生存下去，就已耗盡全副精力
了。

值得注意的是：他一方面用口號虛張聲勢，另一方面還要耍
弄權謀術數，在非常綿密的盤算之下，固執地追求家長式個人崇
拜的確立。共產主義者的毛，可以用沒有血緣關係的周做好幫
手，但蔣介石只肯相信兒子經國。是不是因為蔣是陽明學的信徒

而產生的局限呢？就像尼克森所批評，蔣是政治、軍事的戰術上天才，但並沒有具備做戰略家的格局與氣度。這且不說，尼克森談到台灣時，曾談及宋美齡，對蔣經國卻隻字不提，令人費解。」

蔣介石的課題

　　1926年開始北伐以後，蔣介石一面逐漸在國民黨內的軍事層面確立權力，一面在短期中贏取盟主的地位。然而，就像許多有識之士所指摘的，那是缺少實質內容的、名義上的地位而已。

　　毛澤東的確把中國大陸統合為一。姑不論對還是不對，以毛為中心的「上帝」式的個人崇拜能夠成立一段時期，似乎正足以證明這一點。相形之下，蔣介石統一中國的意願，雖然強於國民黨內的任何他人，可是並未成功。不要說國民政府，連國民黨，直到遷移台灣時為止，蔣自己也還無法整合。在中國人社會，這種看法是常識。因此，在遷移台灣時，對蔣以領袖地位被迫面對的國府而言，最大的課題涉及許多方面。

　　從西安事變的張學良、以中共間諜案被羅織的孫立人（後述）等受30年以上的軟禁，又前面所提的槍決陳儀的事例等，就可以看出，蔣對政敵，是徹頭徹尾冷酷無情的現實派。連他的反對者都估量：他憑藉在大陸上的失敗和長期的體驗而產生的對自己在權力主體中定位，與配合定位的洞察力，可以說出類拔萃。

　　復職的蔣介石，連喘一口氣的時間也不曾有。因為他所倚賴的特務機關「軍統」、「中統」雙方出現不少叛徒，在大陸上根

本無法對抗中共。此外，一般將士向中共方面「投靠」，則是舉
不勝舉。從1948年後半到1949年前半，硬是不得不深深體會慘痛
的挫折感與失敗感的，大概只有蔣介石本人吧。

蔣氏父子的專制體制

1949年8月20日，台北設立了叫反蔣派心寒膽顫的「政治行
動委員會」。該委員會是相當於國府中央政治保衛局的祕密組
織。另外，在公開場合，則以「總統府機要室資料組」名義活
動。蔣經國起初以一名委員身分，和父親密切聯手而掌握全權，
兼辦對來台人物的審核，開始重整國民黨中樞的權力。他當時正
值40歲的壯年。

翌年，經國堂堂就任國防部總政治部主任的要職。按照國府
傳統式的想法來說，經國輩分太輕，黨歷、軍歷都淺。理所當然
的，元老級的前輩們，內心頗有不平，但他們保持了沉默。蔣介
石和毛一樣，畢生徹底認識「槍桿底下出政權」的道理。蔣經國
所以要就職為總政治部主任，終局的目的在於透過「政工」來完
全掌握軍隊。第一課題──「整軍」，正式實施了。

其次是「整黨」。大家都知道，蔣介石把大陸時代的黨務，
多半託付陳果夫、陳立夫兄弟。所謂CC強勢派系，在把持黨。然
而，在中共的攻勢之下，它竟脆弱地垮掉了；因此對陳氏兄弟的
責任，追究得相當嚴厲。

國民黨中央改造委員會於1950年8月5日成立，經國也名列委
員；在1952年10月舉行的國民黨第七次全國代表大會中，則升任

為國民黨中央委員。在這段時期，CC的勢力被大大削弱；1951年8月，陳果夫病死。弟弟立夫留下病危的哥哥，於1949年8月4日被委婉地放逐到美國而流亡了。

重整特務機關並完全加以控制，對蔣介石而言，是迫切的課題。透過「整軍」與「整黨」，經國培養了實力，累積了經驗。1950年3月1日，蔣介石趁重返總統職位的機會，把前述的總統府機要室資料組升格為總統府資料室，命國防部總政治部主任蔣經國兼任該室主任。這是謀求特務情報工作一元化的人事安排。

軍統改組為國防部情報局，中統把一部分劃歸中央黨部第三組（今海外工作委員會），後來又把它的一部分劃歸大陸工作委員會，其餘則編入新設的內政部調查局（後改制為司法行政部調查局，今法務部調查局）。

在最後階段，總統府資料室把與國府中央遷台同時祕密設立的台灣情報工作委員會併入，而成立國家安全局。掌握它的全權的，不用說，是蔣經國本身。經國從1925年10月到1937年3月為止，留學蘇聯；他似乎沒有浪費受蘇聯共產黨和史達林（Joseph Stalin）洗禮的經驗。他不但創立組織，而且沒有忘記充實組織，就他而言，裝進新瓶的並不是新酒，而是新血。

覬覦皇位寶座的危險

蔣經國下令1952年11月，在台北近郊北投的復興崗開辦「政工幹部學校」（今政治作戰學校），謀求培養他所寄望的新血，也就是新人材。或許可以說是在模仿父親介石開辦黃埔軍校以便

鞏固權力的故技吧。缺少軍歷的經國，確實透過「政工」來設計掌握軍權的方式，並不是沒有道理的。

蔣經國又於同年10月31日，組織「中國青年反共救國團」（簡稱救國團）。掌握中學以上的學生這股新血，控制他們的精力，編進自己的體制，以圖建立經國自己追求的新體制所最需要的人才管道。

這也可以看成怕大陸時代的學生運動出現，而設計的搶先制敵作法。暑假中集合青少年，舉辦軍中生活、營火、體育活動、文藝營、金門馬祖船艦旅行等。尋求刺激的一般青年，當然喜歡參加。活潑而「腦筋好」的青少年，不分男女，都被發掘並勸導加入國民黨，巧妙地被引進支持體制的預備幹部道路上。

救國團由於它的不民主形象，加上它也是法制外的所謂「黑」組織，所以被自由派和擔當財政的行政官僚們不停地提出抨擊和抱怨。然而，大概是因為深知「愈能夠控制青年的人，就愈能夠控制下一個時代」的原理吧，經國腳踏實地奉行「最後笑的人笑得最精采」的格言，完全不把有識之士的批判放在眼中，而在「我的路」上邁進。

與國府中央一起進入台灣的國府元老和將軍們，或許好好讀過宋代的司馬光編撰的《資治通鑑》吧，洞察並預見蔣介石父子意圖的人，深知「覬覦皇位寶座的危險」，因此認為幹好「被安插的」職位，才是唯一且最高的處世要訣，因而克制自己。這樣，以蔣氏父子為中心的國民黨一黨專制機制的基礎，就鞏固起來了。時在1950年代前半。其中，最克制自己的可以說是陳誠。陳於1950年3月任行政院院長，從1954年3月到1965年3月5日病死

為止，任副總統等要職。可是，並沒有實權。他深深洞察「覬覦
皇位寶座的危險」，於是招集技術官僚與學者們，全力從事經濟
發展政策──包括農地改革後的農業開發和工業化政策──的策
劃與實施。在這段時期，他以經濟界為中心，與上層的本省人
士，也就是台灣人，深相結納。

第六章 「經濟奇蹟」之路和代價

一、經濟奇蹟的實像與虛像

台灣的經濟「奇蹟」

1970年代末，隨著文化大革命的收場，中國大陸政治、社會、經濟的落後也對外彰顯了。與大陸對比起來，人們近年把台灣的經濟成長稱為「奇蹟」，讚賞為Asian NIEs（亞洲四小龍，Asian newly industrialized economies）群的高材生。

足以證實上述情形的數字如下（單位／美元）：

1. 1952至1986年的每年平均經濟成長率是8％強。

2. 每人平均國民所得，從1950年的50美元劇增到1987年的約5,000美元。美元貶值，新台幣升值的現況，預定還會持續下去，因此換算成美元的金額應當還會更高。

3. 截到1987年底，台灣的貿易總額是880億美元，在世界貿易總額名次中列第13位。外匯存底超過760億美元，僅次於日本、西德，目前高居第三。

台灣地區以面積36,000平方公里，總人口1,950萬人＊⁶的規模，而擁有上述的經濟成就，並且能夠保持大幅的貿易順差，因此的確不愧是「奇蹟」。

只知道1970年代以前的台北的人，假如去訪問最近的台灣，想必會被它的變化幅度弄得眼花撩亂吧。大樓的叢林，汽車的洪流，高級旅館幾乎住滿了以日本人為主的外國顧客，林立的餐廳通宵生意興隆，在鬧區遊逛的年輕婦女時髦而脫「俗」。

1950年代初，被認為隨時崩潰也不足為奇的國府台灣之社會經濟，居然能夠歌頌這種富裕，誰又能預想得到呢？

台灣經濟的成長與變化，尤其以最近十年間最為明顯。無論古今東西，急遽的變化，總要伴同「虛像」和「陰影」的。台灣自不例外。甚多人士認為台灣在第三世界或發展中國家裡面，該算是國民所得的重新分配最為均衡化，居民各階層間的所得差距最小的。在數字上，確有足以支持接近上述狀態的依據。不過，許多有識之士又表示：在日常生活的實際體驗上，頗有不協調的感覺。

另一方面，社會問題仍舊很多。在戒嚴令下，麻藥犯罪只有偶爾發生，可是現在，走日台路線的麻藥犯的舉發，為大眾傳播頻添新聞。黑道幫派在這些犯罪的背後撐腰。色情業不在乎羞恥，不顧體面地在街上橫行；娼妓一點也不曾減少。也許可以說，在台灣的特殊政治情況下，地下經濟增高比重，因而呈現無果花式的活力吧。看一眼就可以馬上知道，旅館餐廳的僕役、女

＊6 據中華民國統計資料網，截至2010年8月，台灣人口數已達2,314萬人。

侍中，青年工人所占的數目異常地多。是不是近代性的製造業、營造業和服務業無法完全吸收這些青年工人呢？這未嘗不能看作就業結構依然保持舊態的反映。

對美貿易順差

政府當局得意揚揚地發表外匯存底總數，用來誇示台灣經濟的強勁。可是，關於數字的細節、存款處、運用的具體內容等，卻始終藏在「黑盒子」裡。這數字對台灣經濟來說，不是太大到超出常識之外嗎？不是不當的數字嗎？看不透的運用方式不是不民主嗎？諸如此類，人們心存疑問。

這裡試舉對美貿易順差，做為典型的最近事例。1986年底的136億，在第二年，1987年底，劇增到160億。1985年9月20日，以G5（先進五國財長及中央銀行總裁會議）的紐約廣場共同聲明為契機，開始升高新台幣對美元的匯率。到1987年底為止這段期間，竟升高41.8％。儘管如此，並沒有牽連到所預期的對美貿易順差的減少。

不可或忘的是：在這順差的背後，有台灣產品零件的約六成強（包括日本本國或合辦企業的產品與專利使用費給付）靠日本的供給來維持這項事實。在對美出口突增的反面，來自日本的進口與企業投入雙方在同時突增與進行，這或許足以證實而有餘。換句話說，就是本來應該算進日本的順差帳目的數字，被轉嫁而計入台灣的帳目。有識之士指摘：「奇蹟」的對外性的虛像之一，可以在這裡看出來。

　　無論如何，具有獨特的政治經濟性質，依舊帶許多不透明部
分的台灣經濟，是難以理解的。不過，只有一個沒有疑問的事態
目前正在進行中。光復以來，不管是本省人還是外省人，台灣居
民多半一直把收藏「黃金」和美元當作保衛生活妙方的一部分，
信而不疑的視它為預防通貨膨脹的自衛手段。面對新台幣一連串
的升值，人們驚惶不已。手上的美元一天比一天貶值的事態在台
灣是從未有過的。藉此為轉捩點，台灣中上層的人們重新發現新
台幣的價值，開始對台灣經濟的潛力寄予一些信賴，真是饒富趣
味。今日台灣經濟這樣的規模和潛力，究竟是在怎樣的過程中形
成的？使它變成可能的條件到底是什麼？以下試加簡述。

成長前提的特殊情況

　　要把台灣經濟的成長過程以及使它變成可能的條件，加以客
觀的整理，作合理的說明，未必是容易的事。說起來，要把台灣
當作一個國家，來跟第三世界的其他發展中國家比較討論，頗有
困難。這不外是由於情況複雜而且特殊。構成經濟成長前提的特
殊情況究竟是什麼？

　　前文已經提過，根據1895年的《馬關條約》，台灣在政治、
經濟兩個層面上，以從中國大陸切斷的形式孤立起來，而就此被
日帝殖民地化。殖民地宗主國日本，始終把台灣當作自身資本主
義發展的外延性存在，而加以支配運用。它的基本構圖是「日本
的工業，台灣的農業」。

　　殖民地化的目的，當然在於謀取高度的殖民地利潤和確保台

灣為南進基地等。所有的殖民地政策與在台灣的投資和設施，都是為了孝敬日本帝國主義的需要，而非替居住在台灣的被殖民地化的人們，也就是台灣島住民著想，是不證自明的。此外，投資的資金，初期的大約十年間另當別論，到殖民地統治機制上了軌道以後，都在台灣內部籌措。當年的日本當局誇示台灣財政的豐裕而作的發言，記憶猶新。

總之，經過50年的殖民地統治的結果，留下了不少的基本設施、行政組織、從小學到中等教育（特別是有關農業的職業教育）等「成果」。尤其是下列各層面上的殖民的「遺產」，對國府體制在台灣的重建，發揮正面的功能。

農地改革成功的主因

在殖民地化的過程中，經整編而確立的戶籍與地籍，具有重大的意義。國府當局根據明確的人口統計和戶籍制度，印發國民身分證，幾乎以近於完善的形式，掌握住了全體居民。這在大陸時代的國府而言，是根本無法想像的事。這對治安的維持，特別是對中共地下活動相關，來自大陸的滲透，有事前防止與事後舉發的功能，也可以用來實施徵兵制度。事實上，國府當局把它善加運用，提高對本省人治安對策的效果。附隨當局進入台灣的外省人，也編入同一系統，加以管理。

地籍，也就是以土地的所有權關係為核心的土地制度與土地底帳（地籍冊）的存在，是使從三七五減租開始的一連串農地改革變成可能的最基本條件。我們不可或忘：以國府政權的階級性

來說，能在台灣順利實施農地改革，除了地籍明確存在之外，還要靠下列四個主因：

1. 當時，國府決策中樞的人物中，沒有一個在台灣擁有農地。個別擁有土地的地主，全部都是本省人；因此對國府而言，農地改革可以說是借別人的膝蓋搓繩子——片面包賺的差使。本省人地主階級對它的不滿，後來成為台灣獨立運動能源的一部分。

2. 由上而下的農地改革的執行，非靠強有力的權力在背後推動，是不會成功的。我們似乎應該認為：國府中央權力在台灣的重整與一元化，不但在軍事層面，而且也在以農地改革開始的民生層面發生作用（附帶說明，我無意在此全面肯定且辯護國府中央的存在與權力在台灣地區的行使，筆者意在史實過程的客觀描述）。

3. 台籍地主由於二二八事件所遭受的挫折，與模仿日本而實施農地改革的宣傳，不情不願地被迫同意農地改革。他們縱然有時發牢騷，卻很少公開唱反調。能在不遭受抵抗的情形下實施，對國府當局而言，該是難得的幸運。

4. 國府當局處於非爭取台灣農民的支持不可的緊急情況。因為他們被迫面臨：⑴確保隨同官民的大量移入所需的糧食；⑵記取大陸敗退教訓的重要課題。

拉攏農民，透過農村安定的保持，做為對付中共滲透的防波堤——這種農地改革，迅速實施。在這一點上，國府和美國利害相同，意見一致。美國派遣參與過日本農地改革的著名白俄裔美人雷正琪（W. I. Ladejinsky）到台灣來。又透過美援預算，提供

實施農地改革所必需的行政費用，加以支援。

農地改革大體上的成功，對日後經濟的安定與成長大有貢獻。解救國府中央遷台時財政的窮困的，是公賣收入與林務局經手的出售林產物（特別是木材）所得的收入。公賣收入的重要性，是自從後藤新平時代以來，可以透過日本殖民地統治的全部期間而確認的。事實上，陳儀的政策也是要把它聯繫到光復後的財政政策，加以運用。在「出口大國」化之前，截至1970年代前半為止的台灣財政上，公賣收入所占的比重，依舊不可輕視。確保與利用林產物的收入變成可能，是因為台灣的林野隨著殖民地化而幾乎全部收歸國有，光復後可以把它當作國有財產而接收並確保以及運用。對國府當局來說，可以運用的龐大財源已經存在，極為有利。

此外，在初期外匯收入方面，重心在於台灣糖業。由於日本的殖民地政策不准許只有台籍人士的公司經營，所以儘管糖業關係企業有少數的台民股東，但可以說將近100％是日本人的企業。因此，在接收後自動地成為國、公營企業。姑不論經營效率如何，戰爭結束後世界糖價的好景，對國府50年代的外匯收入大有貢獻，是統計數字所明示的。

二、原日本軍人對國府的協助

原日本軍人的回想

從殖民地解放後的建國情況，台灣與一般的開發中國家，頗

有不同。多半的情形是：原來的被殖民者針對殖民地的遺產，一面夾纏民族的、階級的利害和意圖，一面互相爭奪領導權。一再反覆試驗，而向建國之路邁進。

　　從殖民地統治變成自由之後的台灣，是特殊的。向原來的國家也就是中國回歸和同一化，才是當時被意識到的主要課題。本來的被殖民者——本省人，從一開始就沒有希求成為解放後建設主體的明確的問題意識。這也許是由於不是靠自己的力量而得到的解放，所伴隨意志薄弱的表現吧！

　　從殖民地獲得解放後，以事後處理的第一階段，進行由國府非當權派陳儀一夥主掌的接收，因為二二八事件而遭受悲劇性的挫折，前文已有交代。在它的創傷還沒有完全癒合的兩年後，第二階段就開始了。當國府中央遷台時，國府人士並不把殖民地解放後的事後處理當作最重要的課題來理解和處理，而寧願把重點放在如何防止在大陸落敗的自己的政權崩潰。在本省人與國府人士之間，這種意識上的隔閡很大。希望預先確認的是：自從光復以來，國府有關人士就掌握台灣殖民地解放後的事務處理的實質領導權，而本省人始終只充任配角。

　　我們在前一章談到蔣介石父子的整黨與整軍。而在整軍的過程中，借用舊日本軍人的力量的史實，是值得紀錄的。其中的一名，原「支那派遣軍」參謀（中校）小笠原清，用後日談形式，在日本的《文藝春秋》雜誌1971年8月號留下〈拯救蔣介石的日本軍官團〉一文。

　　據小笠原說，1949年11月，日本人軍事顧問團「白團」的成員，從日本起飛到中國大陸的重慶，面謁已經下野的蔣介石。隨

著國府中央遷台，日本人軍事顧問團首次抵達台灣，是在第二年，1950年初春。他們在興建於台北近郊圓山公園附近的圓山訓練所，對一百多名從大陸敗退到台灣的國府軍指揮官級軍官，重新施以訓練，灌輸自信和信念，試圖賦與再起的力量，好讓他們重新出發。

白團第二期的工作，重新加上部隊訓練與野戰兵訓練的業務，白團的人數，到1951年夏天前後為止，也成為83名的大團了。在北投前面新設石牌訓練所，做為訓練指揮官的場所；另外，在台北稍南的新竹縣湖口訓練所，成立相當於舊日本軍兵科學校的示範演習師。此地召集中級野戰兵指揮官，訓練野戰兵的指揮，同時製作各兵科的操典，以謀求重新確立部隊鍛鍊的基礎。

1952年夏天起，進入第三期。關閉湖口訓練所，集中在石牌，開辦相當於舊日本陸軍大學、海軍大學的長期高級班，以軍長、師長或軍團參謀長級為對象，實施教育。又，開辦短期中級班，以軍團的參謀和團（旅）長級為對象，謀求提高作戰能力。這項訓練，持續到1953年底光景。此外，這一年創設祕密機關──富士俱樂部，做為白團的後方支援部隊。它配合白團第三期以後的活動，以有關戰史、戰略、戰術的研究與資料的蒐集為主要任務。

《日華和約》生效後，白團的活動也持續下去，施行正式的高級指揮官訓練，到1964年為止，才大致結束。有一部分人員仍舊擔任未了業務的整理與國府軍教官的顧問，在台灣停留到1969年。

日華間的「看不見的力量」

　　我們可以從小笠原的回顧得到許多啟示。當蔣介石重建軍隊時，一方面從美國求得兵器等軍事援助，一方面委任美國留學出身的孫立人將軍，統轄一部分以士官和一般兵為對象的美式再訓練。然而，只要從白團的活動來看，顯然，重建的真正內容是日式；而蔣真正信賴的，則為日本的軍事顧問團，而不是美軍顧問團。

　　由於《對華關係白皮書》的慘痛經驗，蔣介石認定向美國一面倒的危險而自我戒懼，是可以充分推想的。當然，蔣從日本陸軍士官（軍官）學校留學以來的交往，對原日本軍當局者搭得上人際關係。蔣判斷：當時的日本軍的殘餘勢力也好，日本政府也好，既不可能又沒有能力出賣他。

　　幸虧包括日本的原軍人在內的日本保守系領袖階層，對蔣介石戰後當時「以德報怨」的談話，感恩戴德。加上蔣對白團的受託盡力，經由駐在東京的大使館的管道，支付包括薪資在內的報酬，待以至禮。此外，對白團背後的岡村寧次大將等人──戰敗隨後臉上無光、生活困窮──的生活，從物資層面加以支援。這樣一來，陷入困局的原日本軍人的上層，對蔣介石更深一層地感恩戴德，而滋生向他報恩的意氣；這可以從小笠原文章的字裡行間充分領會。

　　共同擁有反共意識形態上的基礎，再靠日本式「義理人情」加強的蔣介石集團與舊日本軍人集團兩者間的關係，這一來，堅固得超出想像，它搭建日後日華關係的大架構，成為支持日華關

係的主要基礎。冷靜地注視白團進入台灣以後日華關係的推展，我們就可以明白：以白團為核心的日本原軍人和保守系政界、財界領袖階層，一面發揮「看不見的力量」，一面很快地形成日本台灣遊說團的一大勢力。

在日華和約的交涉中，以白團為核心的「看不見的力量」究竟有無影響，並不清楚。不過，當日本由於《舊金山和約》生效而獨立以後，如果聚集在白團和富士俱樂部的人物們只在袖手旁觀，到底是叫有識之士無法想像的。特別是在岸信介政權成立（1957年2月）後，自民黨內形成台灣遊說團，巧妙地利用美國的「保護傘」，而行使無形的政治力量的軌跡，直到現在，還是明顯的。他們從1950年代中葉起，漸漸現身，成為日華經濟合作事業初期的主要搭線人。

如上所說，蔣介石原以「整軍」為目的，而借用舊日本軍的力量，但它隨情況的進展，而發生意想不到的政治、經濟上的效果，逐漸鞏固日華關係。還有，蔣在整軍的過程中，漸漸淘汰沒有實力的將軍，起用少壯的彭孟緝為圓山訓練所所長兼聯絡負責人，使他威震同儕。

吳國楨與孫立人

另一方面，1953年1月20日，艾森豪就任美國總統；次日，杜勒斯就任國務卿。2月2日，艾森豪以國情咨文發表台灣中立化的解除。隨著《美韓共同防禦條約》的簽署（1953年10月）、美日協防互助協定（共同防禦援助協定）的簽署（1954年3月），

《美華共同防禦條約》於1954年12月2日，在華盛頓舉行簽署。

杜勒斯等美國當局真正所希求的，並不是由蔣介石一夥繼續統治台灣，而是台灣親美派的抬頭，美式民主在台灣的實踐，並藉此把台灣要塞化。此際，吳國楨、孫立人等親美派政治家和將領，對美國來說，是難能可貴的橋樑人物。

蔣介石自從國府中央遷台以來，就培養陳誠和彭孟緝為右車輪，吳國楨和孫立人為左車輪，來實施重建政策，可是蔣介石和特務機關負責人蔣經國，與這些政治家和將領之間，開始發生矛盾。

據吳自己說，他從1949年12月起擔任省政府主席，但與蔣經國衝突，以差一點就要被暗殺為主因，於1953年3月辭去省主席，5月24日流亡美國。又，孫立人以部下中有共產黨間諜，武力政變計畫在事前遭受舉發的理由，於1955年8月20日，被免除總統府參軍長職。此後，一直到1988年春，被軟禁在台中，行動極端受到限制，竟達30年以上。然而，所謂武力政變計畫，根本出於憑空捏造，如今已經在台灣成為常識。

在這樣的過程中，蔣介石集團就驅逐他們認為可能變成反對勢力的老親信，美國的期望於是落空了。要明究這中間的真相，似乎還需要更多一點時間。無論如何，遷台以來，以邁向蔣介石一夥一元性權力的統合與集中的熱場戲，因吳、孫事件的了結而暫時閉幕。於是，以蔣家為核心的一黨專制機制，更進一步地固定化了。

三、經濟發展的台灣式特性

農復會與美援會

有關台灣的實證性歷史研究,由於政治上的禁忌甚多,而顯得越發廣泛落後。在對國府蔣政權的在外一般不良形象的影響下,不證自明地把台灣政治單純地解釋為以蔣介石、蔣經國二總統做頂尖的金字塔型整體性統治結構,這種看法居於優勢。此外,性急的批判往往搶先,而冷靜地從社會科學的立場追究國府蔣政權的實態,與蔣氏父子在台灣戰後40年的歷史發展中究竟發揮什麼樣的功能,並客觀評估該占什麼樣的歷史地位的,實在太少。

下面,將對隨同國府中央遷台而附加經濟發展的台灣式特性加以闡明。重新鄭重聲明在前,我無意肯定國府台灣體制的一切,我打算嘗試的是冷靜地、客觀地探究國府中央遷台後有關經濟上的發展的特性及它的過程和結構,並加以解釋。首先,就國府中央的遷台引起何種情況試加整理:

包括60萬大軍在內的大陸外省人遷台,台民通常多半平板地當作惡劣形象加以觀察。60萬大軍在台灣民眾眼中,只顯得是殘兵敗將而已。不過,這支大軍居然以韓戰的爆發為契機,發揮引進美國軍事、經濟援助的功能。這假如不是歷史的弔詭,又是什麼呢?

從1950年代到1960年代前半,以接受美援單位大事活躍的中國農村復興聯合委員會(農復會,JCRR)與美援運用委員會

（美援會），排除傳統式的牽親引戚作風，徹底執行破格高薪的能力本位人事，頗享盛名。還有美方的嚴格要求與疑似夾帶內政干涉的審核，也是遠近皆知的。

　　話說，靈活運用以農、工業為對象的美援，從事經濟計畫執行的，清一色是歐美留學歸來者。他們也為了工作的一個權宜手段，聲稱是美方的「意向」，而巧妙地使用美國做藉口。這是為了擺脫軍、黨、政，尤其是以特務機關為首的保守勢力負面干涉而使用的。

經濟政策的變遷

　　簡單地追溯以美援為背景而展開的經濟政策，是這樣的：

　　從1949到1953年之間，以農地改革為支柱，謀求農村的安定與農業的重建，首先鞏固農業近代化的基礎。其次，以糧食的確保為主調，靠推廣與輸出商品作物所得的外匯，支援工業化政策。

　　農地改革與農業生產上了軌道，在政治、經濟、社會層面也開始發生作用，是從1953年前後才開始的。這時候，以美援為強有力的槓桿的四年經濟計畫，相繼移付實施。第一次在1953至1956年，第二次在1957至1960年，第三次在1961至1964年，一直連續下來。正好以進入第四次四年計畫的1965年6月月底為期限，自從1950年以來，一直強有力地支持台灣經濟的美國經濟援助，決定停止了。補償因援助停止而短缺的一部分外匯收入的，是日本政府的1億5,000萬美元之日圓貸款。該協定於美國停援預

告中——1965年4月26日——簽訂。從此以後，日本與台灣經濟的關係，就愈來愈密切了。

或許是預期到了1964年度，工業部門的生產值就會開始超過農業部門吧，當局喊出「在今後十年內，積極將經濟結構，從以農業為主體轉移到以工業為主體」的口號。這樣，「十年長期經濟發展計畫」與第四次四年經濟計畫同時移付實施，而邁向更積極的工業化途徑。

1965年3月5日，從1950年代以來，擔任農地改革與經濟計畫總管的副總統陳誠，因肝癌去世。就像排擠吳國楨和孫立人一樣，蔣介石也一直在奪取陳誠的實權，所以陳並不得志。他是代表被美援所支持的台灣經濟時代的人物，不過，他的死剛巧在援助停止前夕，令人預感舊時代的收場與新時代的開幕。

蔣介石不僅是從陳誠手裡奪取軍事、政治的實權而已，他也不許陳介入以中央銀行為核心的金融財政界。軍、特務機關與金融財政是政權的命脈，站在蔣介石的立場，自不能輕易交給自家以外的人。金融財政界始終把持在以蔣介石夫人宋美齡為首的所謂「官邸派」手裡。

蔣介石對權力的掌握

現在才看得清楚，蔣介石在形式與實際兩面，大致能夠完全掌握一元性的權力，是在1954年。

蔣介石就職第二任總統，是在1954年5月。陳誠同時就任副總統，同時行政院即被改組。受命組閣的是對國庫所存金銀和外

匯轉運台灣有貢獻的原中央銀行總裁，繼吳國楨之後擔任台灣省主席（1953年6月～1954年6月）的俞鴻鈞。蔣介石趁這機會，創設超出憲法規定之外的國防會議，自行統轄，做為實質上的中央決策機關。他又任命蔣經國為該會議的副祕書長，一面使他以輔佐職名義揣摩帝王學，一面也讓他兼任實質上的監督職。

　　蔣介石讓經國掌握軍、特務機構加上青年學生，把金融與財政交給官邸派，經濟計畫和農業問題還有收攬本省人上層資產階級人心的任務則付託陳誠，如此各自分擔，似乎企圖一面嘗試分割統治，一面收取統合與協力的實效。

　　有關掌握政權的關鍵範圍內，蔣介石、經國父子是徹底的現實派。他們雖然一直標榜孫文與三民主義的意識形態，但真心且不顧體面而實施的，卻是資本主義式的經濟成長政策，是以吸收外資為主調而推行的由上而下的工業化、近代化。

1970年代的經濟成長

　　其中，最值得注目的，是透過以保證從外國所作的投資為目的《外國人投資條例》（1954年7月公布，1983年5月、1986年5月修正公布），與華僑回國投資條例（1955年11月）的制定和施行，大幅引進外資（包括華僑投資）和外國技術。進入1966年後，為了有效運用以日本為中心的各先進國勞力市場結構上的改變，而在高雄設立保稅加工出口區（1971年又在高雄的楠梓與台中增設），誘導外資系廠商的投入，以求達成勞務輸出與技術引進移轉的一箭雙鵰目的。

　　在退出聯合國（1971年10月25日）、尼克森訪問中國大陸（1972年2月21～27日）這些接踵而來的外交上的挫折與衝擊下，蔣經國於1972年5月26日就任行政院長。他推出「十大建設計畫」，做為經由經濟層面的起死回生策略，從1973年度到1978年度之間，不顧一切地實施高達50億美元以上的大型投資計畫。

　　常聽到目睹計畫具體實施情形的台灣中上層階級，放下不安的心情，決定留在台灣之類的編造故事。那且不管，其實使他們留下來的原因之中，中共在大陸的失政該算一個，因為文革的悲慘失敗，人們判斷中共軍隊目前還不可能搞武力解放台灣的行動。

　　十大建設計畫生產層面的兩齣重頭戲——一貫作業煉鋼廠（中國鋼鐵公司）和石油化學工業（中國石油公司），從1970年代後半起，就能自力供給原料與中間材料，相當了不起。這是由於經過整個1970年代的出口加工業的快速發展，塑膠、合成纖維用石油化學原料以及機器造船用鋼材的需要大量增加的緣故。

　　另外，以交通、運輸的基本建設而實施的：⑴桃園國際機場（1979年2月26日啟用）；⑵南北高速公路（基隆至鳳山間的373.4公里，於1978年10月完成）；⑶基隆至高雄間縱貫鐵路電氣化與雙軌化計畫（1979年7月完工）；⑷北迴鐵路（蘇澳至花蓮間的88.3公里）的興建（1980年2月1日全線通車）；⑸台中港（將原來的漁港升格，闢為國際港，1982年6月完成）；⑹蘇澳港（接近基隆港，擴充整建為其姊妹港，1979年6月完工）等的相繼完成與運用，使整個台灣經濟產生活力，變成一個以高效率循環的有機體。

　　靠穿過美、日經濟循環間夾縫的方式，穩住地位的台灣出口加工業，以不亞於日本的高明手腕，克服了第一次世界性石油危機（1973年10月），推出纖維、電機、化學三部門的各種產品做主力，大量增加出口。

　　貿易上的出超趨勢，從1971年的2億1,600萬美元開始固定下來。可是，因為第一次世界性石油危機的影響，1974、1975年兩個年度留下一時性的入超紀錄。此外，自1976年度的5億6,700萬美元以後，連續出超，1986年度居然出現合計達156億美元的驚人的貿易順差。

1980年代的台灣經濟

　　進入1980年代以後，台灣除新的四年計畫（1982～1985）外，又同時制訂以1980至1989年為期的十年計畫，做為長期計畫，並交付實施。該計畫打出「引進高度之技術工業與科學人材，獎勵工業技術之研究開發，並促進高度技術之發展」的口號。在新竹，為響應該計畫，已創設科學工業園區，積極謀求振興高科技工業與吸引外資。目標當然在於向節省能源、技術密集型工業轉移。

　　由於第二次世界性石油危機（1979年6月）的影響，1981年度和1982年度的經濟成長率分別暫時性地減緩為5.7％和3.3％，但靠美國經濟的景氣恢復而再度轉趨擴大，1984年創下10.9％的紀錄。

　　到了1985年，美國經濟的景氣蕭條所引起的出口停滯，因金

融制度的前近代性和疏陋，而發生的「十信案」等包庇呆帳的醜聞，信用不穩和政情不安疊合而影響到國內投資的低落，於是台灣經濟瀰漫空前不可測的陰霾，成為艱苦的一年。經濟成長率再度下跌為4.73％。

面對不景氣的台灣經濟，「神風」從日本吹來。自1985年9月22日的G5以後，在日圓升值、美元貶值的主調進行中，釘緊美元的台幣迅速提高競爭力，借力於對美出口的成長，而逐漸恢復景氣。另外，由於日圓升值的壓力，日本企業對台灣的投資，掀起新的暴發繁榮。不但如此，為了企圖把日圓升值的損失轉嫁給台灣，向台灣索購的零件（尤其是電子零件）訂單紛至沓來，而1986年初以來國際石油價格的下跌，也大大地激發台灣經濟的活力。不用說，它更加提高了台灣的出口競爭力。

不過，並不是只有「神風」和順風向台灣吹來。在內部，日益高漲的勞工運動、農民運動、反公害運動以及反核能發電廠運動等接踵而來。低工資而高品質的勞力，加上沒有勞資糾紛，沒有草根性群眾運動及低廉的電費，可以說是對資方有利的各項條件，眼看就要消失。

從外面來說，一直容許任意出口的美方也改變態度，而要求台幣的升值與開放市場的大幅讓步。出口依存度，從1960年代的10％出頭，到1985年以後的超出50％，並且對美出口又占一半，情況是相當嚴重的。如何逐漸修正以對美貿易大幅出超與對日大幅入超為主調的台灣貿易基本結構，是迫切的要務。有識之士擔憂：稍稍超出90％的過大貿易依存度和外匯存底的急遽增加，還有國內游資的過剩，以及地下經濟的活躍，但願不要變成致命的

因素。

　　台灣社會的近代化，與其他國家相比，「光與陰影」太過清楚，而台灣社會的扭曲一天天變得明顯起來。環境的破壞，公害的連續發生，污染的嚴重化之類的事態，是以前的日本也出現過的情形，因此人們抱著樂觀的看法，認為只要政府和企業肯做，仍舊有改善的希望。

　　然而，把賺錢幾乎看成唯一動機的社會風氣，正在一天天腐蝕人心。加上犯罪人的年齡急速地降低到20歲以下，持槍搶劫殺人變成家常便飯等，引起人們的憂慮。有識之士不禁會問：這種富裕的代價，豈是單靠我們這一代，就能付清的嗎？

第七章 激變中的社會

一、1960年代的反體制運動

冷戰結構的變化

通常多從蘇聯共產黨第20屆大會（1956年1月14日）上，第一書記赫魯雪夫（N. S. Khrushchev）所發表的史達林批判演說找出美、蘇和平共存路線的開端。不過，也許應該說，以史達林的死亡（1953年3月5日）為轉捩點，很快就簽訂韓戰停火協定（1953年7月27日），蘇聯宣布擁有氫彈（1953年8月8日），接著赫魯雪夫就任蘇聯共產黨第一書記（1953年9月12日），由上述演變，業已埋下伏筆才對。

美、蘇從1950年代中葉到1960年代前半，各自追求自己的國家利益和意圖，急於趕往新的和平共存途徑。因此，美、蘇的許多方策，就導致逼緊和圍堵革命成功才不久的中華人民共和國的結果。

中共政權維護本身的革命政權，尋求確立世界革命領導權和行使影響力，而開始走向與蘇聯截然不同的途徑和自我主

張。1954年6月，周恩來訪問印度和緬甸，與印度總理尼赫魯（Jawaharlal Nehru）、緬甸總理宇努（U Na）分別發表所謂「和平五原則」——(1)互相尊重領土完整與主權；(2)互不侵犯；(3)不干涉內政；(4)平等互惠；(5)和平共存——的共同聲明。周還攜帶這項「禮物」去訪問莫斯科（7月28日），嗣後，把對美、蘇的警告也包含在內，發動金門砲戰示威。先是1954年9月3日，然後從1958年8月23日到10月24日，但自10月25日以後，就一直只挑單日，由中共方面對金門實施砲擊。

赫魯雪夫為了說服中共，並同時說明今後發動和平共存路線的構想，而伴同布爾加寧（Nikolai Bulganin）訪中（1954年9月29日），發表徒然粉飾門面的中蘇會談公報（1954年10月12日），可是以國際共產主義運動為中心的意見對立，縱然沒有明顯化，卻已經有根深柢固的歧異橫亙在彼此之間。

中共一方面在台灣海峽演出緊張形勢，一方面與印尼總統蘇卡諾（Bung Sukarno）、印度首相尼赫魯等商談，而成功地召開聚集亞、非洲29國於一堂的萬隆會議，通過並發表把前述和平五原則更加擴大發展的和平十原則（1955年4月24日）。在另一方面，還積極接受印尼的調解，開始並維持中美大使級會談（第一次1955年8月1日在日內瓦，以後移到華沙而固定），可謂用心精明周到。

另一方面，美國搭上和平共存路線，接受赫魯雪夫的訪美（1959年9月15日），試圖在美國的領導權下，一舉解決台灣問題。充滿濃厚的甘迺迪新時代下的熱門政策之一的意味。

自由中國案

　　在1953年的吳國楨流亡美國案，1955年的孫立人案以後發生的最有名的反體制政治案件，是「自由中國案」。

　　《自由中國》半月刊，是原駐美大使胡適與雷震聯手，於1949年11月20日創刊的雜誌。據說，它的背後還有蔣介石夫人宋美齡的胞兄宋子文。開辦時，不過是由體制方面的外圍人士充扮「自由的燈塔」的角色，以誇耀國府台灣也有言論自由存在為目的的雜誌而已。

　　雜誌的主持人雷震出身於日本京都帝國大學，是憲政主義者。一度曾以國民大會副祕書長輔佐蔣介石，但意氣不合而離去，可見他是有骨氣的自由派。雜誌一天比一天尖銳化，逐漸變成以激烈批判蔣介石父子的獨裁而受注目的政論雜誌。

　　雷震的周圍開始聚集外省人自由派和國民黨外的台灣人政治家。在同一時期，如前文所述，東西兩陣營的冷戰結構，也開始呈現變化。

　　1960年代甘迺迪（J. F. Kennedy）總統上台前夕浮現於美國的「一個中國、一個台灣」論，與主張中華民國不能代表全中國而只代表台灣、澎湖各島的「中台國」論，所醞釀出來的美國對華政策轉變的預兆，可以證實這些。無論如何，日本國內的反新安保（《美日安保條約》）鬥爭（1959年4月～1960年6月），韓國李承晚的政權的崩潰（1960年4月）等，也開始對台灣的政局產生微妙的影響。

　　聚集在《自由中國》雜誌的批判國府集團，可能推斷這些

是大好機會，而在1960年8月27日突破政治上的禁忌，一舉宣布
預定於九月中創立國民黨的反對黨——中國民主黨。可是，9月
4日，新黨創立運動的中心人物雷震，以「包庇匪諜」的理由被
捕，10月8日被宣判十年有期徒刑而入獄。從而《自由中國》雜
誌停刊，新黨創立的氣勢和關係人也雲消霧散了。以上就是所謂
「自由中國案」。

　　新黨創立固然遇挫，但《自由中國》撒下的種子，所鼓吹的
憲政主義倒確實在台灣的土地上逐漸生根。新黨創立由外省籍的
開明人士與本省籍的國民黨以外（黨外）的人們結合而進行，意
義是深遠的。它可以說是開端的事例，也是新變化的預兆。

超越省籍矛盾

　　白色恐怖告一段落之後，有關台灣政局高層的權力鬥爭，進
入新局面，它在基本上是國府對美國的暗鬥。環繞蔣介石父子的
追求集中一元性權力的競爭，可以說只是「茶杯裡的風波」而
已。總之，美國當局始終志在培養有利於其本國遠東政策的政權
與政治家。

　　參加創立新黨的台灣人政治家吳三連（日本一橋大學出身，
首任台北民選市長，1951年2月～1954年6月）與高玉樹（日本早
稻田大學出身，第二、第五任台北民選市長，1954年6月～1957
年6月、1964年6月～1967年6月。順便說明，高在任期中，因台
北市依政令改制為行政院直轄市，而仍然被任命為官派市長，至
1972年6月止），是美國非常中意的政治家。二氏的志向如何，

　　雖然不明，可是美國巧妙地透過經濟援助，幫他們打基礎，給他們鼓舞士氣，是眾所周知的。在那以前，因為與日本的殖民地統治的關係，台籍政治家和美國的聯繫甚淺。美方心目中的理想人物吳國楨、孫立人的管道被切斷後，吳三連和高玉樹，才得以跟雷震等布置共同戰線的形式下突然高升、彰顯起來。

　　對自由中國案採取鎮壓時，當局或許也參酌對美權力遊戲和對台灣民眾的顧慮，本省人這一方沒有人被逮捕。可能是網開一面的代價，參與創立新黨的李萬居的《公論報》被霸占，而被迫停刊。時在1961年3月。顯然，粉碎批判國府的有力民營報紙，並不只是對李個人的懲罰，而是當局也意圖及早摘掉有可能發展成黨外宣傳機關報的嫩芽。

　　李萬居生於台省雲林縣，從中學時代就赴大陸就學，經留學巴黎，而在大陸參加抗日戰爭，光復後以新聞事業接收要員的地位，與陳儀一行一起返台。夫人為湖南省籍。他只要有意，隨時具有靠攏國民黨以謀「大成」的門路。儘管如此，他卻以報人貫徹一生，是至今仍舊膺得台籍民眾尊敬的台灣賢達之一。

　　當時的反體制運動，還是溫和的，充其量透過選舉活動，拐彎抹角地批判、挖苦國府和國民黨。黨外政治家在都市區，偶爾能夠凝聚對國民黨批判的票源而當選。然而，選舉干涉嚴重，選民的意識又低，因此黨外運動並不容易開展。突破干涉而當選的人，又不知道會被如何在雞蛋裡挑骨頭，而小心翼翼、戰戰兢兢地度日。

　　以新黨創立為中心，本省籍與外省籍的人士能夠匯合，就結果來說，等於向萬人傳播：有共同的利害和政治理想為中心，人

們打破省籍界線的溝通是可能的。在那以前，溝通在兩個層面上有困難。一個是在表達意思的手段——語言——上的隔閡。一般而言，壯年以上的台灣人，由於受到日本統治的影響，明顯地在語言上欠缺北京官話的表達能力。1960年，說起來是光復後第15年，是台民逐漸習慣於北京官話的時候。不過，更重要的是：在創立新黨這個情勢中，以前所欠缺的共同的「政治語言」才勉強形成。國府當局嚴厲的鎮壓政治，以「意想不到的效果」而成為凝聚本省籍人士與外省籍人士，釀成彼此間的信賴感的媒介。

經濟成長與政治的變化

國府靠農地改革，大致確實地把農民編進體制內。此外，又利用鄉村地主層對「插手政治」的喜好，讓人們為了掌握縣市長、鄉鎮長級的地方的小權力，與贏得地方議會的議席，而組織派系，熱中於權力競賽。追求政治的精力獲得發洩的管道，欲望的不滿得以紓洩到某種程度。民眾這一方則拿到一點點金錢或物品，在舞台下觀賞競賽。

1964年，工業生產額首次超過農業生產額。工業化的速度越發加快，工業層面的領導權逐漸轉移到民營企業。民營企業以中小企業居多，幾乎所有的經營者都是本省人。又，工人的意識大為改變，公務員意識減退，接納競爭原理的新型「公民」經營者與工人於是誕生。工業化中心的經濟發展，把人們吸引到都市區，一面促成人口集中都市，一面慢慢改變人們的意識。這的確與支持黨外運動的階層加深關係。

這一來，參加政治的機會固然比起日本統治當時，開放度增大，可是卻始終限定在地方政治水平。再說，惡劣的是政治上的禁忌與干涉，再加上貪污腐化，令人不忍卒睹的行為過多，使人們感到氣憤。另外，教育在入學考試這層面，遵守公開與平等的原則。言論、學術研究的自由雖然受到限制，可是教育層面上的中原中國化卻快速進展。能夠靠標準語也就是北京官話作自我主張的一代，於焉誕生。

另外值得注意的是，蔣經國上台後，隨著經濟成長，他確實做到年年調升軍公教有關人員之薪水，對「安定」與「安撫」大有幫助。

二、台灣獨立運動的虛與實

台灣獨立運動的原點

早於以台灣人為主體的島內民主化運動的，是居住海外的部分中國人所進行的反體制運動。其中，有尋求中國統一，與中共保持密切關係的左派運動，這裡不加討論。在日本，特別受到關心的是台灣獨立運動。所謂祕密結社式的政治運動，虛實參半，並不容易闡明和掌握它的實體。台灣獨立運動也不例外，派系林立，錯綜複雜，無論是主張也罷，運動的型態也罷，都紛歧多端。

台灣獨立運動逐漸確實成形，是以中共政權也就是中華人民共和國成立為契機。不過，運動的當事者為了主張自己運動的正

統性與合法性起見，往往把運動的原點配合自己的方便，而作後設性的解釋。有的把原點放在二二八事件，有的主張以割台時（1895年）之台灣民主國為契機，有的甚至於追溯到鄭成功政權在台成立等，可謂各出奇招。上述各派中，聲勢最大的，是主張以二二八事件為契機的；不過，單從事件的有關資料來看，在事件過程中以明確的方式主張台灣獨立的，並不存在。

台灣獨立運動與日本

關鍵不在於台灣獨立運動從何時開始，而在於運動本身是否具有影響力，以及假如有，它今後將對當前的台灣政局或台灣的前途發揮何等力量的這個問題。自認且被公認為台灣獨立運動的祖師而活動的，是廖文毅。他是台灣雲林縣西螺大地主的後代，本身也是大地主。經日本京都的同志社中學，畢業於美國的大學，擁有化學博士學位。夫人是美國人，在舊世代中是少有的與眾不同人物。二二八事件時，他停留在上海，並沒有直接參與。

廖在二二八事件後遷到香港，與原台共領袖謝雪紅等結合，創立「台灣再解放聯盟」（1948年8月）。並且標榜實現台灣住民的高度自治，從事反國府運動。由於中國大陸情勢劇變，以廖等地主資產階級為核心的右派島外台灣人集團，加強倒向美國，而向聯合國與美國訴求聯合國託管台灣，與依據住民投票決定台灣的地位。在擔任它的關鍵性角色的人物中，邱永漢又可算一個。根據邱的回憶錄，當初僅僅從兩三個人做起。當時的島外台灣人左派集團在立場上無法跟廖等採取共同的步伐，又有中共方

面的號召，遂進入大陸。

　　台灣再解放聯盟無疾而終之後，廖於1950年東渡日本，與居留日本的一部分台籍僑界人士在京都創立台灣民主獨立黨，自任主席。1955年9月，他更趁台灣海峽風雲告急的機會，創設台灣臨時國民會議。第二年，1956年1月，建立台灣共和國臨時政府，自任大統領。後來，他看透運動無進展希望，而歸順國府。時在1965年5月。這個舉動替蔣經國就任國防部長（1965年1月，首次現身幕前）和預定翌年春舉行的蔣介石第四次連任總統錦上添花。

　　另一方面，1960年4月，當時在明治大學講授中國語的王育德，聚結台灣人留學生，創刊《台灣青年》，進行宣傳啟蒙活動，但與廖等推行不同的獨自運動。

台灣獨立運動與北美洲

　　到了1960年代末，運動的中心從日本轉移到北美洲（美國、加拿大為主）。這是因為從1950年代末開始，逐漸增加的當地台籍留學生開始行動的緣故。美國與加拿大的台灣人社會，由於完成學業的留學生的繼續滯留，與國府退出聯合國（1971年10月25日），尤其是美國向大陸那一方接近，中（大陸）日恢復邦交等餘波而劇增的移民群加在一起，階層大大加厚。目前，以最大的台灣獨立運動組織自居的，是本部設在美國的台灣獨立聯盟（1970年1月成立）。該組織自我宣傳，是連日本的舊《台灣青年》集團也包含在內的世界性組織。

　　進入1970年代後，從邱永漢數起，連一度曾取代王育德成為新一代台灣獨立派統帥的辜寬敏（辜顯榮的幼子）等，也陸續回到台灣。這些一連串的歸順事件，不用說，激起了血氣方剛的台籍青年們的憤慨。然而，假如冷眼旁觀，這不外是台灣獨立派元老們的歸順行為本身，在證明他們所主張的台灣民族論——台灣人已經形成與中國人不同的民族，及以它為基礎的民族自決論，是虛構的，已經自行崩潰。

　　相反的，美國與加拿大所謂北美洲的台灣人社會，在迎接新的政治季節。除了台灣獨立聯盟之外，還有主張社會主義式台灣獨立的集團、託身於聯誼團體——台灣同鄉會——以便發展組織的集團、以台灣長老教會牧師為核心的「台灣人民自決運動」、以在美國國會進行遊說為主旨而活動的台灣人公共事務協會（Formosan Association for Public Affairs, FAPA）等，真是眼花撩亂。在上述各團體間，領導階層個人間，有競爭，有糾紛，有矛盾，每逢台灣有政治事件或選舉活動，這些團體中的人們就熱血沸騰。不過，某政治犯針對這種情形，作冷淡的批評。他是反抗國府一元性的權力實施專制政治，而曾經入獄達18年的硬漢。他說：「毛澤東他們在建黨後28年建立政權。台灣獨立派卻一直生活在偉大的虛構與矯飾的世界裡。喊了台灣獨立40年，卻一事無成。到現在還沒有尋找出自己體質的缺陷，對運動也很少作自我反省。只要這種狀態繼續下去，國府大概是安穩的……。」

三、1970至1980年代的反體制運動

高度經濟成長

1965年對台灣地區的社會經濟，是劃時代的一年。美援停止，日本1億5,000萬美元的日圓貸款的提供與高雄保稅加工出口區的開設湊在一起。值得記憶的是，亞洲開發銀行在第二年的11月24日成立。它表示日本資本主義正式回歸亞洲，日本經濟以越南特殊軍需為跳板，呈現更進一步的飛躍，與台灣經濟也繼續深相牽連。這一來，台灣邁向高度經濟成長的各項條件具備齊全，以後經濟就加速度地膨脹下去。

台灣從進口替代型工業到加工出口型工業的轉移，以日、美民間資本正式向台灣的投入為契機，而大步進展。日、美系多國籍企業在台灣地區所尋求的，是低工資、高品質的勞力；沒有勞資糾紛而治安良好；法制也漸趨完備的投資環境。

台灣經濟的高度成長政策，從1960年代末期到1970年代初期這段期間，開始發揮功效。國府當局全力投入經濟，做為謀求自保政權的最高政策。寬大的外資導入政策，除了追求投資的擴大外，又成為一種巧妙的政治經濟上的安全保障裝置──把自己投入國際性的保險。

為了廣泛地、持續地提供品質優良的勞力，自1968年9月起，實施九年制義務教育。大學、專科學校的數目，由1952年度的一所綜合大學、三所獨立學院、四所專科學校，大量增設到1972年度的各9、14、76所。相同的，就學人數在1952年度為研

究所只有（碩士班）13名、大學本科生6,853名、專科學校學生
3,171名，到了1972年度，居然大幅增加到研究所博士班228名、
碩士班2,693名、大學本科生109,827名、專科學校學生138,310
名。

蔣經國對政權的掌握

1969年6月內閣改組，蔣經國就任行政院副院長，須知院長
由副總統嚴家淦兼任。固然加一「副」字，但顯然他才是實質上
的行政院長。因為無論在形式層面或實質層面，權力的轉移都在
開始進行。

1970年4月18日，蔣經國以父親蔣介石的代理人身分第五次
訪美。同月24日，在紐約迎接剛剛結束60歲誕辰宴會的他的，是
拿著手槍的台灣獨立運動家黃文雄和鄭自才。暗殺雖然以未遂收
場，但這是象徵台灣獨立運動的中心移到北美洲，世代完全更新
的暴力事件。另一方面，這次事件更加提高蔣經國在美國的知名
度，大大地引發他對台籍青年更深一層的關心。

1970年代初，國府與加拿大等西方各有力國家陸續斷絕邦
交；退出聯合國（1971年10月25日）；美國總統尼克森訪問大陸
與《上海公報》的發表（1972年2月27日）；中（大陸）日邦交
正常化（1972年9月29日）等，國府台灣加深在國際上的孤立。

在這個危急存亡的關頭，蔣介石於1972年3月當選第五任總
統。蔣經國出任行政院院長，要名副其實地以首相地位面對難
局。他不僅歡迎台灣獨立派聞人邱永漢歸順，而且斷然破格提拔

本省籍人才，試圖收攬民心。對行政院副院長、內政部長、交通部長、台灣省主席、台北特別市市長，全部安插本省人，正是破天荒的舉動。現在的總統李登輝就靠這次人事拔擢，以政務委員（不管部部長，負責農業及農村問題）入閣，說起來是他初次投身政界。

蔣經國沒有就此止步，還積極從事青年才俊的提拔，又於1973至1978年度開始推展本書第六章所舉的、超出50億美元的十大建設計畫。憑藉該項投資計畫的推展過程，蔣經國得以向海內外誇耀他堅強的領導能力。結果，有助於穩定因在國際上孤立而動搖的民心。

因十大建設計畫大體上的成功，經濟結構急遽變化，它又反映在就業結構上。1965年是農業部門46.5％、工業部門22.3％、服務業部門31.2％；到了1980年，卻各為19.5％、42.4％、38.0％，就業人口的部門別百分比，呈現明顯的變化。人口的都市集中化趨勢顯著，加上大學畢業生的劇增，民眾的意識也迅速改變下去。

正當國府在國際關係層面逐漸孤立時，1975年4月5日，蔣介石總統因衰老而去世。蔣在出馬競選第五任總統的1972年3月，早就完成繼任人的安排。副總統讓老好人嚴家淦留任，行政院長則任命兒子蔣經國（1972年6月），以策萬全。蔣介石的去世，並沒有引起任何混亂，立即由副總統嚴家淦繼任總統。國民黨總裁，為紀念蔣介石而永久虛懸，另設黨主席職位來代替它。理所當然的，蔣經國就任上述職位。

美麗島事件

　　1970年代以後，對二二八事件和掃紅的記憶顯著地淡化，因年輕人和都市住民對參與政治的意願；社會正義的主張與人權意識的提高等，台灣進入炎熱的政治季節。以選舉為中心，在執政黨——國民黨，與黨外之間，再三重複不斷地摩擦。它的累積，終於爆發為「中壢事件」。1977年11月19日，針對桃園縣長選舉的舞弊揭發，民眾情緒激昂，演成暴動。軍隊雖然出動，可是保持自制而撤走。

　　1978年3月，蔣經國當選總統。並推舉「半山」出身的前台灣省主席謝東閔為副總統。外界推斷，這是應付黨外運動的台灣人安撫政策的一環。謝成為第一位台灣人副總統。

　　黨外運動更加氣勢沖天，把箭頭指向預定於第二年——1978年底舉行的台灣地區立法委員及國民大會代表增額選舉，而緊鑼密鼓地活動。然而，也許顧慮迴避中（大陸）、美建交宣言（1978年12月16日）可能引起的大混亂吧，上述中央級的選舉停辦了。

　　美國的斷交與接踵而來的《美華共同防禦條約》的失效既可預期，人們惶惶不安。也因上述情勢的推波助瀾，台灣的黨外運動越發高漲。黨外人士在進入1979年以後，設立「美麗島雜誌社」，自8月起發行《美麗島》雜誌。突破多年來言論禁忌的編輯作風，大受歡迎，銷行份數劇增。黨外運動的主流，不久即以美麗島雜誌集團為中心而形成。全島設立11處分社，做為與讀者溝通的據點。這是因為新黨創立受到禁止而設計的迂迴戰術，假

借雜誌社活動名義推展的群眾運動。不用說，最後的目標在於創立新黨。

美麗島集團意圖向與美國斷絕邦交而陷入逆境的國府挑戰。由於國府遲遲不宣布何時恢復中央級選舉，火燒警察局的中壢事件和抗議余登發被捕的橋頭遊行又不曾引起逮捕行動。美麗島集團就逐漸提升群眾運動的規模，而策劃於1979年12月10日世界人權節在高雄舉辦火炬大遊行。當局針對此舉，作密切警戒的大部署，調集大量鎮暴憲警，嚴加布防。遊行演變成流血的騷擾事件，嗣後，黨外人士大量被捕。或由於以美國為首的國際輿論批判，才舉行公開審判，並經電視轉播。本來比較保守，而且與政治禁忌保持距離的律師們，以少壯派為中心，大舉前往擔任美麗島案審判的辯護。事件關係人士固然被科處重刑，但是人權意識和政治自覺也經由這次公開審判而大為提高，支援者、同情者層出不窮，向民主化踏出大幅的第一步。

民主政治的代價

古今東西的歷史告訴我們：為了實現民主政治，必須付出長時間與流血的代價。台灣也不例外。光復以來40年，再把日本殖民地統治時代合計，居然將近一百年。

進入1980年代，矛盾激烈化，引發社會與政情的不安。因美麗島案入獄中的林義雄（著名的黨外律師）的母親與孿生女兒，於1980年2月28日被暗殺；返回台灣的美國卡內基美倫大學數理統計學助教授陳文成離奇橫死案，發生在1981年7月3日。據美

國僑界的傳聞，陳生前對海峽兩岸均甚關懷，但不曾表達過強烈的台獨主張；他對台灣民主運動極力支持，常參加「台灣同鄉會」及「台灣民主支援會」的活動。

　　正在留美「華人」（包括本省與外省雙方）的台灣民主化支援運動，與台灣獨立運動的「台灣住民自決運動」在互相糾纏而高漲的時候，以《蔣經國傳》的著者而聞名的美籍華人新聞工作者江南，於1984年10月15日，被國府情報局關係者暗殺。因為遠渡太平洋，在加州舊金山近郊的大理市暗殺美國籍人士，所以美國的大眾媒體喧騰不已。甚至連國府的保守派，也不得不因它所引發的怒潮而轉變態度。人們於是能夠實實在在地感受「有冬必有春」，政治層面上的形勢轉變也日新又新了。

第八章　強人之死與新時代的開幕

一、蔣經國之死和李登輝的上台

蔣經國之死

從1988年1月13日下午八點，到第二天上午一點左右為止，日本東京寒舍的電話一直響個不停。

起初的電話，來自台北的傳播媒體。「台北發生重大事情，能不能在府上等候聯絡？」接著，台灣的大報《聯合報》東京分社打電話過來。「看情形蔣總統好像去世了。等一會兒請發表談話。但是，還沒有正式宣布，請暫時別向外透露。」

隨後真是天崩地塌。先有證實死亡的電話，正式宣布後，是陸續不絕的邀約發表談話的電話。

約我發表談話的要點，大致如下：第一，談蔣經國在歷史上的評價與定位；第二，台灣會不會發生混亂？第三，評新總統李登輝的為人與政治上的素養。

以下就1月13日晚上九點時，筆者試述，並經日本報紙刊登的評論部分，轉錄一二：

「蔣經國先生在這一年半中，解除戒嚴令及報禁，也開放訪問大陸等，陸續採行民主化的政策。他人難以取代的強人意外地早死，是非常可惜的。假如他能夠再多活幾年，台灣可能更加穩定。

「在這一年半中，他採行的措施，都是無法倒退的。從新總統李登輝算起，司法院長、內政部長、國防部副部長等台灣出身的要員也增加了，今後將會由軍、黨、政的實力派人士採取集體領導，島內想必不致混亂。

「本月初，還有台灣的國民黨批判派的雜誌社社長前往香港，與中國（大陸）的國營通訊社──新華社──的負責人討論統一問題的舉動。我認為中國（大陸）不至於趁這個機會興風作浪。（日本《朝日新聞》，1988年1月14日）

「儘管有街頭示威遊行，民主改革已經走上軌道了。我認為准許街頭示威遊行，是當局研判那是對政權不滿的發洩管道，反而可能緩和極端而偏激的行動。在法制上，應當由副總統繼承總統職位，相信李登輝先生將順利繼任。李雖與軍方沒有淵源，但形象清廉，又是本省人。

「假如軍方內部不發生意外，可能順利走上集體領導制，這當然要以國民黨內的開明派與軍方合作為前提。

「以對外關係來說，現在大家都知道，美、中（大陸）、日在蜜月狀態，不希望在台灣發生重大的變動，我不認為中國（大陸）會在台灣興風作浪。只要不發生武力政變或台灣獨立的緊急狀態，中國（大陸）想必將冷靜旁觀。台灣的民主改革，大概會與大陸民主化的導向互動進行。蔣經國總統的死衝擊並不太大，

外來混亂的因素，看起來並不存在。」（日本《讀賣新聞》，
1988年1月14日）

　　依據官方消息，蔣經國於1月13日下午3點55分（台灣時間）
去世，77歲。嗣後大約四小時，就是8點8分，李登輝依《中華民
國憲法》第四十九條的規定，就職為繼任總統。

李登輝就任總統

　　李於1923年出生在台灣北部淡水附近的三芝鄉。經日據時代
舊制台北高等學校，在京都帝國大學農林經濟學科肄業兩年左
右。戰後，1946年返回台灣，轉讀台灣大學，於1948年畢業。
1953年，美國愛荷華州立大學農業經濟學碩士。1968年，美國康
乃爾大學農業經濟學博士。他一面在中國農村復興聯合委員會服
務，一面兼任台灣大學教職。1972年，以蔣經國就任行政院長
而同時掀起的提拔台省籍菁英的一環，膺任政務委員（不管部
部長，主持農業、農村問題）而就職。從此以後，自1978年5月
至1981年12月為止，任台北市市長；1981年12月至1984年4月為
止，任台灣省政府主席；1984年5月就任副總統。然後，終於榮
獲萬人之上的職位。

　　1月14日的早報，台灣自不必說，連平日很少刊登台灣消息
的日本各大報，也都載滿了與蔣經國去世有關的報導。

　　其中，最引起我注目的，是新總統就職宣誓典禮的照片。直
挺挺地高舉右手而宣誓的李，所面對的是被國共雙方共尊為近代
中國國父的孫文遺像，陪襯的是滿地紅的青天白日旗，也就是中

華民國國旗。直立不動的是司法院長林洋港。林也是具有代表性的台省出身的政治家之一。

　　不用多說，列席宣誓典禮的，可能還有許多其他的要人。不過，出現在照片上的，總歸是已故的孫文與台省人菁英李和林，三個人而已。把它看成足夠象徵台灣新時代的開幕而有餘的「時代的肖像」，誰曰不當？

　　再說，李所朗讀的總統就職誓詞極為簡潔。全文如下：

總統誓詞

余謹以至誠，向全國人民宣誓：

余必遵守憲法，盡忠職務，增進人民福利，保衛國家，無負國民付託。如違誓言，願受國家嚴屬之制裁。謹誓。

宣誓人　李登輝

中華民國77年1月13日

李登輝繼任中華民國第七任總統

過度敏感成習的在台本省朋友，讀了刊登在報上的「總統誓詞」後說道：「沒有主義八股的氣味，相當不錯。」豈料，那是「說溜了

嘴」，是「研判過度」。追本溯源，它只是規定在憲法第四十八
條的條文，加上宣誓人的簽名和日期而已。

「編造的」遺囑

　　人們應該注目的，倒是「經國先生遺囑」。在本稿執筆的時
候，台灣內外都公認這篇遺囑不是他本人所留下的，而是經過
「編造的」東西。從有關當局沒有針對「偽作」發表任何談話來
想像，以「遺囑」為中心的「政治花招」似乎非比尋常。

　　這姑且撇開不提，先把「遺囑」的全文照列：

經國先生遺囑

經國受全國國民之付託，相與努力於以三民主義統一中國大業
為共同奮鬥之目標。萬一余為天年所限，務望我政府與民眾堅
守反共復國決策，並望始終一貫積極推行民主憲政建設。全國
軍民，在

國父三民主義與　先總統遺訓指引之下，務須團結一致，奮鬥
到底，加速光復大陸，完成以三民主義統一中國之大業，是所
切囑。

中華民國77年元月5日

王家驊敬謹記述

　　如影印本所示（見下頁圖），看不到蔣經國本人的簽名。正
式的簽名，是副總統李登輝、行政院院長俞國華、立法院院長倪

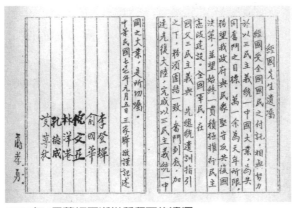

1988年1月蔣經國逝世所留下的遺囑

文亞、司法院院長林洋港、考試院院長孔德成、監察院院長黃尊秋六人。此外，隔開一行，以再降低一格起寫的形式，由三子蔣孝勇以親屬代表身分附簽。

　　單從字面來看「遺囑」，可以說毫無新奇的內容。既然如此，它是為了什麼目的的「偽作」呢？而且，誰是「偽作」的中心人物？還有，為什麼挑1月21日的時機，由反體制週刊《民進廣場》來揭發「偽作」（外洩說比較得勢）？從蒙受「偽作」中心人物嫌疑的總統府祕書長沈昌煥方面，沒有提起任何反駁或否認的說法，那又到底表示什麼呢？疑雲難消。

　　回顧起來，1984年算是國府內部革新劃時期的一年。

　　蔣經國連任總統即使是必然的趨勢，誰來代替年老的謝東閔（1907年出生的「半山」）就任副總統的職位，還是飽受注目。理由很簡單，不外乎蔣患長年老病——糖尿病，病情相當嚴重，進入1980年代後，開過好幾次刀；由於這個情況，人們認為他很難當滿到1990年5月為止的六年任期。

　　既然是任期中的合法交接，副總統繼位自有憲法第四十九條的既成規定。因此，姑且不論能否真正掌握實權，眾人皆知，副

總統有十二分可能性升任為總統，卻是千真萬確的事。

李登輝膺選的理由

　　至於蔣自己挑選李登輝的理由，當時的台灣政界，大致作以下的觀測：

　　1. 李沒有兒子。在傳統上，認為沒有兒子的男人權力欲小，沒有野心（中國人社會依然擺脫不掉這種思考框架，著實可悲。事實上，李的獨子憲文於1982年3月不幸以癌症早逝）。

　　2. 具有學者出身、純樸、不要弄權謀術數的清譽。

　　3. 不曾受過選舉的洗禮，不具備受到民眾或派系有形支持的明確基礎。他可以說透明而清廉，對絕對性的強人權力者而言，是可以放心的人物。

　　4. 大學生時代，接受過社會主義思潮的洗禮，一直對農民和勞動階級寄予關心，或許因而與蔣自己在蘇聯西伯利亞的體驗，多少有相通的接口，所以對勁投緣也不一定。

　　5. 說不定，蔣器重他是位肯讀書的人，且具有邏輯式的思考，對政情善於作原理層面的分析。

　　6. 投入政界後，無論在行動或言論上，都極為慎重，隨時保持清譽，可能也受到蔣的賞識。

　　7. 李身高180公分，體重80公斤，體格魁偉，具備以留學日本、美國雙方經驗為基礎的通達國際之感受性。常代理多病的蔣接待外賓，以電視時代的象徵性政治家的形象而言，李被看成最適當的人物，應是眾人可接受的優點之一。

　　台灣政界的觀測家們，舉出上述理由後，還煞有介事地評論：大概自從1972年以來，蔣就親自對政治家李登輝，作慎重且綜合性的觀察，然後決定一切。

　　無論如何，李登輝是台灣史上，而且是中國史上第一個以台灣人，也就是台灣省籍的人而登上政界最高的地位，這已成為千真萬確的事實。

二、黨主席推選的攻守與雙李體制

蔣宋王朝的收場

　　1972年5月，蔣經國就任行政院院長。此後，在國府台灣的政局上，權力實際上逐漸從父親蔣介石轉移到刻意栽培成強人的唯一繼任者——兒子經國——的手中，歸他掌握。

　　制度層面上的國府，在形式上，總統之下設有行政院（內閣），二者為上下關係，然而在實質上採行一黨專制政權制度的國府最高權力機關，不用說，是國民黨的中央常務委員會。主宰並代表該常務委員會的職位，在蔣介石死後，即歸蔣經國以黨主席名義一直獨占下來。他無論擔任行政院院長也好，擔任總統（1978年3月當選）也罷，經常與官位的頭銜無關地一直掌握著黨的最高權力。

　　饒富趣味的是，蔣經國儘管挑選李為副總統，卻沒有設置黨的副主席職位。不但如此，而且不在黨章內明確規定遇到非常情況時，有關推選主席職位繼任人的程序。按理，他在生前，儘有

安排這項程序的充分時間和實力。

依照黨政一元式領導，國府台灣向來的慣例，新總統李登輝在1988年7月7日召開的第13次黨大會以前，被推選為代理黨主席，才是理所當然的趨勢。

當黨內革新派和大半的輿論在逐漸穩定擁護李的態勢中，起了一陣波瀾。以蔣介石夫人宋美齡為首，蔣介石的侍從、祕書出身的現任台北故宮博物院院長秦孝儀、總統府祕書長沈昌煥、CC鉅子陳立夫這些人們激烈地反擊過來。經過許多迂迴曲折，才在1月27日的黨中央常務委員會上，正式決定由李代理黨主席。對這幾日間的攻守，人們稱呼為國府台灣內部「小小的不流血革命」。大概是認定中國近代史上的蔣、宋王朝，終於從國民黨內部被迫收場而說的。

民主化開放政策的推行

從大局的觀點來看，首先要問：如何搭建強人以後的新政治權力結構？其次要問：如何把支持國府台灣政情與社會安定的最大因素——台灣經濟的活力與高度成長步伐的良性循環——繼續維持下去？這些正是擺在李總統面前最重大的課題。

試就第一個政治課題加以檢討。如今想來，蔣經國在1985年12月25日的國民大會代表年度總會會場上所提，有關「總統繼任人問題」的發言，是真心話而且是意義重大的表明。他這樣說：

總統繼任者的問題。這一類的問題，只存在於專制與獨裁的國

家。在我們以憲法爲基礎的中華民國，根本是不存在的。因爲
我們立國的基礎是以憲法爲依據的，所以下一任總統，必然會
依據憲法而產生，那就是，由貴會代表先生們代表全國國民來
選舉產生之。有人或許要問，經國的家人中有沒有人會競選下
一任總統？我的答覆是：不能也不會。

　　從此，蔣經國就以「民主憲政」的旗幟，陸續打出他所認
定的民主化政策。從1987年7月15日零時起，解除40年來的戒嚴
令。外匯管制的開放，也同時實施。7月27日，蔣經國說：「在
台灣住了近四十年，我也已經是台灣人。」11月1日，開放大陸
探親。12月25日，經國強調「憲法才是我們的法統」（主張國府
是代表全中國的正統政權的法理根據），指出實施中央民意代表
機關（立法院、國民大會、監察院）的改革，才是合乎憲法的唯
一正確途徑。

　　以1988年1月1日為期，辦報與增頁的限制令，而且是巧妙的
言論箝制政策之一環的「報禁」解除了。與這些民主化、開放政
策亦步亦趨，以「台灣急進派」為中心的「民主進步黨」和「工
黨」等反體制勢力的各項對抗行動也並行推展。民主進步黨於
1986年9月28日舉行建黨宣言。此外，「工黨」則於1987年11月1
日創黨成立。

形形色色的抗議活動

　　儘管如此，長期的戒嚴令與一黨專制養成的惰性，仍然沉

重。多數民眾在表面上享受物質生活，半信半疑地靜觀蔣經國所打出的「民主憲政」的政治改革和開放政策。

另一方面，由於長期的積弊而一再累積的「民怨」、「民疑」（對政治的猜疑感）、「民虞」（對政局和前途的不安），引起許多街頭遊行、靜坐示威等自力救濟活動與抗議運動。根據擁有牢獄體驗的工人出身作家楊青矗統計，在1987年一年間發生的示威次數，大小通算，竟達1,600次以上。它的內容，有政治運動、社會運動、勞工運動、學生運動、反公害運動、婦女解放運動，還有農民運動，種類繁多，不一而足。

對急進派來說，逮捕、入獄的鎮壓，已經逐漸不算恐怖的對象，一部分年輕人反倒開始有以逮捕、入獄為提高自己在反體制運動中的名氣，等於獲得勳章，因而採取過激行動的趨向，日益湧現。有位老政治犯對此作如下評估：這是因為當局的鎮壓愈來愈不好下手，槍決等的極刑幾乎絕跡，對政治思想犯受刑人的支援活動以社會性的規模盛行，牢獄生活也不像往昔那樣艱苦；這些情況鼓舞了急進派的士氣。

再加上蔣氏父子強人式一黨專制政治制度，隨經國的死而眼看被迫放鬆和瓦解，是新時代的開端。既存的秩序瓦解，同時帶給全體住民危機感。這是古今東西通例，台灣政局也無法避免。

國民黨內的情勢

看看國民黨內部的情勢。最近兩年來的各項民主化政策，結果是替反體制派開洩洪道，反過來說，也未嘗不可評估為緩和些

許黨內的危機。此外，主張社會主義與標榜與中國進行和平統一的部分急進派組織工黨，再分裂，而組織新的勞動黨，試圖與工人、農民結合，而開始以勞動階級為核心的新形式島內反體制運動。從海峽的對岸，中共政權的統戰壓力又緊逼過來。在這種情勢下，國民黨內的有關人士，看起來似乎亟於互相自律地抑制危機感的表面化。

其中的一環，是或明或暗地從多方面嘗試以克服危機感為目的的「運動」推展。前述的蔣宋美齡等官邸保守派針對代理黨主席人事的異議及干預，還有抵制它的「不流血革命」，也不妨說是上述運動的一種顯現。

總之，占據黨內主流的改革派，扶起能代替強人成為「和」，也就是整合的核心人物，試圖克服當前危機的過渡措施，應該是理所當然的。如以這個背景來思考，挑選李登輝為繼承人的蔣經國不單可以說是獨具慧眼而且更具「遠謀」。

李的確欠缺做強人的條件，也還沒有具備真命天子之類的架勢。正因為如此，反倒具備成為「和」──整合的核心的象徵性領袖之一切條件。這個既矛盾亦弔詭的道理，人們儘管事後方知，總能體會。對前述的李被蔣經國選中的各項條件，假如還需要補充，那可能是這樣的：李一方面有客家出身的父親，他方面有閩南出身的母親，這樣兼具客閩雙方的血統，操本省人的強勢方言──閩南語。他以具備一般本省人菁英都難得具有的條件，處於勝過一切，容易獲得本省系民眾廣泛支持的立場。

索性先說在前面：已經不是李本人需要國民黨。現在誠然不僅是黨，而且政、軍、警察、情治機構的一切關係者，在無限地

需要他做「和」——整合的核心人物、做領袖，處於不能不擁護他的情況。保持「有容」、「無欲」，還有「謙讓」的姿態，「無為」而代理黨主席，接著又當上黨主席，可能並不太困難，而且也受各方如此的期許。

李煥的課題

　　問題完全要看掌握操縱國民黨實權的中央黨部祕書長李煥之手腕與姿態如何。李煥，1916年出生在湖北省漢口市，抗日戰爭末期以來就追隨蔣經國，是經國之門生，也是智囊之一。國府遷台以後，以經國的得力助手地位，在黨務，尤其是組織部門大顯身手。雖因1977年11月的中壢事件，暫時離開政治的前台，但1984年以教育部長入閣，再度得勢。為了擔任1987年7月1日解除戒嚴令隨後處理難關的指揮，而於解嚴前夕，被提拔為祕書長。從此以後，他以經國的心腹地位，承擔黨務改革，進而推動政治改革的重大任務。

　　李煥當前的問題，可能在於如何應付過渡期的難局與以民主進步黨、工黨為中心的反體制方面的挑戰。

　　熟悉國府台灣政情的人，想必明白，國民黨本身在民間的形象並不甚好。而且，黨中央雖然依舊規定自己是「革命民主政黨」，但究其實，連黨的幹部都不認為國民黨在贏得全體黨員積極的支持與參與。國民黨的實態，該說僅是黨幹部與「黨工」（黨務專業人員）的組織相當鬆弛的黨，甚至於跟一般黨員脫節也是眾人皆知的事實。國民黨也被看作安躺在戒嚴令下的非常時

期的動員體制上，飽含根深柢固的刻板化舊體質之「充滿煩惱的傳統」的黨。

國民黨中央委員會的組織，並不能正確反映台灣社會客觀的各項現實。尤其不能體現並代表一般黨員，特別是台省籍中、下階層黨員的心聲。這種陳年老病相當嚴重，恐怕不易克服。

1949年以後到1970年為止，依靠足夠稱為絕對性強權的蔣介石、蔣經國體制由上而下的強人控制，來操縱黨。然而，進入1970年代之後，隨著政治意識的普遍提升與民眾廣泛的人權意識覺醒，以前的作法已窒礙難行，上意下達頻生分歧，也發生過不少黨員脫黨與加入反體制運動的例子。

隨同以蔣經國之死與戒嚴令的解除為開端的各種政治性、社會性禁忌的消失，台灣政局呈現新的開展，把人們捲入動盪的漩渦中。台灣社會的每一個角落，都有對改革的渴望與訴求，還有以它為中心的種種意願交織錯雜，充滿活力。哪一個人，和哪一個黨，最能夠凝聚這種能源，把它化為力量，想必是決定今後政局最大的關鍵所在。

「民怨」的能源

在這種情勢中，發生四次大型示威運動：1987年12月25日，連火車都被迫停開的要求「中央民意代表全面改選」的示威；1988年3月16日，反對開放美國農產品進口的示威；5月20日下午到21日清晨之間，連一般民眾和學生也被捲入，而造成小型暴動的農民示威；以及8月25日「台灣原住民族『還我土地』運動聯

盟」號召，由先住系各民族在台北斷然實施的「還我土地」大遊
行。這些示威遊行，表示在規模與內容上，開始出現新的質變。
特別是以農民為中心而舉行的示威，高舉反美標語，和先住系各
民族「抗議之聲」大大地引起回響，是國府中央遷台來不曾有過
的情況。

　　剛巧，台灣原子能委員會能源研究所副所長，現役上校張憲
義，向美國中央情報局密告國府的原子彈開發計畫，巧妙地利用
農曆春節前後的休假，靠中央情報局的援助，祕密飛渡美國的案
件發生，輿論對中央情報局抨擊的動向也逐漸高漲。這正是由於
大眾媒體報導美國對美元貶值、台幣升值的壓力與美方在台美貿
易談判上粗暴態度的消息，而民眾的反美情緒更加升高的時期，
因此是值得注目的動向。

　　40年來「民怨」的存在，是蔣經國在生前也勇敢地面對並且
承認過的事實。假如執政黨不顧「民怨」，不提出方策地拖下
去，那麼，國民黨可能就會輸定。另外，假如反體制方能夠以
「民怨」為助力，把「怨恨」轉化為能源，而貫注於改革，那
麼，就算有多少迂迴曲折，也必然會逐漸引起巨大的變動。又，
民主進步黨即使打算依舊採取一昧稱頌美國式民主政治的作風敷
衍民眾，亦將難免遭遇困難。反正該提、該抗議的事項，假如不
能用行動向美國表示，就可能失去民眾的信賴，甚至於遭受唾
棄。

　　我認為蔣經國的民主化和開放政策，誠然是預見前述情況的
徵兆，一直加以注目其運作與動向而搶先下手的。李煥以蔣經國
鋪下而且已經無法退縮的改革路線為基礎，陷入不得不積極打出

黨務的自我革新策略，是很明顯的。

　　李登輝和李煥的雙李體制所不得不面對的難局，就算說成比
國府中央遷台當初──也就是1949年底到1950年代初期之間──
的局面不相上下，也不算誇張。中央委員會委員的核心且掌握實
權人士大都屬於外省籍，因此關於改善體質與刷新人事，無論從
職務方面，或從出身方面來說，都非由李煥積極擔任不可。

三、李新總統的課題與政治的現實

本土化和民主化

　　比起黨務革新來，李登輝以總統職位所面對的課題，性質稍
異。重點或許反倒在於如何接納黨外，尤其是台籍人士對參加政
治的各項積極要求，一面與李煥聯手，一面加快政治上本土化和
民主化的步伐，並設法如何順利加以推行。

　　這裡使用「本土化」這句話，但要先說明清楚，它與「台灣
化」的概念之間，有微妙的措詞上差異。按通常說法，台灣化容
易被認為與土著化──限定於台灣、澎湖各島和本省人──同
義。可是，假如把本土化加以更合邏輯地引申下去，當然可以用
作更廣泛的、涵蓋台灣化的概念才對；我認為如此思考，才符合
邏輯。「反攻大陸」既然不可能，限定於台灣地區的中央民意代
表全面改選，是再也無法避免的緊急課題。如何盡可能提早，減
少摩擦而實施，不必諱言，已成為本土化的第一要務。再則，以
地理上的空間來說，當然在台灣、澎湖各島之外，還應該加上金

門、馬祖地區才符合現實。又，應該當作本土化的對象的住民，我認為除了居住在上列全部地區的所有省籍漢族系住民，還要更廣泛地把少數民族的成員統括在內。針對這一點的共識，有待確立。

當絕對性強人的政治性權威崩潰時，繼承人不能不起而擔負填補權威空白的任務。前文已經提過，台灣40年來處於戒嚴令之下，靠許多鎮壓性的各項法規和以警備總司令部為首的特務、情報、治安機關等鎮壓機構，把一黨專制的政治制度維持下來。在這範圍內，幾乎一切政治參與或對政治領導策劃的參與，只有經由國民黨所提供的管道，才可能實現。

一般民眾更自由而自發性的政治參與，一直受到相當程度的限制。尤其是不能被安插到國民黨體制內的人士，再加上不肯默默聽從，而要提出異議的人們完全受到排除。排除又往往不公正並且帶有政治性迫害，因此成為怨恨的累積，甚至於化為憎恨而鬱積的惡果。

新總統的課題

新總統應當接納紓解「民怨」，在統合民眾的同時，配合時代倫理的要求，確立足以因應新政局的政治上威信為迫切的課題。預期因反體制勢力的登台，經由言論方面和街頭示威而對當局所作的挑戰，暫時仍然可能激烈地繼續下去。

不問反體制勢力實際的聲勢、挑戰的內容、品質如何，以新總統為核心的新權力，都將被迫重新整合自己所賴以建立的政治

支配的正統性與合法性。國府當局長期以來，拿中共的威脅與非常情勢做藉口，把自己「法統」的主要依據放在遷台（1949年底）以前選出而仍舊由不經改選的國民大會代表、立法院立法委員及監察院監察委員所組成的中央民意代表機關，即所謂「萬年國會」；將自己的體制正統化的具有一種體系性的意識形態，則由孫文主義，也就是三民主義敷衍過來。

　　然而，如前章已經交代的，只靠這些，已經無法適應當前激變中的挑戰。好也罷，壞也罷，蔣經國是體現台灣地區一個時代的代表性人物。他這位強人的死，正宣告一個時代的結束。新時代所面對的冷酷的現實，使一直硬靠強橫維持下來的既有秩序，越發加緊崩潰和瓦解。

　　國民黨一黨專制式的政治制度的權威，如今面臨存亡的危機，是很明顯的。接受時代的挑戰，新總統似應搶先肯定黨政分離的必然，早日擺脫「國民黨＝政府＝國家」的惰性平板式思考和行動的僵化模式。最近的大眾媒體在呼籲「萬年國會」的改組與依多黨競爭式的代議政治確實實施，把它當作迫在眉睫的政局爭執焦點而加以提示。

　　其次的政局爭執焦點，而從反體制方面一並提起的，有行政院直轄市台北、高雄的市長恢復民選，及台灣省主席民選之兩項。要求政治參與的全面性開放與自由化的呼聲甚高。

　　新總統如何嘗試正統性與合法性的重整，克服省籍矛盾，把暫時性的「國民的統合」、「社會的和解與協調」，甚至進一步把「政治的前瞻性穩定」的軌道鋪設成功，眾人都寄以注目及期待。

李個人的領導方式

在以總統職位為中心的緊急課題的完成上，可能需要確立與過去強人式統馭術完全不同的李的個人獨特領導方式（leadership）。領導方式的首要因素，不用說，是需要台灣地區全體住民與跟台灣關係深厚的海外華僑和華人所信賴，並且可以放心付託國政運作的權威（authority）。

目前，李總統所具備的權威，可以說是蔣經國生前個人所賦予的延伸而衍生的，很難說完全屬於李個人。要把權威從接受賦予的，轉移並確立為自己的。只要志在追求應有的合乎理想的總統職位，不論繼任總統職的是不是李登輝，也都必須經歷這樣的過程。

領導方式的第二個因素，可以假設的是台灣地區總體政治的一元性領導方式。它的確立與有效率的運用，也是緊急課題之一。李已經在中國國民黨第13次全國代表大會（1988年7月7～13日）確保正式主席職位。正因為是在「台灣輪」接受大轉變的波濤衝擊的最近，一元性的領導方式必不可或缺。換句話說，必須設立統合地掌握宏觀的政治經濟，能在最後決定性階段替執政黨和政府擬定政策的統合參謀總部式的機關。李登輝以黨主席和總統地位，今後能否在實質上掌握這種機關，使它發揮高效率的領導力量，看起來似乎即為成敗關鍵。

當然，國府台灣在行政層面，已經有「國家安全會議」（1967年2月1日正式成立）這個綜合性調整機關。可是由於強人長期以來的控制與獨角戲演出過久，守舊刻板的惰性嚴重，未嘗

沒有僵化的傾向。何況，成員又限於國民黨的元老級，還可不斷地聽到它排除黨內少壯菁英與黨外賢達，且缺少活力的批判。

　　眾所周知，台灣的都市生活充滿活力，人們一直向都市一窩蜂地投奔過去。代替既有的「神」而湧起來的是「錢」。拜金主義到處瀰漫，精神上的頹廢和空虛一天天升高，給人們異樣的感覺。再加上，另一位「神＝強人」死了。體制方面硬套上而口號化，以致失去效力的意識形態，可以判定大致已經崩潰。

　　足夠填補它的空虛而有餘的，清新而體現時代精神和倫理的價值體系之開創，以社會性的規模訴求而顯現。受到期許之開創者，不外是具有新知性的領導力（leadership）。

　　整合全體住民的共識，體現其時代精神，要仰賴智慧圓融的領導力。不用說，這只能求之於追尋正確的未來秩序，而又掌握得住思想上、倫理上主導性的，也就是說，關懷台灣並包容全體中華民族格局的領導力。要形成空前而嶄新的、充滿智慧的、衝勁十足的領導才，斷非易事。不過，為了要在大轉型的艱危局勢中掌舵領航，這種領導力事實上是絕對不可欠缺的。

　　在地球上，而且在亞洲太平洋圈，加上在中國大陸的周圍，台灣地區本身所占座標軸的重估，可能也是迫切的課題。因為這在構思有關台灣地區新生存應有機制的戰略上，在當作脫穎而轉變到符合眾人所期許，應有戰術性機制的前提程序上，都是必須的。

　　晚年的蔣經國，據說呼籲勉勵自己的同志和幕僚們：時代在變，環境在變，潮流也在大為改變，必須趕上情勢。圍繞台灣的時代情勢，還有與中國大陸的抗爭、對峙的關係也大為改變，今

後恐怕還要繼續改變下去。

做為「活生生的生物」之經濟

　　在政治的領域中，國界經常會糾纏不清。本來，台灣海峽對中國人而言，並不是國界。儘管如此，只要國共兩黨繼續對立，它就成為「擬似國界」而隔斷雙方。然而，經濟是「生物」，係活生生的生物。是國界也好，「擬似國界」也好，經濟都不拿它當一回事。其本性該是企圖相互滲透，且總潛藏有互跨突破、相通有無的特性。

　　趁1987年10月19日，在紐約華爾街發生黑色禮拜一（股市大暴跌）的機會，世界經濟秩序以明確的形式開始重整。這大概是萬人公認而可接受的事態。外匯存底額760億美元，僅次於日本、西德，占世界第三位（截至1987年底為止）的台灣經濟，已經再也無法擺脫世界經濟之運作而保持孤立。

　　亞洲新興工業國（地區）的模範生——台灣，目前靠以對美出口為主調的強勁出口暢旺而持續繁榮。不過，有美國國內保護貿易主義的高漲，逐日激烈化的與美國的貿易摩擦，美元貶值、新台幣升值的壓力，來自各競爭對手國家的追逐又猛烈。

　　與台灣經濟有密切關係的美國和日本，加上同為亞洲小龍而站在競爭地位的新加坡和香港，已經在某種程度上可以自由地運用大陸市場，是眾所周知的。最難纏的對手，而且是台灣在亞洲的唯一友邦——韓國，看準漢城世運的成功，開始迅速向大陸接近，對台灣恐怕將成為政治、經濟兩面不穩的因素。台灣經濟界

對前途感到嚴重的憂慮，自不難想像。

對東歐共產主義圈各國的直接貿易，與對蘇聯的間接貿易等，已經解禁。如何靠多方面分散出口市場來重整自我保全的貿易結構，國府有關當局正在迅速推展摸索。新聞報導，經由香港的對大陸貿易額，在1987年的一年間，飛快爬過20億美元大關。直接貿易和直接投資的動向，在開放大陸探親後，更加帶勁起來，再也難以後退。物與人的交流步步推前，意識形態上的隔閡將會隨著逐漸縮小，人們已明確地指出這一點。以台灣海峽兩岸為中心的交流進展，今後將帶來什麼樣的情況，會激盪出什麼樣的衝擊和刺激，想必值得眾人注目。

新權力在政治上的任務

現在的台灣，以「大陸熱」而充滿活力。從連續40年間的斷絕到突如而來的開放，有以致之。人們期盼更開放的大陸政策的明確化，以及它的開展。當隔著台灣海峽的限制愈來愈消除時，要使海峽這一邊的政情與住民的生活如何安定下去，我認為是新權力所應完成的政治上的主要任務之一。只有政治領域恐怕暫時只好繼續保持叫做台灣海峽的「擬似國界」，但在經濟方面，以「國界」稱呼的圍牆將會逐漸拆除，是不難想像的。

以李新總統為中心的新權力集團，要決定台灣地區的航路導向的判斷基準，到底還是在於如何靈巧地調整經濟這個沒有國界的「生物」，與政治這個「擬似國界」在存續中將引發的問題，把舵操作下去；如此推想，當無大錯。

　　或許可以說，要把官民的種種希求、意見和主張加以過濾，整合成層次更高的昇華產物，才是前述新智慧領導力處理萬機的本領及機制。

　　有識之士相信：由於台灣官民顧慮政局的混亂，對與眾不同的新領袖──李新總統──多所寄望，所以從中國國民黨第13次全國代表大會以後，到總統任期屆滿的1990年5月為止，全體官民將會以寬大的心情，多多匀給他充裕的時間去因應、調適並處理萬機。

結語：台灣往何處去？

世界和台灣都在謀變

　　全世界為了尋覓新世界秩序而力求大轉變與大調整。不僅是美蘇和解在先，中（大陸）蘇和解的導向性變動也甚為活潑。蘇聯軍隊從阿富汗以及越共自高棉撤退，再加上伊朗、伊拉克戰爭進入停戰等，可以說是好預兆。

　　最近陸續召開的美國雷根總統和蘇聯共產黨戈巴契夫（Mikhail Gorbachev）總書記的莫斯科會談（1988年5月），與在加拿大的多倫多舉行的第14屆先進諸國高峰會議（1988年6月），向世界各國發出許多訊息。尤其是對國際經濟體制在超越國家、社會體制和意識形態的差異而進入大調整期的提示，筆者認為比什麼都來得重大。

　　進入成熟期的先進資本主義國家，目前握持有史以來最大而且過剩的總生產力，確實需要以中國大陸、西伯利亞為中心的龐大潛在大市場和資源，是很明顯的。另一方面，社會主義國家的中華人民共和國與蘇聯，則分別提倡「改革和開放」與「重建」，引進資本主義式的刺激（資金、先進技術和管理制度為中

心）和市場經濟原理，以謀求自己體質的改善與靈活化，顯得在拚命從事自我保存及延續生命的作戰。

國府台灣40年來，靠美國的保護，在軍事和國際政治上倖存下來。經濟也隸屬於美、日資本，在貿易上則一面擠過兩國的空隙，一面靈活運用美、日、台三角循環結構，確立了今日的國際經濟地位。

截至1987年底為止的台灣貿易總額是880億美元，在世界貿易總額中排名第13；外匯存底額是760億，僅次於日本、西德，居第三位，貿易依存度已經高到超過90％，總出口額的一半左右由美國、總進口額的35％左右由日本所占。這些數字表示台灣經濟偏頗的特殊性質。它也許可以說在徹底暗示國府台灣在國際經濟上被迫所處的不尋常地位。換句話說，台灣也絕對不可能擺脫前述世界性規模，且具有結構性質的大調整動盪。

因此，這等於是說，不但國府台灣內的政治經濟處於轉型期，而且今後在國際性政治經濟機制大調整的大架構中，無論如何，必須構想台灣地區的因應措施以便面對，否則國府台灣就無法倖存。

國民黨第13次大會

受內外所矚目的國民黨第13次全國代表大會，於1988年7月7至13日，在台北舉行。這是蔣經國去世後的首次國民黨大會，又是在1987年7月15日戒嚴令解除以來民主化的洪流與政治、社會環境的劇變當中舉行，因此人們投以熱烈注視的眼光。

　　以下將介紹在當地的事後採訪情形，並加入與內外新聞界人士的暢談：

　　「代理」經過真除，李登輝終於在大會上被推舉為正式的黨主席。不過，據說直到大會前夕為止，有部分元老保守派直接勸告李辭退黨主席的舉動。他們並不是反對李的人品。無限地拘泥於傳統思考方式的老人們估量李在黨的資歷過淺，在黨內也還沒有充分確立威信，而有所顧慮。因此，有人解釋，他們畏懼假如搞不好，李豈不是會把擁有傳統的中國國民黨矮化成叫作台灣國民黨的小格局。另一方面，也有人斷定是元老保守派為了一心只想維護自己的既得利益，所作的最後掙扎。

　　有識之士這樣告訴我：無論如何，有可以透過大會來領會的「新穎性」，並且另有重大變化的預兆；據說，其中最大的焦點，就是李登輝和主宰黨務的李煥之間的矛盾開始表面化。

　　大家都知道，李登輝是學者出身，有潔癖，對權謀術數曾表示本能性的厭煩。他在蔣經國死後，一直公開表明：自己有基督和蔣經國兩位老師，只有遵照老師們的教導和指示，完成歷史的使命而已。李登輝可能希望在「天」賜的總統職位上，再加以實質地掌握黨主席的權力，確立自己的領導權，以便在任期中完成國府台灣民主政治的制度化。

能否順利進入雙李體制？

　　比起李登輝來，國民黨中央黨部祕書長李煥是在傳統式的國府政界中一直浮沉的、百鍊成鋼的政治家。我們應該判斷，假如

不精通權謀術數，坦白說來，他根本不可能有今天的地位。總統的寶座固然無從希冀，想獲取擁有實權的行政院院長職位，對李煥而言，似乎不算過分才對。

李煥主持黨務，卻在中央委員選舉的得票數上，占第一名（黨主席不屬於投票的對象）。傳聞在黨大會前夕發生的激烈的倒閣運動，有李煥在背後支持，但並沒有確實的證據。李煥謀求組閣，試圖透過行政院長職位，讓自己奉為理想的政治改革開花結果，可以說已經成為政界消息方面的常識。一位行家還評論道：年齡已經高達72歲的李煥，表現出從來沒有過的急躁，並不是不能理解的。

針對提交黨大會的中央委員候選人名單，與大會隨後的內閣改組（1988年7月20日）人事的決定等，雙李之間發生衝突的說法，私下喧騰。此外，李煥祕書長在大會上的黨務工作報告，甚少提到代理黨主席一事，也被列為壞預兆之一。

大眾傳播界煞有介事地傳言，李煥一怒而想丟下李登輝，改打林洋港牌。林是現任司法院院長，台灣省南投縣出身。年齡比李登輝少四歲，1927年生。戰前的中學時代曾留學日本，戰後畢業於台灣大學政治學系。從地方自治機關基層公務員硬熬出身，經過民選縣長，熟練黨務和政務雙方，歷任台北市長、台灣省主席、內政部長、行政院副院長以至現職。入黨，進入政界，都比李登輝要來得早。近年來，一直被看成李的「勁敵」。

有人觀測，從此以後，國府台灣的總統不會由非台灣省籍人出任，因此，果真李煥與林洋港聯手的動向一如傳聞，那麼政局上必定會引起不少的波瀾。

　　許多人指出：在目前面臨長期繼續的戒嚴令式政治、社會、文化的正常化，與行政、軍憲、警察、情治機構等的現代化這些一大堆迫切課題的台灣政局中，假如有雙李體制的傾軋或瓦解，說不定會造成國府台灣的致命傷。如何確立以雙李和林洋港為首的領導階層，在以後的政治行動上，必須識大體並自行遵守政治家的倫理規範，每個人能否一面嚴格自律，一面合作下去，或許將成為預卜今後政局動向的關鍵。

明朗化的大陸政策

　　大家都知道，中華人民共和國從文化大革命結束和鄧小平掌握實權以後，每有機會，就呼籲要與國府台灣「三通」（通信、通航、通商）、「四流」（學術、文化、體育、科技的交流），一直訴求和談與統一。它的主調是全國人民代表大會常務委員會1979年元旦發表的《告台灣同胞書》與1981年9月30日中共國慶前夕，該會委員長葉劍英發表的「關於台灣回歸祖國、實現和平統一的九項提案」。對於這些，中華民國方面一直頑固地堅持「三不政策」（不接觸、不談判、不妥協）的立場。

　　前文已經交代，蔣經國在生前，從人道的立場著眼，於1987年11月1日，准許從國府台灣地區到大陸探親。一度打開的門，只會更加拉寬，而不易關閉。據說，連沒有親屬（起初限定三等親以內）的台灣省籍人，如今也占萬里長城觀光客中的多數了。

　　由於美方發動的新台幣升值攻勢，開始困窘的中小企業人士對大陸所作的投資，在逐日增加，據說大企業中，已經有利用日

本商社或廠商做人頭，進行大陸投資的。最近的台灣，正猛吹著大陸熱。民間企業對政府當局要求開放直接投資的壓力，也日愈增強。

提交國民黨第13次大會的「中國國民黨現階段的大陸政策」，略經前瞻性的修正，就被正式採用並發表。明確區分政府與民間的立場，意圖公布大致容許民間做進一步接觸的希望，似可稱許。此外，以前只准許從台灣片面交流，但新規定准許「對直系親屬和配偶的探病與奔喪，讓大陸同胞入台」。

1988年8月18日，行政院「大陸工作會報」，同月24日，國民黨中央黨部「大陸工作指導小組」（召集人馬樹禮）分別正式成立。國府當局大陸政策的法制化與明朗化，可望更加進展。

對岸的大陸當局也於9月10日，國務院「台灣事務辦公室」（負責人丁關根），共產黨中央「中央對台工作領導小組」，8月16日，全國規模的「台灣研究會」（會長宦鄉）相繼成立，好不熱鬧。

三黨各自的盤算

到了以大陸中國與島嶼中國為中心的關係進入新的階段後，中國共產黨、中國國民黨、民主進步黨三者之間，有各自的意圖在推來擠去，饒富趣味。中共當局發出微笑：在民族意識為基礎的統一路上，「燈」終於點亮了。國民黨好像也在高興：可以把以經濟成長為核心的「台灣經濟」帶往大陸，達成多年來的心願——重返大陸——的一部分，終於能夠療治老人們的部分

鄉愁。

　　黨外的統一志向比較強烈的工黨或打算創立新勞動黨的有關人士，認為只是該來的，現在來了，還是從事促進台灣內部的民主化來得要緊，而表現得比較冷靜。

　　內心不平穩的，是民主進步黨內主張台灣住民自決論與台灣獨立論的人們。他們儘管強烈批判中華民國的「虛構性」，其實卻在體質上一直具有寄生於這個「虛構性」上的弔詭性結構屬性。在主張上，不能以黨的立場，採取反對交流的態度。一部分領袖似乎在大為期待：讓民眾經由探訪大陸，而不久就改變為對中國大陸的批判派，轉而贊成自己所主張的自決或獨立。

　　順便交代，民主進步黨內，還有抱持別的主張的活動家。他們把目前的迫切課題放在民主運動的徹底化，同時認為當前強調「統獨論爭」（統一或獨立的論爭）毫無益處，不但不利於民主運動陣營的大同團結，反而有害。

邁向真正的民主化

　　此外，針對民主化的好預兆開始出現。許多禁忌消失，蔣氏父子時代的各種事件，可以廣泛地感受到議論的條件和氣氛正在齊備，就是其中之一。對二二八事件、台灣獨立，也變得可以相當自由地議論，而與中國大陸的非國府式的統一論也做為它反彈的一部分而掀起。只是公開主張共產主義或與中共合併的議論，似乎還是忌諱。因此，與1950年代的「掃紅」有關的議論，當然並沒有完全擺脫禁忌。

　　1950年以來，與台灣獨立運動直接有關而被處死者只有兩人，而以共產黨關係的嫌疑被槍決的，據說不止2,000名。那種恐懼感，人們無法輕易忘掉，據聞有關人士仍在觀望之中。

　　無論如何，隔著台灣海峽的敵意和緊張，正在逐漸緩和。中共政權和國府好像在分別嘗試摸索和試圖擺脫教條式馬克思主義和教條式反共、三民主義。看起來，他們在朝著不談意識形態的對立，而代之以逐漸建立或不得不建立經濟利益，做為共同基礎的方向推進。

　　判斷在這兩三年間，中共政權和國府政權恐怕不至於有超乎尋常和解的人居多。不過，同時針對妨礙和解的外國勢力幾乎全部從雙方的內部消失，而沒有看漏這種環境變化所具有重要意義的有識之士，亦復不少。

反體制方面的虛與實

　　以前，有不少日本人注目於台灣獨立運動的抬頭，認為不久就可能掀起波瀾。可是，當台灣人就任總統，主要之政治焦點如「黨禁」、「戒嚴令」、「報禁」等之解除，再加上訴求當局交代二二八事件的真相，對犧牲者慰靈，對冤抑者賠償與道歉等，幾乎都逐漸獲得部分解決和滿足的今天，反體制方面愈來愈陷入找不到訴求焦點的新境界。

　　我們不能不說，在體制方面的虛與實完全曝光的同時，反體制方面的虛與實，也正在轉移到非自內部有所反省及自我求變不可的局面。我偶然在參加一個學會的機會，得以參觀蔣經國的

「國葬」。一面參觀「國葬」，一面聽入獄體驗達20年以上的一位老政治犯說：

「因為處於蔣氏父子絕對式的威權體制下，我們受刑人近年來才受到社會的同情。並且是在鎮壓之下。所以憑民主進步黨、工黨和台灣獨立運動家身分，在許多方面享受了民眾的同情與期許而獲得了不少的幫助。我想，該面臨慢慢冷靜地從內部凝視這個事實和機制的時期了。

「這兩年來，由於反對黨創立成功，街頭示威沒有引起逮捕，部分青年過於興奮的一面，處處教我顧慮和難於接受。

「在外國待20年以上的台灣獨立運動家，對實際情形太隔膜。據說多數人很可能仍然深信，只要能進入台灣，喊一聲『台灣獨立萬歲』，所有的人都會追隨過來。是多麼美麗的誤解啊！

「因經濟成長而加厚的中產階級，無論是政治意識或人權意識，都提升甚多。加上對參與政治、參與社會的意願也旺盛。可是假如以為這些力量會直接與他們提倡的台灣獨立運動相結合，也未免太天真了一點。

「大多為中產階級的台灣人，所關心的卻是偏重於世俗的舒適和物質上的享樂。他們事實上仍然繼續做反對運動的觀眾，而不願直接做群眾。不明白這個嚴厲的現實，是可悲的。

「在國葬中痛哭的平民，多半是台灣人。台灣獨立傾向濃厚的少壯黨員派系『新潮流』所把持的民主進步黨黨刊《民進報》，連黨員都不大看的情況和它的行銷量日趨減少的事實，被眾人認為台灣人裡立場中立、且對體制敢作批判之報紙《自立晚報》，儘管在報禁解除後，趕緊發行《自立早報》（1988年1月

21日創刊），卻甚難提高行銷量的事實，當足供參考。可以拿國民黨當替罪羔羊，或利用為藉口的時代，已經過去大半了。應該開始靠自己的實力面對一切的局面已經來臨。

「春節的年終獎金抗爭，呈現了空前的推展。資方幾乎都是台灣人，勞方的領袖也幾乎都是台灣人的結構，已經很明顯。時代、環境也都在大大地轉變，假如不能夠洞察這些，那就未免落伍了。

「假如不能夠正確地認識反體制方面矯飾的結構性體質，而趕快加以克服的話，反體制方面就不可能有所成長。把受壓制的心情的發洩，寄託在反體制運動和它的活動家時代，很快就將結束。

「民眾看透虛與實的嚴厲眼光，不是拋棄過去容忍的雅量而嘲笑反體制冒牌貨，便是對它發怒，表示不信任而要求『真貨』之出現，不顧冒牌貨而離去。我預料，這樣的一天，不久就會來臨吧！」

台灣政治其次的論點

正如許多有識之士所指摘的，台灣政治其次的最大論點，將會隨著充滿虛構和矯飾的既存秩序全面瓦解而旋即浮現。以前，仰賴一黨專制制度的「賞賜」厚顏度日，只要安穩地混好職位，不久就可以自然調升高職，只要張大嘴巴等待甜餅的人員占多數的國民黨本省籍中上級幹部，聽說也在面臨新的挑戰。

「炎熱的政治季節」來臨了。不分外省籍、本省籍，進而超

越黨籍，在少壯派政治家之間，開始進行合縱連橫，為的是要因
應新的政局。屬於民主進步黨的國民大會代表和立法委員，更有
些黨本部的黨工，開始以突破禁令的方式，訪問大陸。與中共有
關人員的各種溝通，已經在嘗試進行，這些當然是反體制方因應
舉動之一環。

　　台灣應否獨立，似乎已經漸漸變成不是最大的論點了。聽
說，如何穩住台灣地區的陣腳，如何在對大陸中國的民主改革和
經濟發展的競爭中一直獲勝，在將來的正式談判的圓桌上占優
勢，才是他們設定的課題，人們專心致志地從事準備。當然，早
日累積好充分的資格和實力，以便擔任參加談判的代表，才是年
輕的黨外政治家心願。據一位政治學家私下對我惋惜地說，在他
們之中，不是以政客，而是以政治家身分真誠地追求自我實現和
提升的實力取向人士，仍是少數。

　　採訪了不曾屈服而於1987年夏天剛出獄的某政治犯以及許多
有識之士（1988年7月至8月初），似乎覺得期盼台灣地區光明的
未來的一般民心與台灣應有的走向已逐漸浮現。無論如何，此刻
可以重新深切體會：危機往往與希望和新的開始緊緊相鄰。

　　政治犯先生最後這樣補充道：

　　「我厭惡拿物質和金錢當作富裕的唯一尺度而無往不利的台
灣社會風氣。並且，也不贊同畫餅充飢、整天作虛偽鬥爭的往日
中共政權作風。如今雖然的確悔恨而且辛酸，還是希望假託尼克
森的言詞。尼克森是我反對過、並且當作鬥爭對象的美帝右派的
頭頭。他說：『中國人和美國人，屬於世界上最有才能的國民。
雙方都擁有豐富的潛力。當展望21世紀時，肥沃的中美關係的土

壞和氣候，毫無瑕疵地一切就緒。它說不定將會把我們引導到史無前例的和平與自由的高峰。」但願台灣海峽的『擬似國界』早日開放，共同成為尼克森所期盼那種類型的『中國人』的一分子。所有的中國人，『左也罷，右也罷』，『大陸也罷，島嶼也罷』，都是同胞呀。希望能對人類作出偉大貢獻的一天快快來臨。」

跋

　　此刻，靜靜地體會終於完成十幾年來課題的解脫感。把登上歷史舞台以後的台灣相貌，尤其是從它在與中國史、世界史的有機性關聯中，被編入「近代世界」（Modern age）的一部分後，直到今天的整體像，以人物為中心，加以綜合地、濃縮地描寫出來，是我多年來的心願。

　　1955年秋天以來，一面停留在日本，一面從所有不同的角度守望台灣的動向。能夠保持距離來觀察、分析、思索台灣，有比漩渦中的人們更占便宜的一面。不過，並不是沒有陷阱。為了擺脫各種各樣的陷阱，我自信拿──(1)不要忘記現實感；(2)要保有彈性的思考；(3)傾聽他人的意見，不可性急地把自己的邏輯絕對化；(4)要一面嘗試自我限定，一面嘗試發言──這些當座右銘，一直努力到今天。

　　當寄情於多事的故鄉而描述時，往往會陷入自憐和地域觀念而作繭自縛。自憐姑且不論，地域觀念常常是和褊狹相連抑或容易相連的。也不知從哪一天起，經常把自己由衷相對化，一面不斷地追求更正確的自我定位，一面努力克服褊狹和自以為是，然後嘗試與開放性的普遍價值聯繫，就成為我內心的課題之一。我

所以要對包括自己在內的台灣居民的心性加以研究剖析，是由於
這是解明事態的方法之一。

　　編寫本書的過程中，給立教大學的各位同事添了許多麻煩。
而且，假如沒有先進的龐大研究業績的恩惠，本書可能就寫不
成，在此深致謝忱。儘管自認冒昧，我還是對自己的工作力求加
添廣度、深度和光彩，以綜合化為職志。對這分職志賜予建言和
協助，並使它成形的，是岩波書店編輯部的林建朗兄。林兄為了
本書的編輯，曾經兩度陪我赴台作預備調查。至於職志的成功與
否，但願等待讀者諸賢的批判。

　　在問題意識的磨鍊上，承蒙台灣近現代史研究會（1970～
1987年）的同仁；在資料探索方面，則承蒙立教大學史學系研究
室的金安榮子女士惠予協助。最後，衷心向一直賜教的恩師，東
京大學名譽教授神谷慶治老師，在亞洲經濟研究所援手照顧的小
倉武一、渡邊彌榮司、瀧川勉各位先生和親近的朋友們表示感
謝。

戴國煇

1988年9月23日

譯後記：願台灣史研究的水準不斷提升

◎ 魏廷朝

　　去夏返台後，忽然接到台北遠流出版公司的電話，受託趕譯戴國煇教授的新著《台灣》。王榮文社長還特別叮嚀：希望能和日文岩波新書同時出版。第二天，經過作者校對的大樣就送上門了。我且讀且譯，但恨雜務擾人，進度很慢，而暑假轉眼飛逝，只好把頭兩章的譯稿和大樣帶到日本來。幸虧台灣政局多變，作者一直在增刪改寫，並通知我不必趕工，等日文本刊行後再譯不遲，正好解決了我無法如期交差的難題。12月寄出譯稿後，作者又吩咐我對原著的內容提供意見，以便在出中文本時酌加修訂。可是慚愧得很，我對中國近代史懂得稍多，對台灣史知道得太少，只能就若干細節質疑一二，而不能成全他的美意。不肯配合「打鐵趁熱」的生意經，寧可一再延誤出書時間，傷透出版家的腦筋，也要力求止於至善；作者的敬業精神，由此可見一斑。

　　本書在大眾傳播界極端漠視台灣的日本出版後，不到半年，就連出四刷，賣掉六萬本，替一向以內容嚴謹且正經、銷路比較清淡的岩波新書，激起罕見的高潮。東京、京都、大阪、福岡、仙台的各大書店，先後把它列在每週非小說類暢銷書的前十名排

行榜上。五大報──《朝日》、《讀賣》、《每日》、《日本經濟》、《產經新聞》，兩大通信社──《共同通信》、《時事通信》，以及《週刊朝日》、《東洋經濟》、《經濟學人》〔《エコノミスト》〕等雜誌，紛紛刊載了書評。這裡姑且按「報憂不報喜」的原則，扼要介紹其中帶刺的兩篇：

1988年11月5日的《產經新聞》（日本近畿大學教授古屋奎二執筆）評道：

> 作者的立場，在某種意義上固然表達了本省人的一部分心聲，但由於過分強調怨恨，似乎在一味吐露被壓迫者屈折的心情。而對國民黨統治積極的一面──例如戰後台灣的現代化、經濟發展的奇蹟、大陸傳統文化的繼承──缺乏肯定性的記述，當然是不公平的。

1989年3月7日刊行的日文《經濟學人》雜誌的書評欄（日本津田塾大學教授許世楷執筆）則認為：

1. 在記述上問題比較少的，只有第一、二、六章。
2. 引用文獻太少。引述不確指出處，而且往往失實；如指陳文成為左派台灣人中國統一運動的支持者。
3. 史實分配不均衡。如詳述羅福星事件，而對台灣文化協會只用六行文字輕輕帶過；又如不談1970年代以後的台灣獨立運動，不記述民進黨成立的經過，不介紹該黨的人物。
4. 詳細介紹國民黨人物，處處稱讚蔣經國，而忽略台灣人在民主化運動上所做的自主性鬥爭。

　　值得特別說明的是：古屋奎二在十幾年前，以《產經新聞》主筆身分撰寫過《蔣介石祕錄》；而許世楷現任台灣獨立建國聯盟主席[*7]。一個嫌作者沒有肯定國民黨對台灣的貢獻；一個卻罵作者從國民黨政權的角度來看台灣。這樣離奇的對比，情緒的成分似乎多於理智，難免令人懷疑他們倆另有用心，志不在論學。

　　作者在硬碰硬的日本學界、出版界、大眾傳播界早已站穩腳跟，盛名且遍及華語世界，實在輪不到相識不滿兩年的同鄉後進來向讀者推介。不過，目前海峽兩岸不謀而合地流行「統獨兩分法」，極端粗糙地主張「非統即獨，非獨即統」的乖戾之氣，瀰漫著文化界，弄得帽子滿天飛，幾乎有容不得學術中立的趨勢。作者認同中國大陸而批判大陸的政權，反對太褊狹的台灣獨立，拿的是台灣護照，又與國府農林界有關學人專家徐慶鐘、李登輝、沈宗瀚、蔣彥士等人有過來往，於是動不動就被扣上「統派」、「騎牆派」、「投機派」，甚至於「保皇黨」（如許世楷上述書評中的口氣）的帽子。誠然，「一犬吠影，百犬吠聲」，「傳聞十遍假成真」。情況既如此特殊，自當有人挺身出來，說幾句公道話。

　　作者本籍桃園縣平鎮鄉，是個生長在客家村莊的台灣客家人，自幼受他父親強烈的中原意識衝擊。他從宋屋國校到州立新竹中學初中二年級，飽受日本殖民地教育的洗禮，並體驗戰爭和光復的巨變。在台北讀建國中學的四年間，又耳聞目睹二二八事件、國府遷台和「肅諜清共」的恐怖與黑暗。他後來一直小心翼

[*7] 許世楷（1934～），1987至1991年任「台灣獨立建國聯盟」主席，2004至2008年任台灣駐日代表。

翼，極力跟現實政治保持距離，或許與青年時代這些刻骨銘心的見聞有關。但謹慎未必等於冷漠。他熱心幫助在政治上受過壓迫的前輩（如故吳濁流、楊逵、葉榮鐘、王詩琅諸老）、後進（如康寧祥、陳映真、王曉波）以及一些無名之士，還因此被吊銷護照，飽嘗「父歿喪不臨」的痛苦。

　　他的本行是農業經濟。在台灣省立農學院（中興大學前身）畢業，服完一年的預備軍官役後，於1955年秋季赴日，第二年春天考進東京大學農學院，在東畑精一（1980年日本文化勳章得主）的指導下，研究台灣農業史，希望搞通日本帝國主義統治台灣的真相，十年後，以《中國甘蔗糖業之發展》一文，獲得農學博士學位，敲開治學的大門。

　　儘管擔任日本亞洲經濟研究所研究員，並從事台灣的社會經濟及華僑社會經濟的探索，他始終抱定寫一部新的台灣通史，立不朽之言的宏願，長期不懈地蒐集和保藏史料、出國考察、訪問、錄音、討論、講演、寫作，並扶植同好。14年前也就是1976年4月，他轉任立教大學史學科教授，主持過文學部史學科和就任新創立之國際中心長，正式把志趣和工作打成一片。

　　作者是一個身體健壯、生命力旺盛、讀書廣博、工作勤奮、眼光敏銳、志氣豪邁、自信心十足的史學家。他的主要著述如下：

　　1. 中國甘蔗糖業之發展　1967　亞洲經濟研究所

　　2. 與日本人的對話　1971　社會思想社

　　3. 日本人與亞洲　1973　新人物往來社

4. 討論日本之中的亞洲*2　1973　平凡社

5. 境界人的獨白　1976　龍溪書舍

6. 新亞洲的構圖　1977　社會思想社

7. 台灣與台灣人——追求自我認同　1979　研文出版

8. 華僑——從「落葉歸根」到「落地生根」的苦悶與矛盾
1980　研文出版

9. 台灣史研究——回顧與探索　1985　遠流出版公司

10. 台灣——住民‧歷史‧心性　1988　岩波書店

此外，他還替亞洲經濟研究所主編了：

1. 台灣經濟綜合研究（上、下與資料編）　1968

2. 台灣的農業（上、下）　1972

3. 華僑文獻目錄（華、日、歐文三部著作）　1971～1973

4. 東南亞華人社會研究（上、下）　1974

自1970年主持台灣近現代史研究會，匯集同仁之研究成果，
編著了：

5. 台灣霧社蜂起事件——研究與資料　1981　社會思想社

又替弘文堂編著了：

6. 更想知道的台灣　1986

本書由於受到岩波新書袖珍本篇幅的限制，作者不得不忍痛
把原稿一再割、剪、刪、削，濃縮到三分之一弱。尤其是1945年
以前的部分，更經過大刀闊斧的裁減。不過，讀者往往可以透過

---

*2 本書係戴國煇與堀田善衛、長洲一二、安宇植、三浦昇共同編輯。

刀跡斧痕，來窺測作者的用心所在。例如：關於當日本帝國主義的殖民地經營上了軌道以後台灣人的反抗，他只記述了羅福星（客家人）、西來庵（閩南人）、霧社（先住民）三個具有代表性的事件，來畫龍點睛；至於迴避正面衝突的社會文化運動，他就採用輕描淡寫的方式，來節省篇幅。

　　台灣史的著述，似乎長期停留在「為獨立建國鋪路」、「為回歸統一立功」、「為鞏固國權效命」的政治宣傳階段，而欠缺學術研究的堅實基礎。在這種情形下，哪怕筆戰翻天，也無補於提升台灣史研究的水準。更不用說樹立公信力，讓讀者「鑑往知今」、「鑑往知來」了。忙於「創造歷史」的人，永遠沒有餘暇餘力去好好閱讀歷史，但又往往喜歡搬弄歷史來自圓其說；於是研究台灣史，很難躲開隨時飛來的帽子。作者就曾經勸告來訪的若林正丈，不要研究台灣史，因為不但沒飯吃，而且會莫名其妙地被貼上政治標籤。只有像作者那樣充滿熱情、自信、學識、魄力、恆心，住在東京這種人才集中、資訊豐富、言論自由、崇尚學術的社會環境，而又以「台灣出身的獨立自主的中國人」自命的史學家，才能夠堅持三十多年來的宏願，為提升台灣史研究的水準而開山造橋。難怪故吳濁流老先生在訪問過作者的書庫，面對汗牛充棟的典藏後，忍不住要發出「蓬萊第一峰」的驚歎了。

　　他並不是閉門讀書的舊式腐儒，而是行萬里路、識天下人的現代菁英。他主持過東京大學中國同學會，長期推廣日本崇正公會（日本客家同鄉會）的活動，創辦並主持台灣近現代史研究會，多次訪問東南亞、北美華埠地區，去實地接觸和考察華僑社會，並曾在美國加州大學柏克萊分校客座研究一年（1983～1984

年）。他一面從事道道地地的史料蒐集、收藏、鑑別、考證這些
基礎工作，一面嘗試以綜合社會學、經濟學、社會心理學及精神
分析學的方法解釋史實，主張把台灣放在世界史、亞洲史、中國
史的有機關聯之結構性位置上加以觀察，免得把政治、法律上一
時的認同，與社會、文化上註定的認同混為一談。《台灣》這本
小書，只不過是作者在累積三十多年的準備工作後所寫的啟蒙性
中間報告，更精詳、更堅實的研究成果，如二二八事件的綜合研
究、台灣通史等，即將陸續推出。但願台灣史的研究，能因作者
旺盛的工作熱情和推動力而不斷提升水準，而引發深入的討論，
藉此提供指針，好讓大家一道來尋求共同的、最合情合理的、最
富於人道精神的前途。

　　翻譯本來是技術性的工作，譯者只負責用另一種文字，忠實
且清楚地傳述原著的內容，頂多順手介紹一下作者的生平和著述
背景就完事了，根本不必囉哩巴嗦的，惹人生厭。可是，由於作
者的情況有點特殊，我不知不覺地多說了幾句話；謹向讀者道
歉。作者的日文典雅流暢，譯文最多只夠資格談「信、達」二字
而已，不足以言「雅」。如有錯、漏、疏、失，尚請高明指正。

魏廷朝

1989年5月28日於日本大阪

【附錄1】
簡明台灣史年表

（西元前）

221　秦漢時代，稱台灣為東鯷。

（西元後）

25　東漢、三國時代，吳國稱台灣為夷洲。

230　吳‧孫權命衛溫與諸葛直遠征夷洲。

607　隋煬帝派遣朱寬至流求（台灣），探訪異俗。

608　朱寬慰撫流求失敗。

610　煬帝命陳稜與張鎮州率兵，自義安（廣東省潮州）赴流求。

1171　南宋泉州知府汪大猷派兵駐屯平湖（澎湖）。

1174　台灣的毘舍耶人，襲擊泉州府下。

1292　元朝世祖派遣楊祥至瑠求（台灣），招撫失敗。

1297　元朝成宗自福州派兵至瑠求。

1335　元，大致在此時設立澎湖巡檢司。

1387　為因應倭寇，撤廢澎湖巡檢司。

1517　約在此時，葡萄牙人自海上眺望台灣，喊為Ilha Formosa（美麗
　　　之島）。

1563　復設澎湖巡檢司。約在此時，華南系「海盜」（兼具武裝貿易集
　　　團性質）在台灣近海活動。

1580　西班牙系耶穌會關係人士訪台。

1593　日本豐臣秀吉試向「高山國」（台灣）呈遞國書。

1603　荷蘭占據澎湖，後來撤退。

1609　日本有馬晴信，探察台灣。

1616　日本村山等安率領13艘兵船，試圖遠征台灣。萬曆年間，倭寇在台灣近海大肆活動。約在此時，明在澎湖島增兵，加強戒備。閩粵二省省民頻繁介入台灣。魍港（嘉義縣東石與布袋附近）一帶進行開發。

1622　荷蘭艦隊再度襲擊澎湖島。後移台灣。

1624　荷屬東印度公司在安平建熱蘭遮城，在赤嵌（台南市）建普洛文西亞堡，開始統治台灣。

1626　西班牙艦隊沿東海岸入台灣北部，在雞籠（基隆）灣社寮島（和平島）築聖薩爾瓦多城。鄭芝龍接受明朝招撫，募福建省民數萬來台，每人付銀三兩，每三人配牛一頭，使進行開拓。

1629　西班牙在滬尾（淡水）築聖多明哥城。

1642　荷蘭艦隊北上，將西班牙人逐出台灣。

1661　鄭成功攻擊荷蘭統治下的台灣。

1662　荷軍向鄭成功投降，結束38年間的台灣統治。鄭政權將台灣全區改稱東都，以赤嵌為承天府，設一府二縣一司。六月鄭成功病逝。子鄭經繼位。改東都為東寧，縣升格為州，整編內閣制度。

1673　大陸發生三藩之亂。鄭經響應，失敗。

1681　鄭經病死，經骨肉之爭，次子克塽繼位。清廷攻略澎湖島。

1683　福建水師提督施琅自澎湖島進兵台灣本島。克塽投降。結束鄭氏22年間的治台。

1684　在福建省下設立一府（台灣）三縣（台灣－台南、鳳山－高雄，諸羅－嘉義）。

1721　朱一貴等舉兵於羅漢門（高雄縣旗山）。

1723　鎮壓朱一貴之亂後，因應開拓的進展，增設一縣（彰化）二廳
　　　（澎湖、淡水）。

1729　推行劃定漢蕃界線、禁止漢蕃互相侵犯、推展包括普及清俗等之
　　　理蕃政策。

1766　創設理蕃廳。理蕃事業分南北兩路實施，設北路理蕃同知於鹿港
　　　（彰化縣），南路由台灣府台防同知兼任。

1840　英國艦隊因鴉片戰爭，巡弋台灣近海。

1854　美遠東艦隊司令培理，自日本歸國中途，寄泊雞籠。

1858　依據《天津條約》，台灣府（台南、安平）與滬尾開港。

1860　普魯士船砲轟南部少數民族的部落。

1863　增開打狗（高雄）、雞籠為商港。

1867　美國軍艦砲轟南部少數民族的部落，並加侵犯。

1869　因英國系商行與官警間發生樟腦紛爭，英國軍艦砲轟安平。

1874　日本出兵台灣南部（牡丹社事件）。福建船政大臣沈葆楨奉派為
　　　欽差大臣，主持台灣防務。

1884　因中法戰爭，法國艦隊砲轟雞籠、滬尾、澎湖島。劉銘傳奉派為
　　　福建巡撫兼督辦台灣防務。

1885　台灣脫離福建省成為一省。劉銘傳為首任台灣巡撫。

1886　劉銘傳到任。以洋務運動為中心，推行新政。實施清賦（土地調
　　　查）事業，鋪設鐵路，創設樟腦專賣制度、郵政制度等。理蕃事
　　　業也以大嵙崁溪為中心推展。

1891　劉銘傳離職。新政停頓。

1894　8月1日　中日甲午戰爭爆發。黑旗軍劉永福為台灣防務而入台。

1895　4月17日　簽訂《馬關條約》。決定「割讓」台灣。

　　　5月25日　台灣民主國宣布成立（台灣巡撫唐景崧任總統、劉

永福任大將軍、客家系台籍進士丘逢甲被推舉為副總統兼團練使）。

5月29日　日本近衛師團登陸澳底。

6月2日　李經方與樺山總督在雞籠港外海艦上辦理台灣交接手續。

6月3日　日軍攻占雞籠。

6月4日　夜，唐景崧逃至滬尾，坐德國船赴廈門。

6月7日　日軍靠辜顯榮接引，入台北城。抗日游擊隊在各地抵抗。不久，丘逢甲逃到對岸。

10月19日　以台南為中心，指揮抗日戰鬥的劉永福也撤回廈門。

11月3日　日本當局確認劉的逃離，宣布平定全島。

1896　台灣民主國崩潰後，抗日游擊隊各自在各地激烈抵抗。日本帝國議會有人提案「賣掉台灣」。

1898　3月28日　兒玉源太郎就任第四任總督，後藤新平以民政局長到任。

9月5日　土地調查事業開始。

11月3日　公布《匪徒刑罰令》，以極刑對付抗日游擊隊分子。

1905　3月31日　土地調查事業完結。

1910　1月1日　林野調查事業（五年計畫）與由國庫支付的「五年計畫討蕃事業」開始。

1913　10月　受辛亥革命（1911年10月10日）影響的羅福星事件被揭發。

1914　3月　羅福星被處死刑。

1915　8月3日　西來庵事件。

9月23日　首謀余清芳被處死刑。

1919　11月11日　首任文官總督（第八任總督）田健治郎到職。

1921　2月　台灣議會設置請願運動開始。

　　　10月17日　台灣文化協會成立。

1928　4月15日　台灣共產黨（日本共產黨台灣民族支部）在上海成立。

1930　10月27日　發生霧社蜂起事件。

1931　4月25日　第二次霧社事件。

　　　8月16日　台灣地方自治聯盟成立。

1936　6月　發生林獻堂的「祖國事件」。

　　　10月1日　武官總督制復活（第十七任總督小林躋造到任）。

1937　4月1日　正式的皇民化運動開始。限制台灣島民使用母語。廢止報紙漢文欄。

1940　2月11日　公布改姓名規則。改姓名（自中式姓名改為日式姓名）運動開始。

1945　8月15日　日本戰敗。

　　　10月5日　台灣省行政長官公署、台灣省警備總司令部在台北成立前進指揮所。

　　　10月17日　第七十軍登陸基隆。

　　　10月24日　行政長官兼警備總司令陳儀到任，受熱烈歡迎。

　　　10月25日　在台北公會堂（今中山堂）舉行受降典禮（中國代表陳儀、日本代表第19任台灣總督安藤利吉）。

1947　2月27日　夜，因取締私煙，警民衝突，擴大為二二八事件。

　　　3月2日　「二二八事件處理委員會」成立於台北中山堂（王添灯就任該會宣傳組長——發言人）。

　　　3月5日　謝雪紅在台中組織「二七部隊」，進行武力鬥爭。約在

同時，中共台灣工作委員會軍事負責人張志忠展開嘉義機場的包圍作戰。

3月7日　「二二八事件處理委員會處理大綱」制定。

3月8日　國府軍的支援部隊登陸基隆，展開鎮壓作戰。

4月22日　陳儀辭職。廢止長官公署制。魏道明任首任台灣省主席。展開對台灣上層階級的安撫措施。

5月20日　蔣介石、李宗仁就任中華民國行憲第一任總統與副總統。

8月　台灣再解放聯盟於香港成立。

1949　1月5日　陳誠任省主席。

1月21日　蔣介石下野。

2月23日　陳儀在上海被捕。

3月29日　「台北市大中學學生聯合會」成立大會。

4月6日　緊急逮捕學生運動領袖（「四六事件」）。

4月12日　「三七五減租」（農地改革第一階段）開始。

4月29日　陳儀被移送台灣，羈押。

5月1日　全省戶口總檢查。

5月20日　戒嚴令。

8月5日　美國發表《對華關係白皮書》。

8月20日　「政治行動委員會」成立。

9月23日　林獻堂流亡日本（1956年9月8日於東京病逝）。

10月1日　中華人民共和國成立。

12月7日　國府中央遷都台北。

12月21日　吳國楨就任台灣省主席。

從1948年底到第1949年初國庫所存金、銀、外匯及北平故宮博物

院的「國寶」等陸續運抵台灣。

1950　3月1日　蔣介石復職為總統。

　　　3月8日　陳誠任行政院長，蔣經國任國防部總政治部主任兼總統府資料組（情治機構的統括主宰機構）組長。約同時，日本人軍事顧問團（白團）在台北開始活動。

　　　5月13日　蔣經國揭發中共地下組織八十多單位，宣布逮捕最高負責人蔡孝乾（蔡後來歸順國府，1982年於台灣病逝）。

　　　6月18日　陳儀被槍決。

　　　6月25日　韓戰爆發。

　　　6月27日　美國第七艦隊協防台灣海峽。約同時，美國恢復援助國府。

　　　8月5日　國民黨中央改造委員會成立。

1951　6月29日　實施「公地放領」（農地改革第二階段）。

1952　4月28日　《日華和約》簽訂（台北）。

　　　10月19日　國民黨第七次全國代表大會，蔣經國升任中央委員。

　　　10月31日　中國青年反共救國團成立。

　　　11月　政工幹部學校開辦。

1953　1月1日　第一次四年經濟計畫開始。

　　　1月26日　實施「耕者有其田」政策（農地改革最後階段）。

　　　4月10日　吳國楨辭省主席職（5月24日亡命美國，批判蔣氏父子）。

　　　7月27日　韓戰簽訂休戰協定。

1954　3月　蔣介石當選第二任總統，陳誠當選副總統。

　　　6月　體制批判派的本省人高玉樹當選台北市長。

　　　7月　制定《外國人投資條例》。

9月3日　金門砲戰。

12月2日　《美華共同防禦條約》簽訂（華盛頓）。

1955　4月24日　萬隆會議，發表和平十原則。

8月1日　第一次美中（大陸）大使級會談（日內瓦，後遷波蘭華沙）。

8月20日　孫立人案。

9月　廖文毅等創立流亡組織——台灣臨時國民會議（東京）。

11月19日　制定實施《華僑回國投資條例》。

1956　1月　廖文毅等台灣獨立派建立台灣共和國臨時政府（東京）。

1957　5月24日　台灣民眾抗議美軍法庭裁判不公（殺害國府軍官的美國士官經美軍法庭判決無罪），襲擊台北美國大使館。

6月2日　日本首相岸信介首次訪台。

1958　8月23日　金門發生激烈砲戰（至10月24日）。

1959　9月15日　蘇聯首相赫魯雪夫訪美。

11月　美國盛行「一個中國‧一個台灣」論。

1960　4月　居留日本的台灣獨立運動少壯集團創刊《台灣青年》雜誌。美國興起「中台國」的構想。

8月27日　《自由中國》雜誌有關人士預告成立反對黨——「中國民主黨」。

9月4日　逮捕創設反對黨運動之中心人物雷震。

10月8日　雷震被判十年有期徒刑。《自由中國》停刊。

1961　3月　參加籌組反對黨的李萬居所辦的《公論報》被迫停刊。

1964　4月27日　體制批判派高玉樹第二次當選台北市長，黨外再度得勢。台灣經濟、工業生產額首次超過農業生產額。美援減少。預告於翌年停止。

1965　1月13日　蔣經國就任國防部長。

3月5日　陳誠去世。

4月26日　與日本簽訂一億五千萬美元的日圓貸款協定。

5月14日　廖文毅歸順國府。

6月30日　美國停止經濟援助。

7月　設立高雄加工出口區，開始接受投資申請。

1967　2月1日　創設國家安全會議。

1968　9月1日　九年制義務教育制度開始。

1969　6月25日　蔣經國就任行政院副院長。

1970　1月15日　台灣獨立聯盟成立（本部設在美國）。

4月18日　蔣經國以父親蔣介石代表身分第五次訪美。

4月24日　蔣經國被台灣獨立派的居美台灣青年謀刺，但無恙（紐約）。

10月13日　國府與加拿大斷交。

11月6日　與義大利斷交。

1971　4月10日　乒乓外交開始，美國桌球隊訪問大陸。

7月9日　美國總統特別助理季辛吉密訪中國大陸（至7月11日）。

7月15日　美國總統尼克森宣布決定訪問中國。

10月25日　中華人民共和國加入聯合國。國府退出聯合國。

1972　2月21日　美國總統尼克森訪問中國（大陸）。

2月27日　美國與中國（大陸）發表《上海公報》。

3月21日　蔣介石當選第五任總統。

4月2日　邱永漢歸順返台。

6月1日　蔣經國就任行政院院長。以台籍政治家為主，提拔青年

才俊。李登輝自學界入閣。

9月29日　中（大陸）日建交。國府對日斷交。

1973　自本會計年度至78年度，實施總額50億美元的「十大建設計畫」。

1975　4月5日　蔣介石去世。

　　　4月6日　副總統嚴家淦繼任總統。

　　　4月28日　國民黨臨時中央委員會推舉蔣經國為黨主席。

1977　11月19日　因桃園縣長選舉，發現舞弊，民眾情緒激昂，演成暴動（中壢事件）。當局彈性因應。黨外更加得勢。

1978　3月21日　蔣經國當選總統。

　　　3月22日　謝東閔當選副總統，為第一位台灣人的副總統。

　　　10月　南北高速公路通車。

　　　12月16日　華盛頓和北京預告美中（大陸）建交。國府為避免引起混亂，停辦進行中的台灣地區立法委員及國民大會代表增補選舉。

1979　1月1日　中華人民共和國全國人民代表大會常務委員會發表《告台灣同胞書》。

　　　2月26日　桃園國際機場啟用。

　　　6月　蘇澳港啟用。

　　　8月　《美麗島》雜誌創刊。黨外運動急進派以雜誌社為中心而形成，逐漸壯大。在各地設立分社，以對讀者的談話會方式推展民主政治啟蒙運動與黨外運動。

　　　12月10日　美麗島集團在高雄市主辦世界人權日大遊行。警民衝突，發生流血事件。事件後，黨外運動領袖們大舉被捕（美麗島事件）。

1980　2月1日　北迴鐵路（蘇澳—花蓮）通車。

2月28日　因美麗島事件入獄的林義雄（黨外省議員）之母與雙生女兒被暗殺。

1981　7月3日　美國卡奈基美倫大學助理教授陳文成離奇橫死。

9月30日　葉劍英發表〈關於台灣回歸祖國、實現和平統一的九項提案〉。

1982　6月　台中港啟用。

1984　3月21日　蔣經國再度當選總統。

3月22日　台灣省主席李登輝當選副總統。

10月15日　美籍華人新聞界人士江南在舊金山市郊自宅被暗殺。

1985　12月25日　蔣經國在國民大會代表年會聲明蔣家不推出總統繼任人。

1986　9月28日　民主進步黨建黨宣言。

1987　7月1日　李煥就任中央黨部祕書長。

7月15日　零時起解除戒嚴令。同時開放外匯管制。

7月27日　蔣經國發言「在台灣住了近四十年，我也已經是台灣人」。

11月1日　開放大陸探親。同日工黨成立。

12月25日　蔣經國指出「憲法才是我們的法統，實施中央民意代表機關的改革才是合乎憲法的唯一正確途徑」。同日，民進黨人士發起並實施黨外民眾攔住火車，要求「中央民意代表全面改選」的示威遊行。

1988　1月1日　「報禁」解除。

1月13日　蔣經國去世。李副總統繼任總統。

1月27日　李登輝代理國民黨黨主席。

3月16日　台灣農民舉行反對開放美國農產品進口的示威遊行。

3月　台灣原子能委員會核能研究所副所長張憲義上校，經發覺為美國中央情報局工作人員（早已逃亡美國）。

5月20日　農民示威遊行，因複雜分子混入演成暴動，大舉逮捕。

7月7日　國民黨舉行第13次全國代表大會（至7月13日）。李登輝當選國民黨主席。

8月16日　北京設立「台灣研究會」（會長宦鄉）。

8月18日　行政院「大陸工作會報」成立。

8月24日　國民黨中央黨部設立「大陸工作指導小組」，召集人為馬樹禮。

8月25日　台灣原住民族「還我土地」運動聯盟舉行「還我土地」大遊行。

9月10日　中國（大陸）國務院設立「台灣事務辦公室」（負責人丁關根）。

【附錄2】

整理了「轉型期」的動向
── 評戴國煇《台灣總體相》
◎ 西川潤著[*]‧劉靈均譯

　　雖然台灣因為其高成長與占有世界市場上大量的出口市占率，做為亞洲新興工業化經濟體（NIEs）之雄而為世人注目，但在日本由於太過於在意中國的看法，所以從正面面對台灣經濟社會問題的研究相當少。若林正丈等人在去年出版的《台灣──轉換期的政治與經濟》〔《台湾──転換期の政治と経済》〕（田畑書店）一書是治癒這種知識飢渴的一本好書，但在戴先生這本新書的袖珍版規模裡，台灣歷史、複合性的社會、國民黨統治的變遷、邊產生「民怨」邊成長的經濟之特殊性、跨越本省人外省人的分別，逐漸形成的台灣人心性等，為了預言今日我們稱為「大轉型期」的台灣未來動向，完整地整理了基本的觀點並呈現在我們面前。

　　然而本書並不是像字典一樣羅列與台灣相關知識的書。作者在整本書中貫徹著一個明確的訊息──這座「美麗島」有著溫暖的氣候與豐富的資源，然而隨著近代史進展，有各種外來、殖民勢力進入，其中階級的關係也以土地所有權為軸心得以發展。國共內戰失敗退到台灣的國民政府軍，因為在這裡缺少民眾基礎，於是以美國為後盾進行農地改革，試圖與農民站在一起；但另一方面持續了將近四十年，依賴戒嚴令的強權統治。國民黨政權為了與中國大陸對抗，得到美國、日本的援助，以導入外資為基礎發展了工業。然而這種對外開放對內封閉的「開

---

[*] 時任早稻田大學政治經濟學部教授。

發獨裁」體制，也因為高度的成長造成的中產階級膨脹，以及民主化運動的氣焰高漲而大大地動搖了。政治上的領導層中，出生於台灣的道地台灣人已開始加入參與決策，民主化的各個政黨開始誕生，開放赴大陸探親等接近大陸的行動也開始了。意識形態的高牆逐漸崩毀，「不管是大陸還是島嶼」，互相連動的民主化改革也逐漸排上日程。

　　作為台灣NIEs化的要因，在本書作者將農地改革所帶來的生產性提升、市場擴大，與導入外資、反共政策、與世界市場的聯結同等重視。筆者閱讀此書，感到從大陸來的高級技術官僚與資本家的轉移到台灣、與華僑經濟圈的連動，對台灣的中小企業家也造成很大的衝擊。與冷戰體制相互結合的台灣經濟性格，不得不與國際經濟的變動一同改變。我們可以實際感受到，東亞的巨大變化是由NIEs開始的。

本文原刊於《朝日新聞》，1988年11月21日

【附錄3】
以確立自我爲目標的「亞細亞的孤兒」
——評戴國煇《台灣總體相》
◎ 佐藤忠男著 * ‧ 劉靈均譯

　　這是一本將台灣的歷史與現狀簡潔呈現的書。

　　台灣從日本的殖民統治解放之後，雖然回歸了中國，但在中國本土敗給了共產黨的國民黨及其軍隊200萬人也跟著移住至台灣，所以從以前就住在台灣的所謂本省人之上，出現了來到台灣的稱為外省人的統治階級，產生了壓制與反抗；而為了抑制反抗，實行了漫長的戒嚴令，一直到去年〔1987〕才得以解除。為了反對這樣的體制，有許多團體持續著反體制運動。

　　然而現在，在長時間持續一黨獨大的國民黨主導之下，民主化、自由化極速的進展，反體制派的主張大多變成是由上面所灌輸，反倒是反體制派自己的實力與素質受到質疑。

　　由於本書以這樣的政治性問題為軸心記述著歷史與現狀，評論者做為電影影評人其實不太恰當；但是因為這幾年看著台灣電影的藝術水準有了飛躍性的提升，要說現在世界電影中最值得注目的，就是台灣電影的新手們所製造出的新浪潮（La Nouvelle Vague）也不為過。為了了解其謎底，我也去台灣旅行過。

　　正因如此，我認為從這本書應該可以得到了解台灣電影發展的線索而讀了它，並且得到許多可供參考的東西，因此由衷想推薦此書。不單只是為了解史實，而有助於理解以歷史為素材的電影而已。

＊ 日本電影、教育評論家。

　　我們可以在這本書與政治相關的記述中，讀出台灣的人們為了要確立身為台灣人的自我，體驗了何等複雜的內心糾纏。我這才知道，台灣新電影的魅力，正是這樣為了確立自我的努力核心之故。

　　台灣的住民大多數是漢民族。換句話說就是中國人。但是在1895到1945年這段期間，台灣曾經是日本的殖民地。

　　在日本人的統治下，台灣人遭到歧視，抵抗運動被強烈的壓制，有非常多人因此被判死刑。台灣人沒有被中國人、也沒有被日本人平等對待，成為了「亞細亞的孤兒」。因此，日本的敗戰雖然對他們而言是解放，也讓他們回歸母國，但是從中國本土來接收台灣的國民黨官員將在中國本土的腐敗也帶來了台灣，甚至強烈鎮壓居民的反抗。

　　1947年2月台灣的住民發起了暴動，霸權統治就從這樣激烈的壓制起步了。但當時台灣人對於本來是自己同胞的從中國本土來的人，就像是模仿以前日本人一樣，也有著優越歧視意識的一面。這樣的事情根據當時居住台灣的作者基於自己的經驗所述，實在令人印象深刻。作者寫著，那狀況是相當醜惡的。

　　像這樣，不單是反對外省人的統治，對於本省人所有的這種內心矛盾也冷靜地批判，並且嚴肅地尋找台灣人應有的樣貌，讓我感受到與台灣新電影相通的感動。

本文原刊於《週刊朝日》，1988年11月25日

【附錄4】

左派或右派都是同胞
──評戴國煇《台灣總體相》

◎ 速水敏彥[*]著・劉靈均譯

　　「真的很有趣！！」如果我這樣說，我的畏友戴教授不知道會擺出什麼表情呢。然而這真的就是我讀完這本書之後率直的感想。

　　確實，本書是與台灣相關的實證性歷史研究的成果，其從歷史中登場，一直到1988年的現在，本書中「冷靜而客觀地」分析了這段期間台灣的政治、經濟、社會的狀況，以及製造出這些狀況的、甚至是被置於這些狀況下的人們，並且「綜合而簡潔」提示了在世界史中被定位的台灣樣貌。

　　然而本書並不是一本關於台灣的無聊乏味學術書籍，也並非教科書一般地傳達知識的書籍。雖然本書是藉由作者運用的龐大的資料，自己進行實地考察，向許多相關的識者直接取材而成書的，但這本書簡直是個環繞台灣的了不起真人劇場，而且我們可以藉由這劇場切身地感受到作者自己的氣息，那大概是作者有著強大「廣度、深度與光度」的人格或者精神吧。

　　特別是在1945年8月15日以後，也就是台灣光復（回歸祖國）之後的記述，實在是栩栩如生、魄力十足，打動著讀者的內心。那想必是基於作者自己見聞、自己體驗的事實吧，但大概也是因為作者在敘述的同時，也堅持著作為史家的姿態，有著敏感的現實感與柔軟的思考，不溺於自身情感或者固執於自己的邏輯，該批判者就正直地批判，該讚揚者

＊ 速水敏彥，時任立教大學文學部教授。

也毫不誇大地予以讚賞的緣故。

　　筆者雖然出生在台灣，總是自負於自己比其他的日本人懂台灣，但閱讀了本書之後，才發現自己對於台灣的「住民・歷史・心性」幾乎是完全無知。在哐的一聲感受到當頭棒喝的同時，也體會到了眼前豁然開朗的氣氛——或者可以說是產生興趣。

　　從蔣經國到蔣介石的政治體制宣告終結，現在的台灣由本省人（光復前本籍定於台灣並居住於台灣的人們）李登輝先生擔任總統，創造了驚人的經濟成長，同時卻也懷抱著諸多課題，但試圖創造出雖藏有危機與可能性嶄新的歷史。某個出獄不久的政治犯曾說過：「所有的中國人，不管『左派或是右派』，『在大陸或在島上』，都是同胞。希望有一天可以對人類做出偉大的貢獻。」我想這不只是本書作者的期待，也是筆者的期待。

本文原刊於《立教》第128號，1989年11月（冬季號），頁80

【附錄5】
評《台灣總體相》

◎ 王賀白

　　戴國煇，這位旅日的台灣史學者，在去年以日文寫了一本極具爭議的台灣史專著《台灣——住民‧歷史‧心性》。

　　該書從台灣的起始，歷經明、清、日據時代，最令人矚目的是全書有大半敘述了現今的台灣當局，從二二八、台灣經濟起飛，以迄晚近的解嚴、兩岸交流、李登輝繼任大局，敘述的角度極具爭議性。

　　該書在日本出版後，不到半年，賣掉六萬本，並受到日本《讀賣》等報刊重視，刊載書評。書評中，可謂毀譽參半。

　　1988年11月5日的《產經新聞》的主筆古屋奎二（此人即是撰寫《蔣介石秘錄》之人）即評道：

> 作者的立場，在某種意義上固然表達了本省人的一部分心聲，但由於過分強調怨恨，似乎在一昧吐露被壓迫者曲折的心情。而對國民黨統治積極的一面——例如戰後台灣的現代化、經濟發展的奇蹟、大陸傳統文化的繼承——缺乏肯定性的記述，當然是不公平的。

　　前者當然是台灣官方的評論家，然而另一方面，現任台灣獨立建國聯盟主席的許世楷，則在1989年3月7日的日文《經濟學人》雜誌上則認為：

史實分配不均衡，如詳述羅福星事件，而對台灣文化協會只用六行文字輕輕帶過；又如不談1970年代以後的台灣獨立運動，不記述民進黨成立的經過，不介紹黨的人物。……詳細介紹國民黨人物，處處稱讚蔣經國，而忽略台灣人在民主化運用上所做的自主性鬥爭。

顯然官方獨派都對戴國煇的台灣史觀不表贊同，然而這本書轉譯為中文，在台灣流傳卻是今年9月的事。譯者是曾繫獄17年的政治犯魏廷朝。譯者的用心無非是：關心台灣史的，應該是生活在此島的人最為切身，他希望透過譯此書，願台灣史研究的水準不斷提升。

書中在敘述到台灣人在台灣光復之際，言詞令人動容，戴國煇在書中引述了吳濁流描寫的《亞細亞的孤兒》：

> 不過，最常見的例子卻是像吳濁流所描寫的《亞細亞的孤兒》主角那樣，小心翼翼的台籍人士。他們往往被大陸的中國人輕視，懷疑可能是日本人的奸細。並且，有時日本人又從另一種意義上把他們看成中國那一方的間諜，侮蔑為「不逞之徒的支那人」的同夥。正是被逼到兩面不討好的悲慘狀態下的「亞細亞的孤兒」。

即使到今天，在執政當局對台灣史的輕視、扭曲之下，這份「台灣人原罪」的冤屈仍未獲得平反，這項歷史的錯誤，至今仍使我們的下一代年輕人必須痛苦地在中國人或台灣人的屬性中徘徊。

或許此書無法解除這種痛苦，但也聊表徘徊中的苦悶吧！

本文原刊於《民眾日報》，1989年10月11日

【附錄6】

嶋倉民生致戴國煇函

◎ 李尚霖譯

謝謝您寄來的《台灣總體相──住民・歷史・心性》！

「近所未見，值得一讀的書」，在愛知大學中國學術交流委員會的喫茶時間，老師們如此反應！

我也受到吸引讀了之後，覺得真是深深打動人的名著。

去年七月底，也就是在戒嚴令解除後不久的十天左右，我雖曾與妻兒三人到台灣觀光旅行；但讀了這本書，我再次覺得我自己對台灣一無所知。以前曾讀過在《中華週報》上連載三年多的〈台灣物語〉，不知為何，那連載只寫到19世紀初，之後就不再連載了。

事實上，11月底我到海南島去，在飛機中讀這本書，因為海南島與台灣太過相似，讓我嚇了一跳。

海南島是個試圖開發觀光的美麗小島，面積比台灣要小，也出產香蕉、甘蔗等亞熱帶產物，最重要的是，海南島是由少數民族與本地（省）人所組成而升格成特區。島內也有與近幾年移民的幾十萬外省人的摩擦等現象。我甚至想推薦海南島政府的官員讀讀這本書。海南島不知是西沙還是南沙的群島，與越南關係緊張，狀況完全像是金門、馬祖；機場上停放著隨時準備升空攔截的噴射戰鬥機，這也與福州、高雄相似。

更何況，我一去參觀海口飛快新設的工業區，當地官員帶我們去看Puma品牌的運動鞋加工工廠，他們強調，這工廠是台灣的資本，台灣已開始直接投資。

　　在書中頁183的最後一節，好像有提到「對日本帝國而言，不等待資本主義經濟的成熟，而強行轉化成帝國主義，是必須的課題」。這樣的段落，對呈現您身為歷史研究者的立場或許必要也說不定，但文章整體在您的文筆下，躍然紙上；看到這樣的文章，讓人興起世上寫這種文章的人何其多的感想。

　　但是，即便如此，高超的文筆還是令人佩服，我認為確是表現精確簡潔的好文章。例如，頁169的中間關於洋務運動的內容，讓我不禁折服，如果以前有老師這樣子教的話，那會是多麼簡明？說起教科書，最好的例子也就是頁182引用乃木〔希典〕大將的文書，讀之令人興味盎然，我覺得這是日本學生必讀的部分。因為最近的日本好像有由乞丐突然變成暴發戶的情況。

　　另外，如果再說與教科書的聯想，這本書在現代的日本學生眼裡，說不定會覺得漢字很多。我在讀的時候，聯想起大內兵衛的文章。他的文章之所以有名，不知是否該說是因為漢文素養之故；漢文與日文融合，文章簡潔，是男性化的好文章。我覺得戴先生的文章與其相當。

　　我今天修改來我們研究所的中國人研究者的論文（日文）文法，真的是累壞了，不禁抱怨，自己寫還比較快！但重新一想，我自己會寫中文嗎？即使會寫，如果請中國人修改，他們又會怎麼想？所以便花了一天時間，端肅地修改文法。

　　且換個話題，對日中經濟協會會報編輯會議的諸位賢達，我有若干意見。我不喜歡他們揮舞自己銳利的日本刀，隨便亂砍。他們不知是因為不怎麼思考別人的（中國的）立場，或者說因為對中國太過無知，因而有站在自己的立場誇大其詞的傾向。並不是說你的刀子利就能為所欲為！

　　話雖離題，但我覺得這本書至少有種溫暖的眼光。例如，第8頁裡

反對「高山族」的概稱，頁136寫道「被迫喪失自我，喪失故鄉」，頁143至144描寫外省人下層兵士年老除役後的樣貌等處，都可以看到對底層的溫暖的眼光，這點深得我心。然而，作者也俱足冷澈客觀的法眼。頁212的中段，雖是充滿臨場感、有迫力的文章，我無法想像當時台灣人們的樣態，在驚訝的同時，也想到，以台灣出生者之手記錄這段歷史事實，對作者而言，種種辛酸，想必非常人能體會，因此這頁異常珍貴！

雖然在書結尾的部分變得腥羶，稍令人生厭，但大部分的地方都引人入勝，是近期難得的佳作。我認為本書政治與經濟的分量配置均衡，沒有穿插些奇怪的統計表、曲線圖，這是一大優點。向來不是有「政經不可分」的說法？我在過去的公務員生涯，學到了統計這東西的好處與局限。照片比較能述說真實！

頁219至220是令人印象深刻的部分，一再反覆地被使用的「共犯結構」這概念，對運用社會科會方法寫東西的人來說，是不可或忘的一詞吧！

我想從事中日關係事務有關的人們，日常應該反省，中日雙方是否正共同參與可怕莫名的「共犯結構」！

我拉拉雜雜寫了一堆狂妄的東西，但不管如何，這是本好書，讓我的「戴理解」加深了。頁145裡有「他們」的說法，讓我想像是與國民黨間的距離，與國民黨已日薄西山。另外，在頁313裡，有「在外國待20年以上……對實際情形太隔膜」的說法，思及著者待在日本的歲月，這種表達方式饒富趣味。

我去過華南，也到過沖繩，而去年也初次到台灣走了一趟，在我矇矓的印象中，歷歷在目的是台灣屋頂的陵線。讀這本書（頁146）讓我恍然大悟，想起故宮及新蓋的中正紀念堂。另外書中提到，在台灣能

品嚐到山珍海味乃託外省人之福，福建料理與沖繩料理相同等，讓人不禁再一次地思考起沖繩的根源。

　　我再寫一些我臨時想到的事情。（25日，星期天，獨居豐橋寒舍，等候明日星期一的會議）例如，「光復」這語彙，雖然台灣的人們都視作既知的語彙使用，但由於對日本人而言仍然陌生，因此，第一次接觸台灣事物的人會希望能有所說明，另頁253的「白團」，為何喚作「白」也令人好奇。

　　再者，恕我講任性的話，朝鮮半島同樣分裂成兩國，我覺得作者在書中大略地寫一兩行對此的想法不是也不錯？（好像會被說不要胡言亂語）

　　接下來，我想寫寫若干有關日語的問題。我年輕時乃文學青年，因此請原諒我談論一下對文章的想法。前面說過您的文章讓我聯想起大內兵衛的文章，我認為若能在日語內善用所謂的漢文，日語便能獲得更好的改善。

　　例如，頁179將辜顯榮寫成「冒險漢子」（日文為「冒險男」），這確實令人折服，一般的話，都寫成「行動過激者」、「投機者」等；「冒險男」的講法，《廣辭苑》辭典雖然沒收，但這是正確的用詞。頁195裡有「はたまた（或）」、頁200「ツワモノ（勇士）」的用法，這些語彙，即使是日本人，能充分掌握的，也只有講究辭藻之人。外國人的日語能將這些語彙運用自如，是不得了的事。

　　您下標題的方式也令人佩服。雖不知標題與編輯部的工作人員是否有關，但封面的「心性」、第二章的「原景」等，這些日本人不大使用的語彙彷彿就此甦醒。第七章的標題「激變中的社會」（社会は激変のさなかにあって）」亦令人佩服，普通的標題大多不是以日語體言結尾，就是以名詞做結，「さなかにあって」的用法，讓人感到餘韻猶存

非常不錯。

　　以上乃我對所惠贈一書之讀後感，平日不知禮數，現今又復加無禮妄言，望請海涵！謝謝！

　　並恭賀新年！

嶋倉民生
1988年12月25日

譯者簡介

李尚霖

1971年生。輔仁大學日文系畢業，日本一橋大學言語社會學博士，現為開南大學應日系助理教授。譯有：《單身寄生時代》（新新聞文化）、《伊斯蘭的世界地圖》（時報）、《陰翳禮讚》（臉譜）等。

劉靈均

1985年生。現為台灣大學日文所碩士生，專攻日本殖民地時期詩歌，並任中國文化大學推廣教育部、台北市立成淵高中等兼任講師，兼職日語口譯及筆譯工作。譯有：《第九屆亞洲兒童文學大會論文集日文版》（共譯，台東大學）、《歐洲統合史》（共譯，五南）。

魏廷朝（1936～1999）

台大法律系畢業。曾任《美麗島》雜誌編輯，日本大阪經濟法科大學講師。因反對強權統治，三度入獄，失去自由17年2個月，曾旅居日本2年8個月。譯有：《安部公房》（光復）、《細雪》（遠景）、《台灣霧社蜂起事件——研究與資料》（國史館）等。

（以上依姓氏筆畫序）

日文審校者・校訂者簡介

◆ 日文審校

林彩美

1933年生。中興大學農經系畢業，日本東京大學農經系博士課程修畢。旅日長達40年，中華料理研究家，曾主持梅苑中華料理研究室（日本）二十餘年。致力於梅苑書庫的保存與研究，長期投入《戴國煇全集》的編譯工作。

著有：《中菜健康瘦身法》（文經社）、《新灶腳的健康料理》（文經社）等；主編：《戴國煇文集》；策劃：《戴國煇全集》等。

◆ 校訂

張錦郎

1937年生。台灣師範大學社會教育系圖書館組畢業。曾任國立中央圖書館編纂、閱覽組主任，並任教於世界新聞專科學校、東吳大學，現為台北市立教育大學中文系兼任教授。研究專長為文獻學、出版學、圖書館學，並長期研究關注二二八事件。

著有：《中國圖書館事業論集》；編著：《中文參考用書指引》；曾主持《中國近二十年文史哲論文分類索引》、《中國文化研究論文目錄》；主編：《台灣歷史辭典補正》等。

戴國煇全集 2
【史學與台灣研究卷二】

著 作 人　戴國煇
策劃／總校　林彩美

編 輯 製 作　財團法人台灣文學發展基金會
　　　　　　10048台北市中山南路11號6樓
　　　　　　02-2343-3142
編 輯 委 員　王曉波　吳文星　張錦郎　張隆志
　　　　　　陳淑美　劉序楓（依姓氏筆畫序）
主　　　編　封德屏
執 行 編 輯　江侑蓮　王為萱
美 術 設 計　不倒翁視覺創意

出　　　版　文訊雜誌社
發 行 人　王榮文
發 行 所　遠流出版事業股份有限公司
　　　　　　10084台北市中正區南昌路二段81號6樓
　　　　　　（02）2392-6899
　　　　　　http：//www.ylib.com

排　　　版　浩瀚電腦排版股份有限公司
印　　　刷　松霖彩色印刷事業有限公司
初　　　版　民國100年（2011）4月
定　　　價　全27冊（不分售）精裝新台幣16,000元整
ISBN　978-986-85850-6-5（全集2：精裝）
　　　　　978-986-85850-4-1（全套：精裝）

國家圖書館出版品預行編目（CIP）資料

戴國煇全集. 1-9，史學與台灣研究卷／戴國煇著.
　-- 初版 .-- 台北市：文訊雜誌社出版；遠流
　發行, 2011.04
　　冊；　公分
ISBN　978-986-85850-5-8（第1冊：精裝）. --
ISBN　978-986-85850-6-5（第2冊：精裝）. --
ISBN　978-986-85850-7-2（第3冊：精裝）. --
ISBN　978-986-85850-8-9（第4冊：精裝）. --
ISBN　978-986-85850-9-6（第5冊：精裝）. --
ISBN　978-986-87023-0-1（第6冊：精裝）. --
ISBN　978-986-87023-1-8（第7冊：精裝）. --
ISBN　978-986-87023-2-5（第8冊：精裝）. --
ISBN　978-986-87023-3-2（第9冊：精裝）

1. 史學　2. 文集

607　　　　　　　　　　　　　100001708